CHRIS GARDNER

COMIENZA DONDE ESTÁS

Lecciones de vida que
te llevarán desde donde te encuentras
hasta donde quieras llegar.

TALLER DEL ÉXITO

Comienza donde estás

Publicado por:

Editorial Taller del Éxito
1669 N.W. 144 Terrace, Suite 210
Sunrise, Florida 33323, U.S.A.
Tel: (954) 846-9494
www.tallerdelexito.com

Editorial dedicada a la difusión de libros y audiolibros de desarrollo personal, crecimiento personal, liderazgo y motivación.

Diseño y diagramación: Diego Cruz

ISBN 13: 978-1-60738-020-7
ISBN 10: 1-607380-20-X

Printed in the United States of America
Impreso en Estados Unidos

10 11 12 13 14 R|UH 06 05 04 03

"A los miles de ustedes que me

han buscado para decirme:

"Eso te ha funcionado a ti pero

mira donde estoy yo..."

A todos y cada uno de ustedes

a quienes les he dicho:

"Comienza donde estás".

Y a la amada memoria de mi

madre, que me alumbra en

cada lección de vida".

Contenido

MÓDULO CUATRO

NOTA DEL AUTOR

Todas las historias que he incluido en "Comienza donde estás" ("Start Where You Are") son cuarenta y cuatro lecciones que provienen de mi experiencia personal, que está conectada a ellas de diferentes formas, las cuales incluyen correspondencia privada y conversaciones personales. Por respeto a esas personas, sus nombres y circunstancias han sido cambiados. Cuando tuvimos diálogos y conversaciones durante estas entrevistas, no fue con el ánimo de transcribir palabra por palabra sino que se hicieron pensando en conservar la esencia de la lección que había para aprender en cada caso. Junto con mi coautora hemos hecho esfuerzos para asegurarnos que los nombres y las fechas de nacimiento de quienes nos autorizaron, aparezcan incluidos correctamente. Un agradecimiento especial para todos los que nos bendijeron en la sección "Comparte tu bienestar" (Ver lección # 29) porque ellos nos colaboraron contando cómo comenzaron, dónde estaban y la forma en que llegaron a donde querían estar.

OBERTURA

"ENTRA"

Amo las preguntas. Hubo un tiempo, durante los días de mi juventud en el que no me daba cuenta qué tan poderosas realmente podían llegar a ser las preguntas, especialmente cuando se le hacen a la gente indicada en el momento adecuado. Pero con el paso de los años, mientras más iba dejando atrás mi ego, más me ejercitaba en preguntar y más retador se me iba volviendo el hecho de utilizar las respuestas que recibía.

Para el que conoce una parte de mi historia, incluyendo lo que leíste en la contraportada de este libro, dos preguntas que han sido indispensables para mí en el transcurso de los años, deberían servir de alerta: "¿Qué haces?" y "¿Cómo lo haces?" A la edad de 28 años, por primera vez (pronto lo sería) padre soltero, tuve la buena fortuna de hacer esas dos preguntas al corredor de bolsa de San Francisco llamado Bob Bridges. Este hombre no me conocía, pero estuvo dispuesto a permitirme invitarlo a un café y contestar mis preguntas, llevándome un paso más hacia adelante y presentándome a un par de personas que él conocía, quienes a su turno me abrieron las puertas que me llevaron al inicio de mi prospera carrera en Wall Street. Luego de todos los altibajos que ocurrieron después de conocer a Bob Bridges, nunca me olvido de mi deuda de gratitud hacia él, ni siquiera en mis momentos más difíciles cuando mi pequeño hijo Christopher Junior y yo nos quedamos sin hogar, al mismo tiempo en que yo trabajaba muy duro tratando de despegar. En aquella época nunca hubo alguna forma de devolverle a Bob lo suficiente en retorno por su ayuda, pero me propuse hacerlo en el futuro, ofreciendo la dirección tan profunda que viene de mis lecciones de vida a todo aquel que esté dispuesto a pedirla.

Todo esto es para decir que, a medida que te invito a "entrar" y ver lo que encierran estas páginas, quiero que sepas que tú y tus preguntas son bienvenidos aquí. Presiento que ya tienes algunas; puedes estar preguntándote por ejemplo: ¿Cómo se si necesito este libro? ¿Qué espero obtener de él? Y además te estarás preguntando ¿Por qué Chris Gardner no puede deletrear la palabra "Happyness" ("felicidad") correctamente?

Permíteme comenzar con la primera pregunta. "Comienza donde estás" es un libro que ha venido formándose en mi mente durante muchos años.

Esas fueron las palabras que escribí: Comienza dónde estás, en la parte de arriba de un folder amarillo un día después de meses de tocar en distintas puertas cuando estaba tratando de buscar apoyo en el negocio del corretaje. Parecía que me asfixiaba. A lo mejor tú también has estado en esa posición.

Bueno ese mantra básico -para comenzar a hacer uso de los recursos que ya tenía mientras construía los que deseaba tener - me permitió sostenerme en esa situación. Desde entonces, cualquier circunstancia difícil que parecía ahogarme y no sabía dónde comenzar a actuar, o cómo direccionarme para avanzar, ese mensaje en ese simple enunciado me daba fuerzas, de la misma forma en que lo ha hecho cada vez que me he estancado, sentido atrapado, o he visto mi sueño tan lejano en la distancia, que he comenzado a dudar que lo puedo alcanzar.

Cuando tuve la fortuna de publicar el que se convirtió en mi primer libro, "En busca de la felicidad" ("The Persuit to Happyness") la idea original era enfocarme en las lecciones de vida que me había prometido compartir algún día. Al comienzo tenía el presentimiento que no iba a ser capaz de hacerlo, si primero no me tomaba el trabajo de analizar profundamente lo que había ocurrido en mi vida que inspiraba esas lecciones; pero cada vez que alguien sugería que yo debía considerar la posibilidad de escribir mi autobiografía yo me detenía y pensaba: "¿Qué? ¿Revivir mi oscuridad y desnudar mi alma – para que todos y cada uno la vean - tal cual es? ¡No gracias!"

Mientras más lo pensaba, sin embargo, más evidente era el hecho que, a menos que yo hiciera el ejercicio de mirar atrás, hacia los capítulos más difíciles de mi vida, podía ocurrir que mi historia se convirtiera en la versión "superficial y fantasiosa" sobre el recorrido que hay entre la miseria y el éxito, de ir literalmente de no tener "un centavo" a poseer una fortuna. Como CEO (Chief Executive Officer) oficial ejecutivo en jefe o presidente ejecutivo de una firma multimillonaria de inversión institucional con millones de inversionistas alrededor del mundo, gerenciar tres oficinas conformadas por personal diverso e igualmente admirable, junto con actividades que me apasionan en el área de hablar en público, mis actividades filantrópicas y de empoderamiento personal, no quería que mi historia se convirtiera en una cuento de hadas.

Además - para contar la verdadera fábula de los harapos a la riqueza- la habilidad para romper el ciclo generacional de los hombres que han abandonado a sus hijos- tuve que confrontarme con los dolorosos recuerdos de haber crecido sin padre, y con el recuerdo de la más poderosa decisión que hice cuando tenía seis años. Esa fue la promesa que me hice a mí mismo, que cuando creciera y tuviera mis propios hijos, ellos sabrían quién era yo y que estaría presente en sus vidas.

El resultado fue "En busca de la felicidad", ("The Persuit of Happyness"), no solamente el libro sino también la película con el mismo nombre, que resume en un año dramático casi cincuenta años de memorias. Fuera de los hermosos regalos que me ha traído y me sigue trayendo la experiencia de compartir mi historia, es que ahora cuento con millones de lectores y cineastas de todo el mundo, como una parte extendida de mi familia.

Nadie podría estar más sorprendido que yo. Ni en mis sueños más desquiciados llegué a pensar que la historia que me había resistido a contar, obtendría el alcance mundial que ha logrado. La única explicación que me ha parecido coherente vino de la doctora Maya Angelou, uno de los seres humanos más inspiradores y la mujer más hermosa de todas las que he conocido. Mucho antes de conocerla personalmente, pude indagar acerca de ella y recuerdo que leyendo sus memorias cuando era un adolecente, bajo el título de "I Know Why The Birds Cage Sings", me parecía que yo la conocía de toda mi vida y que ella también me conocía a mí.

Cuando la doctora Maya Angelou habla, todo lo que sale de su boca es sabiduría antigua – poesía pura. Así que, lógicamente tomé nota cuando ella dijo que la razón por la cual la gente de los distintos andares de la vida pudo relacionarse con mi historia se debió a que –no se trató tanto de "la historia mía" sino más bien sobre "la historia nuestra". O como ella lo expresó – es la historia de "todo padre que tuvo que ser madre, de toda madre que tuvo que ser padre y de alguien que alguna vez tuvo un sueño y no renunció a él".

Y para ese mismo grupo de gente multiplicado incontable número de veces – todos nosotros - es para quienes "Comienza donde estás" ("Start Where You Are") fue escrito. Lo he hecho para demostrar que mi jornada para sobreponerme a las adversidades no fue algo mítico sino que de hecho es algo alcanzable para todos y cada uno de nosotros. Además lo estoy escribiendo en respuesta a todas esas preguntas, inquietudes, retos, esperanzas, miedos y sueños que he leído en ese torrente de correos electrónicos y cartas que me han conmovido e inspirado. Y también en respuesta a todos esos miles de miles de personas que he conocido en el camino durante mi papel de conferencista "inspirador" - como prefiero llamar a mi segunda carrera de hablar y escuchar en público.

En estos tiempos de cambio global y de agudos retos económicos, la ansiedad generada por la innumerable cantidad de promesas y oportunidades, parece acrecentar la necesidad de respuestas, de un consejo fiable - que es algo que vengo observando con el mayor sentido de urgencia que yo haya presenciado en largo tiempo. Esas cuatro palabras que yo escribí en mi folder significaron para cada uno de nosotros, los que en lugar de sentirnos saturados o derrotados por la debilidad, creemos que existe una salida, y eso te incluye a ti.

¿Cómo sabes si eso es así? Bueno, veamos. Si tú tienes un sueño y un deseo de lograrlo con cada fibra de tu ser, pero no puedes quitar las excusas ni circunstancias pasadas que parecen estar en tu camino, hay una lección de vida frente a ti con tu nombre escrito en ella. Si tienes un nombre y te estás muriendo de las ganas por cambiar tu vida, reinventarte a ti mismo, e ir en busca de lo que amas en tal forma que no puedes esperar a que el sol salga en la mañana, has venido al sitio indicado. Si no has descubierto tu lugar en el congestionado mundo del mercado, necesitas este libro. Si tú eres como mis compañeros adictos al trabajo tipo "A", que disfrutan de todos los resultados materiales que brinda el éxito pero añoran un verdadero sentido de realización personal, puede que estés listo para una o dos historias que te recuerden cómo soñar nuevamente. Si solo tienes el asfalto debajo de ti y de los que amas, ya sea porque estás enfrentando la perdida de tu casa, tu trabajo, o lidiando con problemas de salud o financieros, la esperanza y ayuda de aquellos que han sobrevivido a lo peor y batallado hasta triunfar, están aquí para animarte.

Con frecuencia pienso en el correo electrónico de aquel hombre que me escribió para contarme sus retos, de cómo él renunció a estudiar y a tener una carrera para cuidar a su padre cuando fue diagnosticado con una enfermedad terminal. Después que su padre murió, este joven no estaba seguro de dónde comenzar. A medida que los años pasaron él encontró el empleo justo como para cubrir sus necesidades, pero tuvo dificultades para sentirse con esperanzas sobre su futuro. Él escribió:

"Últimamente, he estado tentado a pensar que la vida no ha sido justa conmigo, pero entonces me doy el crédito por hacer lo que puedo para arreglármelas, y me acuerdo de apreciar lo que se me ha dado. Peleo por lograrlo y siento que he noqueado algunos problemas grandes en mi vida. Pero todavía hay mucho más que necesito hacer".

Luego, hacia el final de la carta el escribe: "Bueno, no sé si usted leerá esto, pero sabe... me siento mucho mejor al haberlo escrito, al punto que pienso que voy a lograrlo". Eso es todo lo que se necesita para comenzar la vida de nuevo. Él no necesitaba una respuesta ni escuchar algo sabio. Él solo requería escribirlo para sí mismo y eso lo llevó a pensar que era posible sentirse mejor.

Entonces, si estás listo para alejarte de sentimientos de desesperanza y miedo, existen objetivos por cumplir que tú posiblemente no has considerado. Puedes empoderarte no solo para sentirte mejor, sino lo más importante, para seguir tu propio camino y llegar a convertirte en quien estabas destinado a ser en este mundo. Si estás afrontando cambios en tu industria o tienes inquietudes acerca de reajustes corporativos de personal y de subcontratación, únete a la discusión sobre cómo enfrentar los retos frontalmente. Como muchos otros de quienes he escuchado, tú puedes estar animado y anhelando arrancar, pero necesitas unas mejoras en lo fundamental – de pronto vas a integrarte a la fuerza de trabajo después de servir en la Armada, criar tus hijos, o sobreponerte a una crisis de salud. Puede ser que también sientas que no sabes lo que sigue para ti y esperas encontrar ideas que valgan la pena llevar a cabo. En todos esos casos, estás en buena compañía.

De otra parte, si estás buscando ese secreto dorado que va a volverte millonario de la noche a la mañana, o a mostrarte cómo llegar a reducir tu peso sin esfuerzo, puedes colocar nuevamente este libro en la estantería porque aquí no encontrarás fórmulas mágicas. No importa qué tan tentadoras puedan parecer, las promesas de cambios rápidos generalmente se nos convierten en fracasos y logran maltratarnos, en lugar de empoderarnos.

Lo que puedo prometerte es que te compartiré las herramientas de empoderamiento que han sido el instrumento para mi éxito – emocional, financiero y espiritual - en cada paso de mi jornada. Puedo prometerte que tus preguntas serán resueltas con respuestas que no están hechas para complacerte sino para confrontarte. Para ese fin, conocerás algunos de mis mentores, modelos a seguir, héroes, antihéroes, y un grupo inusual de profesores que me enseñaron a apreciar las lecciones que son el corazón de este libro. Estoy hablando de las lecciones que ayudan a darnos la forma de quienes somos y de quienes nos atrevemos a ser - que nos permiten ver hasta los días más oscuros como simplemente transitorios, tanto como aquellos que nos sacan de nuestra zona de confort y nos inspiran a movernos hacia caminos más llamativos de andar.

Algunos de nosotros tenemos la tendencia a pensar que las lecciones de vida no se adquieren en los libros ni se enseñan en las escuelas, pero yo creo que, respetando el valor de la educación – sea enseñada en ambientes estructurados formalmente o no; durante el entrenamiento en un trabajo, una maestría en Harvard o el mundo de las calles; de la historia de la antigüedad a la cultura popular; o alrededor de una cena; en los bancos de una iglesia, a través de instrucción directa, o con el ejemplo - mi sentir es ¿por qué no dejar que el mundo sea nuestro salón de clase? Ofrece todo lo que necesitamos para alcanzar nuestras mejores y más grandes aspiraciones, como veremos en los siguientes seis capítulos:

(1) Comenzaremos en el presente, exactamente dónde estamos, con lecciones universales que se pueden poner en práctica de inmediato. (2) Iremos profundizando en el pasado y ahondaremos en lecciones sobre nosotros mismos que puedan transformar nuestra manera de afrontar el presente y el futuro. (3) De ahí, exploraremos lecciones clásicas y perdurables sobre mercadeo para triunfar y para darle al yunque del trabajo fuerte en tu camino. (4) Construyendo sobre los cimientos, nos enfocaremos en descubrir los momentos cruciales para convertir las lecciones que nos da el mundo, a favor de cualquier meta que aspiramos alcanzar y tener bajo control. (5) Luego nos embarcaremos en la búsqueda de un alma distinta dentro de nosotros —con lecciones que pueden ayudarnos a explorar en lo que yo llamo: nuestra "genética espiritual". Y (6) Terminaremos con lecciones para la felicidad, disponibles en la buena y antigua forma de vivir, comenzando exactamente en donde estamos, ahora y para siempre.

Con todas esas lecciones por aprender, mi inquietud no está en saber en dónde se halla cada lección, ni cuál es más importante que las otras. Lo que más me interesa es que las lecciones aprendidas no sean para dejarlas juntas guardadas entre un cajón, sino digeridas, examinadas y puestas en uso, en el momento en que se necesiten, con enseñanzas que sean aplicables inmediatamente y en el futuro. Algo así como ¡Para llevar y meditar!

¿Cómo puedes sacar mayor provecho de las lecciones de este libro? Analizándolas, sacando lo más importante para ti, aplicándolas en tu vida y olvidando el resto. Mejor aún, mi meta máxima es que ellas te inspiren a descubrir, reclamar y aplicar la enseñanza que surge de tu propia vida y experiencia –que saques tus propias lecciones de vida.

Y con respecto a mi forma de deletrear la palabra "happyness" (felicidad) es algo intencional. La letra "y" en happyness fue algo que vi escrito una vez en el lugar donde cuidaban de pequeño a mi hijo - en mi tiempo de crisis en el que necesitaba sonreír. Ha aligerado mi carga y lo ha hecho desde entonces. La "y" está allí para representar "you" (tú) y "yours" (tuyo) cuando se trata de definir y perseguir qué es "eso" en tus propias palabras, qué significan para ti las palabras: éxito, crecimiento, realización personal y claridad, en esta vida – la única vida que tienes.

Dondequiera que me preguntan qué es felicidad - "happyness" - para mí, la primera respuesta es que, es la habilidad de mirar en dónde estoy en el momento, cualquiera que sea, para recordar de dónde vengo y qué tanto he viajado, siendo un ciudadano contribuyente del mundo, y capaz de decir: "¡Qué vida tan hermosa es esta, estoy muy agradecido de estar aquí!" Más que nada, felicidad - "happyness" - es ser capaz de apreciar y saber: "¡Wow yo inventé esto!" Y esa es la experiencia que más deseo para ti.

Entonces, si te le mides, comencemos. ¡Tú sabes donde!

MÓDULO UNO

· ·

COMIENZA DONDE ESTÁS

"Vive tu vida de tal manera que cuando la pierdas,
vayas ganando".
Will Rogers
Actor, humorista, comentarista y empresario.

INTRODUCCIÓN A LAS LECCIONES #1 a #10
LECCIONES UNIVERSALES PARA PERSEVERAR

De pronto todavía no te has dado cuenta, pero para llegar a esta página, sin importar cómo lo conseguiste o hasta dónde aspiras llegar a corto o a largo plazo, el hecho real es que ya comenzaste. En el transcurso de lo que has leído ya habrás comenzado a hacerte preguntas importantes sobre la búsqueda que hayas decidido emprender. Aprovechando las posibilidades que se te puedan presentar, ahora mismo, en este preciso momento, conforme a la promesa contenida en el enunciado -"Comienza donde estás" – has atravesado la cerca e iniciado tu viaje hacia el destino que elegiste.

Así que, antes de dar un paso hacia adelante, deberíamos celebrar esta gran ocasión y marcar este momento como el comienzo de tu camino hacia el sol.

La fuerza del presente nos ofrece a todos y cada uno de nosotros ese mismo nuevo comienzo. No importa qué tan joven, viejo, pobre, rico, alto, bajo o en el intermedio te encuentres. No tienes que haber vivido en las calles ni tampoco haber pertenecido a las altas esferas. El presente te tiende un tapete de bienvenida a la igualdad de oportunidades para que alcances tu ideal y brilles tanto como las fuerzas del universo dispusieron que brillaras.

A mis tempranos 50s, bendecido más allá de mis sueños, y con mucho todavía por aprender, finalmente he alcanzado el poquito de sabiduría que casi todas las lecciones de vida que aparecen en este libro me dieron. Y es simplemente que si miro atrás hacia todo lo que he recorrido, incluyendo los caminos equivocados, por los callejones, los desvíos, o viajando por el carril de alta velocidad bajo mi propio riesgo, cada etapa del camino en lo que ha sido mi vida hasta ahora, era donde necesitaba estar en ese momento.

Sé que esto también aplica totalmente a tu vida. Ya sea que estés comenzando en un camino completamente desconocido, enfrentando nuevos obstáculos, tratando de pasar por encima de excusas y temores que se te han hecho difíciles de vencer en el pasado, tú también estás donde necesitas estar. Y es más, tienes todos los recursos posibles que se te puedan ocurrir, a tu disposición.

Reconozco que eso no es siempre fácil de ver, especialmente cuando los inconvenientes aparecen y se acumulan como un tsunami sobre ti. Un conmovedor correo electrónico de Kimberly en Utah –"una madre orgullosa de cinco chicos maravillosos", cuyo padre, la principal fuente de entrada económica, se había quedado sin empleo – habló al respecto muy profundamente. Sin ser ajena a las luchas, Kimberly ha trabajado desde que tenía 15 años pero decidió quedarse en su casa para ser ama de casa de tiempo completo para que su esposo pudiera buscar mejores oportunidades para la familia. Al mismo tiempo ella estaba estudiando para obtener su diploma en Criminalística. Entonces, un accidente de automovilismo dejó a su esposo gravemente lesionado y después, teniendo que afrontar una crisis mayor en su salud, parecía que estaban siendo afectados por todas partes. En el transcurso de varios años, habían perdido dos casas y pagar la renta se estaba convirtiendo en algo cada vez más difícil, pero aún así, faltándole solo nueve clases para recibir su diploma, Kimberly no olvidaba su sueño de trabajar como abogada ayudando a los afectados por la violencia doméstica y el abuso infantil. En esas circunstancias era difícil que ella no se sintiera presionada:

"Sé que está muy dentro de mí el deseo de trabajar en lo que me gusta hacer para dejar mi huella en el mundo, pero cuando mi esposo perdió su trabajo fue como un huracán para todos nosotros. Estamos esperando la orden militar para que él pueda volver a su trabajo en la guardia nacional. Él ha dado la batalla físicamente, como también para poder ser un guardia de servicio de medio tiempo. Yo sé que lo lograremos como siempre lo hemos hecho. Los juicios seguirán, yo continuaré peleando y escogiendo ser feliz sin importar las presiones de mi vida. Yo no espero que nadie arregle nuestros problemas, quiero vivir mi vida bajo mis términos y hacer por mi familia lo mejor que puedo para que ellos sean mi legado, pero hay algunos días en que no sé cuál es mi siguiente paso. ¿Tienes algunas sugerencias?"

Como la mayoría de personas que me escriben para contarme sus desafíos, Kimberly no estaba esperando una solución, ni una cura milagrosa, ni quejándose porque alguien acabó con la estabilidad de su nido, ni porque no le dejaron una herencia. Lo que ella quería era guía y consejo acerca de la forma en que podía ser consciente de las herramientas, valores, y recursos que tenía a su disposición, y cómo poder comenzar a utilizar todo esto en su favor inmediatamente.

Eso es exactamente lo que las diez lecciones universales de vida que vamos a cubrir en este capítulo nos van a suministrar. Lo que el caso de Kimberly nos muestra, aún a los que no estamos afrontando esa misma clase de dificultad o cualquier otra circunstancia aplastante es, que a todos se nos olvida con demasiada frecuencia reconocer la innumerable cantidad de recursos que ya poseemos en el momento de una crisis. La mayoría del tiempo, como ustedes mismos verán, lo que necesitamos está tan cerca como al alcance de nuestras manos, pidiendo que lo reconozcamos y lo utilicemos.

De todo lo que Kimberly siente que no tiene, lo que más me impacta sobre su situación es su enfoque en lo que si tiene: su certeza en lo que ella posee en su interior para "dejar mi huella en el mundo". Comenzando nada más por eso, ella va delante de la jugada, lista para seguir avanzando con los recursos que serán los que justamente vamos a enfatizar en las lecciones de la #1 a la #10, como podemos ver en el siguiente preámbulo:

1: Sabiendo lo que para ella significa la búsqueda de su felicidad, el primer paso es tan importante que por eso es el punto del que nos habla esta lección, de diseñar un plan a seguir o mejorar el que ya se tenga.

#2: Con la certeza de elecciones acertadas que ella ha tomado a lo largo de su vida, esta lección nos da pautas para hablar de empoderamiento.

#3: Otro recurso naturalmente importante, es su actitud de "puedo hacerlo" en el momento en el que esa es la cualidad que más necesita.

#4: Como esta lección le confirmará a Kimberly y a cada uno de nosotros, es muy frecuente que en tiempos de enormes crisis, explotemos nuestra propia ingeniosidad.

#5: Es siempre importante asegurarnos que nos hemos comprometido con nuestro sentido de propósito, el cual puede darnos la resistencia que se requiere para mantenernos en la lucha.

#6: La preocupación que ella tenía al pensar que podía estar al final de la soga, puede ser un regalo – una clave para utilizar el recurso de la persistencia que se necesita para transformar la vida.

#7: Esta lección intenta reconectar a Kimberly y a todos nosotros con la inspiración que podemos utilizar para enfrentar los miedos, y para no renunciar a ellos ni a ser nosotros mismos.

#8: La resolución de problemas y la búsqueda de las oportunidades comienzan adquiriendo perspectiva, como Kimberly demostró en su carta.

#9: La columna del éxito para innumerable cantidad de individuos, se basa en "buscar y desarrollar", que es como yo le llamo al hecho de hacer preguntas a otros, y fue exactamente lo que Kimberly supo que debía hacer, buscando consejos.

#10: Por encima de todo, existen muy pocas situaciones que no se puedan solucionar, para Kimberly o cualquier persona que escoge aprovechar la fuerza incontenible de la pasión, para enfrentar la vida misma.

Como finalmente ocurrió, cuando pude hacerle un seguimiento a la situación de Kimberly y su familia, ella se había sobrepuesto a la crisis, gracias a su habilidad de reconocer y poner en práctica algunos de esos recursos que estaban a su disposición. Lo que había sido de mayor valor para ella, según me compartió, fue ajustar su actitud recordando que "la caballería no había llegado", (Lección # 3) y entonces decidir que necesitaba estudiar las circunstancias desafiantes y buscar las mejores oportunidades para poner sus manos a la obra y salir con soluciones prácticas. Sus circunstancias adversas solo la llevaron a anticiparse a su éxito, pues esa situación la había permitido descubrir más pronto, lo capaz que ella y su familia verdaderamente son.

Realmente las lecciones de vida que se proponen en este capítulo, intentan que reconozcas y te reconectes con tus asombrosas capacidades innatas. Aunque muchos de nosotros no estamos en situaciones tan complicadas como las que Kimberly y su familia tuvieron que afrontar, la mayoría si conocemos momentos de angustia y de desafíos en los que no sabemos cuál es el siguiente paso. Por esa razón, he decidido comenzar con ejemplos clásicos y universales en las siguientes lecciones, que han sido definitivas e importantes para direccionarme hacia identificar cuáles eran los recursos más necesarios para proceder en cualquier caso.

Aunque es cierto que no te conozco ni sé en qué situación te encuentras en la actualidad, déjame decirte ampliamente que estás listo para buscar tu felicidad como nunca antes, allí donde estás. Si lo dudas en este momento, puedes reconsiderarlo más adelante, después de haberle dado una mirada a esta serie de lecciones que quieren encaminarte hacia tu verdadero bienestar. Te darás cuenta que posees una serie de capacidades y una cantidad de valores que nunca te fallarán, si logras sobreponerte a las excusas y te propones descubrir conscientemente todo lo que tienes a tu favor.

Me refiero a recursos que posiblemente hayas utilizado antes y que de pronto estás olvidando o menospreciando. O de repente tienes el conocimiento intelectual pero nunca has sabido cómo utilizarlo en una forma práctica a favor de tus inquietudes específicas, de tus sueños y esperanzas. Estos son recursos por los cuales no tienes que esperar para que alguien te los proporcione, porque están dentro de ti, esperando ser advertidos y valorados. Pero tal como pasa con todo lo que ya poseemos, como le digo a mis chicos, será mejor que "¡lo uses o lo botes!".

No existe mejor tiempo y lugar que este momento y esta situación, para que decidas conscientemente mirar más de cerca lo que ya tienes. Las preguntas que estás dispuesto a hacer pueden llevarte en una dirección que todavía no has imaginado, como ocurrió en mi caso, y más lejos de lo que habías creído. Entonces comienza aquí, para que puedas aprovechar la fuerza que necesitas para mover la montaña del presente, que estas lecciones te pueden ayudar a mover. Todas te ofrecen aplicaciones con una relevancia universal, ya sea que vivas en Wichita, Kansas, o en Soweto, Sur África, son para utilizarlas en todas las estaciones, en época de abundancia o escases, y en toda clase de climas. Ellas tienden a ser una guía para que te mantengas con la mirada puesta en los interrogantes esenciales, para ayudarte a mantener la fuerza para guiar y maniobrar por el camino correcto. Están aquí, al comienzo para revelarte el verdadero regalo de la situación en la que te encuentras en el presente. Obviamente, como dice el dicho, "por eso a un 'regalo' también se le llama 'presente'".

LECCIÓN # 1
Sin un plan, un sueño es solo un sueño
(El complejo C-5)
Palabra clave: BÚSQUEDA

Hace no mucho fui invitado a Washington D.C., para hablar frente a un grupo de veteranos sobre cómo iniciar la búsqueda de la felicidad.

Este fue un honor por muchas razones. La primera de ellas es que, como yo mismo soy un orgulloso veterano naval, sabía que estaría en muy buena compañía. Muchas veces, cuando me han preguntado si alguna vez me he arrepentido de haberme enlistado en lugar de haber ido a la universidad después de terminar mi secundaria, he contestado rápido y al punto: "Nunca". Ni siquiera tenía veinte años en ese tiempo, cuando me apresuré a la oficina de reclutamiento en Milwaukee después de ver a Jack Nicholson como un marino recio en "El ultimo deber", ("The Last Detail") admito que mi mayor motivación fue "alistarme en la Armada y ver el mundo", como lo prometía el afiche de promoción. Pensando que nunca dejaría la tierra americana, la Armada me dio algo más, como fue ver el mundo de oportunidades que existían para mí y para mi futuro. Y no solo eso, la Armada me dio la educación que me enseñó las bases para alcanzar todas esas oportunidades – disciplina, carácter e iniciativa, que son las cualidades transferibles que habrían de servirme en cualquier búsqueda que viniera en el futuro.

Además del hecho que salí con un entrenamiento médico que hubiera rivalizado con un grado de cualquier facultad destacada en Medicina, la Armada me proveyó con una base fuerte para la vida civil cuando acepté un trabajo para supervisar un laboratorio científico de investigación, con tecnología de punta en el Veteran Administration Hospital de San Francisco y en la Universidad de California. Desde entonces, cuento las lecciones en la Armada y en Virginia como ejes centrales en mi éxito.

La oportunidad para hablar frente al grupo de veteranos en Washington D.C., también fue muy significativa porque me permitió honrar el servicio a la Amada de mis tíos, los hermanos de mi madre, quienes fueron figuras paternas para mí. Sus valores tradicionales –trabajo duro, servicio, sacrificio, familia, más el amor por la aventura, hicieron parte de mi crecimiento, aunque ya me había adelantado a mi edad.

Habiendo dicho todo esto, tengo un profundo respeto por los veteranos de hoy y quería expresar mi gratitud en una forma significativa. Muchos de los que estaban asistiendo en el grupo, habían retornado recientemente de prestar servicio en Irak y Afganistán, mientras que otros habían servido en diferentes ramas de la milicia durante las décadas de los 80s y 90s, como también en Vietnam y Corea; hasta había algunos que sirvieron en la Segunda Guerra Mundial.

Algunos de estos hombres y mujeres estaban afrontando situaciones médicas y sicológicas, ya fuera bajo tratamiento o en listas interminables de espera en las instalaciones de Virginia o en unidades de soporte alternas. Algunos de los veteranos más jóvenes regresaron a casa y no encontraron el trabajo que dejaron, ya sea porque durante su ausencia alguien más lo ocupó o porque la posición dejo de existir. Las posibilidades de encontrar un mejor trabajo eran menores que obtener un empleo con menor sueldo y menos beneficios, o que tener que lanzarse a las calles en búsqueda de algo mejor. Muchos estaban afrontando las mismas crisis de pagos y ejecuciones hipotecarias, precios elevados de la gasolina y la comida y otros retos igualmente grandes – incluyendo la falta de vivienda – que impactan a un número creciente de americanos.

Estadísticas recientes nos dicen que existe algo más de un millón de veteranos sin hogar viviendo en América y que los veteranos militares han venido a constituirse en la tercera parte de la población de adultos sin hogar en este país, y esas cifras son muy conservadoras.

Mientras preparaba mis comentarios, no podía dejar de sorprenderme con esas alarmantes cifras – no solo como veterano sino aún más, como ciudadano de este país. Simple y llanamente, nuestros veteranos de la guerra y de los tiempos de paz merecen más que eso. Pero sospechaba que mi sentido de injusticia sobre sus circunstancias no era la mejor forma de ayudarles a sobreponerse. Nuevamente, no quería ir y dar un mensaje entusiasta sin ofrecerles algo tangible y posiblemente transformador. Si tenía veinte minutos para compartir solo una historia, un mensaje, una lección de vida, quería escoger algo que tuviera el poder de hacer una diferencia real en sus vidas.

Al final decidí que más que llegar con las respuestas, comenzaría con una pregunta y entonces quizás, si yo prestaba mucha atención, también aprendería mucho. Eso fue exactamente lo que ocurrió.

La pregunta fue: ¿Cuál es el ingrediente más importante en la búsqueda del éxito? En otras palabras les pregunté, cuando uno mira a cualquier historia sobresaliente de alguien que hizo posible lo que todos pensaban que era imposible, ¿qué lo llevo a triunfar donde otros fracasaron? O si tú ves a alguien que simboliza la clase de búsqueda que deseas para ti, ¿qué tiene esa persona que tú no tienes?

"Tienes que comenzar con un sueño", dijo uno de los veteranos. Hubo mucha discusión hasta que alguien salió con un chiste: "Yo lo tengo pero ella es casada". Después otros veteranos hablaron seriamente acerca de sus anhelos, visiones, esperanzas y deseos, algunos de los cuales se relacionaban con tener un hogar, seguridad financiera, una carrera distinta, un trabajo mejor pago, o simplemente un trabajo. Otros hablaban de un mejor estilo de vida para sus familias, de la posibilidad de buscar la oportunidad de hacer una carrera en un campo distinto, de retomar donde se habían detenido. Hubo sueños sobre iniciar negocios, planes de inversión, sueños glamurosos de convertirse en magnates de Hollywood y deseos de trabajar para poder hacer más en beneficio de otros. Otros sueños fueron más básicos: sentirse más esperanzados. "Sobriedad", "paz mental", "tener hoy un mejor día que ayer".

A medida que escuchaba, me impactaba que, como de costumbre, Dios me había puesto en una situación para enseñarme algo nuevo. Siendo así - me sorprendió cuál era la lección - que sí, que los sueños pueden motivarte e inspirarte más que ninguna otra cosa, si crees que eres capaz de realizarlos, pero si no tomas las medidas necesarias para lograrlos, éstos se convierten en espejismos que rondan en tu mente. Entonces, la fórmula que se le ocurrió a Thomas Edison sobre la manera en que se debe persistir, ¿no consistía en un 10% de inspiración y el 90% de acción? Yo tuve que digerir esta verdad. Si el 10% es soñar – creer que puedes lograrlo sin importar dónde estás ni las condiciones en que te encuentras - ¿significa entonces que el 90% es acción? Como lo reflejé en cada escalofriante y explosiva historia sobre persistencia que me cautivó, me di cuenta que la acción sola no era la parte crítica, porque puede ser que caminar sin ninguna dirección te lleve a andar en círculos, o no muy lejos. Mi conclusión fue que el ingrediente clave, la única cosa que marca a diferencia entre los que hacen y los que no hacen, es algo muy sencillo y tangible que se llama: un plan. De ahí que, un sueño es solo un sueño, sin no existe un plan. ¿Y dónde consigues un plan? ¡Tú lo construyes!

Fuera de esa reunión con mi grupo de héroes, el de los veteranos americanos, la forma creativa de aplicar esa lección para quienquiera que necesitara y deseara tener un plan, había nacido. A esta estrategia de que alguien pudiera crear y seguir un plan le llamé, el "complejo C-5" y es tan bueno para ti, que puedes usarlo como un suplemento diario para cambiar tu vida.

Los "C-5" para estar fortalecido en tu búsqueda, utilizando un plan que valga la pena son: Claro, Conciso, Convencimiento, Compromiso, Consistencia. El primer ejemplo que vino a mi mente aquel día en medio de mis comentarios fue sobre la historia de mi familia; hacia 1940, cuando muchos de mis familiares sin experiencia previa planeaban escapar de la intolerancia, la pobreza y el temor, viajando hacia el norte del país en busca de la libertad y las oportunidades. Mis mismos intrépidos tíos Gardner que más tarde sirvieron en la Armada, estaban en ese grupo. Con un sueño que era "claro y conciso", ellos fueron capaces de juntar sus escasos recursos y su cualidad innata de ingeniárselas, para conseguir un carro que los transportara desde el "pobre, empolvado y campestre" estado de Luisiana, hasta "tan al norte como fuera posible". Con respecto al "convencimiento", en aquellos días, salirse de la tierra de Jim Crow y agredir a la minoría probablemente era tan "convincente" como se pudiera creer. Puestos en marcha, con problemas de mecánica e infortunios, podían haberse detenido, rendido y hasta regresado, excepto por su "compromiso" con el plan y con ellos mismos y por eso tenían que permaneces comprometidos, no solo durante los días soleados y seguros, sino también sobre una base solida y "consistente", milla tras milla, tan hacia el norte como les fuera posible.

En realidad, mis famosos tíos intentaban llegar hasta Canadá pero se vararon en Milwaukee y por eso decidieron echar raíces y trabajar allí. Aún así, su plan fue exitoso y la búsqueda de una vida mejor para ellos y para sus hijos marcó la pauta para todos aquellos de la familia que lo siguieron – incluyendo a mi madre que en ese momento me llevaba en su vientre.

Cuando el camino es tan directo, como ir del punto A al punto B (o sus alrededores), o tan estratégico como montar una ofensiva militar – como comentaron algunos veteranos - o tan evidente que al planearlo entendamos que es descabellado, enorme o complicado, el "complejo C-5" es una herramienta que puedes aplicar, para que con el tiempo, lo complicado se convierta en manejable.

Tener "claridad", primero que todo, acerca de dónde quieres ir o de lo que quieres hacer, es imperativo. Esta es la "C" más importante para mí y esa debe ser una conversación que tienes que sostener contigo mismo –

para que sepas realmente hacia dónde te diriges y asegurarte que esa es tu prioridad. En nuestra velocidad para ir en búsqueda de nuestros sueños y deseos, con todas las distracciones y estática, a veces hacemos bien en bajar el volumen, buscar un momento de quietud, y asegurarnos que tenemos la "claridad" necesaria para ir hacia donde queremos llegar.

Muchas veces, en el camino a disponerme para aconsejar gente que me pide consejo, guía e inspiración, me siento frustrado con respecto a la falta de claridad sobre lo que quieren escuchar de mí. En conversaciones así, mientras estoy ahí escuchando los sueños y deseos de otros, sin escucharles ni una sola pregunta, mi primera inquietud es, "¿cómo puedo ayudar? Y mi conclusión es que la mejor forma de ayudar es forzando el tema y haciendo yo preguntas como: ¿Cómo puedo ayudar? ¿Qué necesitas que te ayude a hacer? Y aun mejor: ¿Qué es lo que esperas lograr?

En la circunstancia opuesta, cuando alguien me presenta claramente sus ideas o planes, mi atención inmediatamente se enfoca. El contraste fue evidente cuando fui contactado por dos principiantes que pronto serán líderes en el campo de la organización comunitaria. Uno de ellos era el jefe de una pandilla y vino a mí altamente preparado con un pequeño papel en el cual había escrito notas para sí. Él estaba un poco nervioso y hablaba bajo cuando explicó que muchos de sus colegas jefes estaban en la cárcel o muertos, y que su sueño era motivar a los jóvenes para evitar que caigan en el hoyo de las pandillas, la droga y la violencia; continuó diciendo que ya había desarrollado y probado un programa para trabajar con adolescentes con opciones que fueran legales, rentables y formativas. Sonaba claro y de alguna manera, promisorio. Yo asumí que iba a hacer el intento de buscar ayuda financiera, pero en lugar de eso, cuando le pregunté cómo me veía a mí ayudándole, su respuesta clara fue: "Que me presente a algunos líderes comunitarios que me quieran escuchar". Tomé el teléfono y así lo hice.

El otro futuro líder comunitario fue mucho menos claro en cuanto a lo que necesitaba de mí; comentó que quería mi consejo sobre cómo favorecer a gente menos afortunada que él. Aunque era graduado de una universidad y tenía antecedentes académicos, fue muy impreciso en cuanto al área de trabajo con la comunidad que más le gustaba, sobre qué necesitaba para comenzar, qué recursos podría necesitar y qué pasos debería seguir para lograrlo. Es fantástico que él quisiera ayudar a la gente, no me malentiendas, pero todavía necesitaba clarificar qué era lo que él quería ayudarle a lograr a la gente.

La vaguedad y la ambivalencia pueden ser muy amigas del fracaso, si no de la muerte en algunos proyectos; es así como algunas personas se pierden en sus esfuerzos, cualquiera que estos sean. Estar claro con respecto a tus planes te permite verlos en tu mente y así te es más fácil comunicarlos a otras personas para que ellas también lo vean con claridad.

Ser "conciso" es la segunda "C". Es vital para tu plan porque puedes enfocar tu visión para que no des vueltas ni pienses en que puedes volver a crear el universo en un día. Corto y al punto es la mejor forma de comunicarte contigo mismo y con los demás. Como Shakespeare nos dijo cuatrocientos años atrás: "La brevedad todavía es la semilla de la inteligencia". No tiene que ser una frase para colocar en el guardabarros de un carro, a menos que te funcione, pero si quieres captar y decantar lo que quieres hacer, concisamente y hasta su esencia, estarás practicando un arte que te servirá también en otros campos.

En mis tiempos de juventud, recuerdo lo difícil que era explicar mis grandes sueños sin que se convirtieran en algo grandioso o sin irme por la tangente. Cuando yo era capaz de articular una idea concreta – como dar nombres cortos y ágiles a las lecciones de vida importantes – mi sueño ganaba importancia. Para ser conciso, la forma de lograrlo es siendo breve.

Uno de los veteranos en el grupo habló acerca de los inconvenientes que él y sus amigos tenían que soportar para obtener servicios básicos, como por ejemplo, una buena atención médica; él tenía que hacer frecuentemente una cantidad de papeleo y llamadas telefónicas, mientras que lo llevaban de un lado para otro explicando sus síntomas e inquietudes una y otra vez. La habilidad de entrar a una oficina y explicar lo que quería clara y concisamente, había hecho una gran diferencia en su meta de mejorar la forma en que él quería que le ayudaran con todos los trámites relacionados con su salud.

En el acelere de la vida actual, que va más rápido que nunca, es muy provechoso el hecho de ser concisos. En las relaciones personales, familiares y profesionales, es una forma de respeto, de hacerle saber a los demás, que valoras su tiempo tanto como el tuyo. En mi deseo por ser el mejor padre que pueda ser, quiero ser capaz de ser claro y conciso con mis hijos, especialmente ahora que mi hijo Christopher y mi hija Jacinta son adultos jóvenes y no tienen tiempo o tolerancia para largos discursos paternales de mi parte.

Ser conciso no significa que tengas que hablar en taquigrafía, en una forma tan reducida que nadie la entienda sino aquellos que hayan sido entrenados en ella. Un plan conciso puede incluir una serie de pasos que también sean cortos y fáciles de revisar. Si quieres que alguien se adhiera a tu plan y te ayude, la habilidad para comunicar en cinco minutos o menos, tu visión y los pasos a seguir para cumplirla, será una buena forma de probar qué tan conciso eres.

Cuando tu plan de trabajo para perseguir tus metas es claro y conciso, entonces estás listo para decir que tu proyecto es "Convincente". Esta tercera "C" es acerca de enganchar a tu propio interior con "convicción" hacia tu meta. Esto significa que has hallado algo en lo que realmente quieres involucrarte, o una ruta que te lleve, no solo a ti sino a los que te creen, de camino al cumplimiento de tus sueños. Convicción significa que te has vendido a tu causa. Después de todo, si tú no compras tu sueño, ¿por qué yo sí? Si vas a cargar con tus ilusiones, la convicción te va a llevar a hacerlas realidad. ¿Son simple fantasía? No puede ser. Tienes que estar convencido de aquí en adelante. Si este es el amanecer de tu tiempo bajo el sol, encuentra cuál es tu razón para este momento. "Convencimiento" es la carta del triunfo.

¿Qué pasa cuando, por ejemplo, tú no sabes cuál es tu meta y entonces decides que vas a buscarla? No hay vergüenza en ello. Había veteranos en el grupo que estaban considerando la posibilidad de escribir un libro, hacer una película, participar en una comedia, ¿Por qué no? Para hacer algo tan destacado, debes tener primero que todo convencimiento para después convencer a otros. Uno de los veteranos había servido en la operación "Tormenta del desierto" a principios de los 1990s y había regresado recientemente a Irak como contratista, volviendo a casa con observaciones que le gustaría escribir, pero no estaba seguro si lo lograría. A medida que él contaba su historia todo mundo paró y lo escuchó, queriendo saber lo que pasó después. ¡Eso es convencimiento! Agarrar a los demás y hacerles querer saber más de ti.

Cada vez que asumo algo nuevo, siempre hago la prueba para ver si esa nueva experiencia es resistente, revisándola para ver si me convence a mí como tendría que convencer a los demás. Si no me causa suficiente curiosidad, ni el suficiente interés como para no querer parar, entonces no he encontrado convencimiento en este nuevo reto todavía. Esa es la motivación que se necesita para reafirmar la acción y para querer continuar con el resto del plan.

La parte del "convencimiento" del complejo C-5, puede ser tu tarjeta de entrada, como lo fue para Shane Salerno, uno de los más importantes productores-escritores de Hollywood, quien llegó a la ciudad con un par de manuscritos y una película que había producido él mismo. Criado por una madre soltera, estaba familiarizado con las dificultades y no tenía ahorros para sostenerse a sí mismo mientras trataba de aprender el negocio, con lo cual hubiera podido sobrecargarse ante la cantidad de competencia de libretistas mucho más estables, y ante la dificultad para conocer agentes y productores que quisieran conocer su trabajo; en lugar de eso él se ideó una estrategia diferente. En lugar de hacer que la gente leyera sus escritos o viera su película, cada vez que Salerno conocía a alguien que pudiera darle una oportunidad, él le presentaba un artículo fotocopiado de un periódico de fuera de la ciudad, en el cual aparecía él en una fotografía trabajando con alguien más en la producción de alguna película. La foto decía más de mil palabras acerca de quién era él y lo ponía en ventaja con los demás competidores. Esta estrategia funcionó como si hubiera sido la tarjeta de entrada que abriera suficientes puertas como para que Salerno armara algunas ideas, encontrara representación y, como se dice en el mundo del espectáculo, "hiciera conexiones". No pasó mucho tiempo antes que apareciera en los créditos de las famosas películas de "Armagedón" y la versión nueva de "Tiburón" ("Shark"), con Samuel L. Jackson. Esa es la fuerza del "convencimiento".

La palabra "Comprometido" habla del nivel de tu pasión. ¿Estás fascinado con el hecho de despertarte y comenzar el día para trabajar hasta lograr lo que sea necesario y poder llegar a la siguiente estación? ¿Estás comprometido con un camino que es importante para ti? ¡Bueno, porque esa clase de compromiso es contagioso! Compromiso es lo que siempre he mantenido como uno de mis bienes, para romper ciclos generacionales, para derribar los obstáculos que se presentan en el camino a las oportunidades.

Detrás de cada búsqueda exitosa de la felicidad que yo haya presenciado, también ha existido un nivel de compromiso que debe ser calificado como "por encima del promedio", inclusive hasta el borde del fanatismo. Cuando yo le pregunté a uno de mis mentores en Wall Street, Gary Shemano, qué fue lo que le hizo decidir arriesgarse conmigo cuando yo todavía era muy neófito, me dijo que había sido mi compromiso y tenacidad por aprender – por adherirme a él como se adhiere un "perro pit bull" a su presa sin dejarla ir, hasta que conseguí ser un experto en todo lo que él sabía.

Para los veteranos que me inspiraron el "complejo C-5", no había misterio en cuanto al significado del compromiso en el cumplimiento de un plan; ya habían demostrado su capacidad en seguimiento de un plan con el más alto nivel de disciplina y servicio. Ellos entendieron cómo enfocarse en una misión, cómo dividirla en unos pasos secuenciados de acción y cómo nunca rendirse. Ahora era cuestión de transferir todo ese compromiso hacia la búsqueda y cumplimiento de sus propias metas.

Estos veteranos también sabían sobre el significado de ser "consistente". Esta quinta "C" es la prueba que consiste en saber si estás comprometido no solo un cierto día sino todos los días. Es el máximo sello del trato, el ingrediente que determina si ganas o no. La consistencia es acerca de darle la cara a la vida en el seguimiento de tus metas en forma constante, ya sea en tus relaciones con otros, en tu trabajo, en el juego. Te da la fuerza que necesitas a lo largo de la jornada a través de la suma de los pasos que debes seguir para ejecutar tu plan. La consistencia es la fuerza que te ayudará a lograr o a romper la búsqueda que te llevará a donde quieras y te permitirá hacer posible lo imposible y a ver tu sueño realizado.

El clásico ejemplo de consistencia, para mí siempre han sido esos individuos fanáticamente comprometidos, considerados locos por los demás, que decidieron inventar lo que nadie había logrado antes, como Benjamín Franklin, Thomas Edison, Alexander Graham Bell, y Marie Curie. ¿Cuántos fracasos, disgustos y desastres debieron ocurrir antes de inventarse la electricidad, la bombilla, el teléfono, y las salvadoras irradiaciones? Para todo inventor, ningún experimento planeado pudo alguna vez triunfar, sin la consistencia del intento y el error que se hacen una y otra vez, sin tener la garantía del éxito.

Como la mayoría de nosotros podemos estar de acuerdo, ningún intento viene con garantía de triunfo – que es por lo cual, esta lección viene con la advertencia que los planes pueden llegar a necesitar reajustes en la medida de los cambios que se presenten por el camino. Pero no permitas que eso te impida preguntarte a ti mismo, ahora y aquí, cuál es tu sueño y cuál va a ser el plan para realizarlo.

LECCIÓN # 2
Todos tenemos la facultad de elegir
Palabra clave: EMPODERAMIENTO

Cada tanto y cada cuanto, cuando menos lo pensamos, una de nuestras más importantes lecciones de vida se nos atraviesa y nos golpea en la cabeza como una tonelada de ladrillos para recordarnos algo que ya sabemos, pero que hemos olvidado o estado ignorando. Cada vez que tengo la fortuna que esto me ocurra, mi actitud es expresar mi gratitud con Dios por captar mi atención. Mi primer paso, una vez que me sobrepongo al golpe, es tratar de descifrar lo que debo hacer con lo que acabo de comprender.

Eso fue exactamente lo que ocurrió en medio de una memorable ocasión que se convirtió en el punto de retorno en mi reciente situación. Esto ocurrió en el 2003 cuando fui honrado para atender a un evento como uno de los galardonados con el premio a la paternidad, otorgado a una cantidad de hombres que fueron elegidos por ser ejemplos de modelos positivos. Típicamente, cuando se trataba de recibir ofertas para ser homenajeado, siempre las declinaba – principalmente porque siempre pensé que hacer lo que amo hacer y poder compartir el éxito con otros en diferentes formas, era suficiente para mí. Pero cuando escuché que la organización quería resaltar la importancia de los hombres que hacen el compromiso de desarrollar un papel activo como padres y mentores, acepte gustosamente.

Cuando ocupé mi silla durante el evento, fue con el orgullo de estar en la compañía de mis compañeros homenajeados – entre ellos el gran James Earl Jones (quien, como Darth Vader, célebremente dijo: "Luke, soy tu padre"), el experto en seguridad Frank Abagnale del afamado "Catch Me If You Can" y el artista del jazz renovado Dave Koz. La mayoría de nosotros nos estábamos conociendo por primera vez y la conexión fue inmediata. Por supuesto, yo tenía preguntas para todos y ellos fueron generosos no solo esa noche, sino mediante lazos de amistad entre nosotros, que comenzaron esa noche y han prevalecido hasta ahora. Conocer a James Earl Jones, un ícono, con su poderosa voz, fue algo inspirador.

Él es una persona con los pies muy bien puestos sobre la tierra, muy generosa y amable. Igual con Dave Koz. El poder de su presencia y la visión que tiene sobre las cosas, son tan poderosos que intimidan. Sus múltiples éxitos como músico, anfitrión de programas radiales, empresario, y filántropo, no son menos sorprendentes. Frank Abagnale, de otra parte, está lleno de sorpresas. Aunque supuse correctamente que había más de él que la versión cinematográfica de su vida, no esperaba conocer a alguien que hubiera confrontado tan claramente las determinaciones equivocadas de su juventud, y que hubiera elegido retribuir su deuda con la sociedad, ayudando negocios, a reforzar la ley, y a individuos, a salvaguardar en contra de toda clase de amenazas contra la integridad. Como padre de tres hijos que son la luz de sus ojos, él también está fuertemente convencido de la importancia de servir como mentor, un valor que compartimos profundamente, como también lo comparten Dave Koz y James Earl Jones.

Entonces ahí estaba yo feliz cuando comenzó la premiación. A lo mejor, con el fin de dar inicio al programa o para crear drama, se lea una asombrosa introducción que instantáneamente transformó mi estado de buen humor. Básicamente se sugirió que yo había ganado por suerte en la vida.

Y no solo yo. Aparentemente, de acuerdo a las estadísticas, dada la demografía de donde nosotros habíamos sido criados, basados en nuestro origen, en la familia o en la vecindad donde crecimos, y en nuestro origen racial y socioeconómico, se hubiera predicho que nosotros tendríamos que haber continuado los ciclos generacionales, abandonado a nuestros hijos, y nunca haber logrado nuestras metas, ni mucho menos habernos convertido en contribuyentes de la sociedad. Como que la felicidad ni la vida que incluye unas metas por alcanzar, tampoco se supone que debía ocurrirle a alguien como yo, que vino de donde yo vengo, o de un contexto parecido. Esta lógica sugería que el éxito era para los talentosos y privilegiados que trascendían a su origen, a los que tenían suerte y básicamente triunfaban por casualidad.

Mientras más tiempo permanecía sentado escuchando, más me convencía que todo este razonamiento era un bulto de basura. Pensaba en mis compañeros homenajeados y en su éxito como mentores, padres y los seres humanos en que se habían convertido, no por vivir entre cucharas de plata, sino porque ellos habían escogido los senderos que los trajeron hasta aquí hoy. No por suerte o accidente, ni porque fueran más talentosos que todos los demás, sino a través de una suma de decisiones y acciones consecuentes con dichas decisiones.

Mientras escuchaba más estadísticas deprimentes, básicamente comencé a hablar para mi mismo diciendo: "Eso es basura", pero no lo decía tan duro porque no quería que nadie me escuchara y tuve que confrontarme conmigo mismo, preguntándome por qué me estaba molestando tanto todo esto, y pensé en la intolerancia de las bajas expectativas que han existido desde hace largo rato para muchos de nosotros – aún por parte de los bienintencionados expertos. A medida que recuerdo los días de mi niñez, creciendo en la vecindad de Milwaukee, la cual incluye permanecer en hogares de niños y viviendo con familiares, recuerdo cómo mi madre Betty Jean Gardner, mi principal influencia y mentora, me infundió la idea que era mi decisión la elección que yo hiciera acerca de la persona en la cual me iba a convertir en la vida. Ella me dio esa fuerza y no porque mis decisiones hubieran sido siempre correctas, sino porque la responsabilidad de tomarlas por mi mismo me ayudó a mantenerme sano y me dio esperanzas.

Mientras permanecía en mi silla, no muy confortablemente, vi mi vida desfilando por mi mente, como una serie de eventos en donde se destacaba un torrente de decisiones importantes. Para comenzar, como por ejemplo, la primera decisión que tomé cuando tenía seis años, que cuando creciera iba a estar allí para todos los hijos que tuviera algún día. Y fue por esa decisión que cuando me convertí en padre soltero con un hijo pequeño, enfrentamos un periodo en los años 1980s en los que éramos unos trabajadores sin hogar en San Francisco. La razón por la cual retuve la custodia de Christopher Junior, antes que preferir llevarlo a un hogar de niños o enviarlo a vivir con familiares hasta que yo consiguiera estabilidad financiera, se debió a la experiencia que yo tuve de vivir sin mi propio padre. Fue que, simplemente no lo conocí, ni siquiera supe su nombre, ni dónde estaba ni por qué no estaba conmigo. Mi decisión también se debió a que lo conocí una vez que yo ya estaba en mis casi 30s. Aún así, mi decisión de no imitar sus actos ni el vacio causado por su ausencia que se generó en mi vida – lo que yo he venido a etiquetar como el sentimiento de "no nostalgia por mi padre" – que ha influenciado muchas decisiones que dieron forma a lo que soy actualmente.

Otra decisión que daba vueltas en mi mente aquella noche, fue la elección audaz que hice cuando tenía, ocho años de crecer para ser Miles Davis. En mi adolescencia obviamente, cuando Momma me informó que él ya había escogido ser Miles Davis; como no pude ser él, resolví ser alguien reconocido mundialmente algún día – aunque me costó trabajo averiguar lo que escogería.

En esta cadena de memorias, en donde venían los recuerdos de Freddie mi padrastro, un hombre iletrado, abusador, alcohólico, que se daba el gusto de hacerme saber que no era mi padre – algunas veces con la ayuda de una escopeta. Hubiera sido fácil convertirme en él. Pero mi empoderamiento vino de hacer la elección consciente de ser todo lo que él no era y de no ser todo lo que él era, lo cual logré.

¿Era yo un suertudo? ¿Era yo uno de los pocos afortunados que se salieron de la rutina? ¡No, y la diferencia era enorme! Hay personas por todas partes y en cualquier lugar del camino de la vida, que diariamente desafían las estadísticas y demasiado pocos son los reconocimientos que se están entregando a millones a lo largo y ancho del país y del mundo, y en cada comunidad, que triunfan en su labor como padres y personas. No a pesar de las adversidades, ¡sino a veces debido a ellas! De todos los seres que yo he conocido, que crecimos en las circunstancias más deprimentes y nos convertimos en lo opuesto a nuestros entornos, a nuestros desafíos, a nuestra realidad – todos nosotros hubiéramos podido ser fácilmente iguales a lo que veíamos justo frente a nuestros ojos – pero nunca he conocido a alguien que fuera un suertudo. La fuerza de las decisiones y no de la suerte, fue la que hizo la diferencia.

Pero en lugar de decir eso, subimos al podio y yo no podía evitar el hecho de decir lo que había estado murmurando conmigo mismo – que las estadísticas no eran las culpables o las causantes del éxito ni del fracaso del ser excelentes padres. ¿Y sobre la opinión de los expertos? Todo lo que tenía para decir era: "Eso es mierda". Por un segundo pensé: "¡Oh no! ¡Otra vez mi boca metiéndome en problemas! Afortunadamente pude exponer mi siguiente idea con un lenguaje menos colorido, diciendo que no me veo a mí mismo como la excepción a la regla; más bien, yo era un ejemplo representativo de todos los que vienen de contextos similares pero elegimos algo diferente para nosotros.

Esa fue la lección, simple pero real que aprendí esa noche – que todos tenemos el poder de escoger y determinar en quiénes nos vamos a convertir finalmente. Esto pudo no haber tenido un impacto tan dramático en mí, excepto por las lágrimas de una mujer que vino a mí después que los discursos terminaron. "Gracias", me dijo estrechando mi mano, "yo vengo de un entorno de esos menos afortunados de los que ellos estaban hablando". Me contó que se había quedado huérfana en su adolescencia al poco tiempo que sus padres vinieron a América. Todos los días ella caminaba por calles infestadas de droga y pandillas para llevar a sus hermanitos a la escuela, quienes eran los mejores de la clase. Como ella no fue a la universidad, eligió perseguir su sueño de convertirse en modista y era la orgullosa copropietaria junto a su esposo, de una prestigiosa boutique en Washington D.C.; todos sus tres hijos eran profesionales graduados. ¿Cuál era su secreto? "Yo no quería ser parte de las estadísticas. ¡Yo decidí hacer algo distinto!", dijo frunciendo sus hombros.

Justo detrás de ella estaba otra persona que también dijo unas palabras con respecto al mismo tema. En un salón lleno de mil personas escuché una innumerable cantidad de historias de individuos que se habían sobrepuesto a las adversidades, contando que ellos también venían de esas vecindades y de esos hogares, y que no pensaban de sí mismos como gente con suerte, accidental o excepcional. Todos ellos recuerdan los momentos de las decisiones importantes en sus vidas, cuando ellos decidieron en su mente y le dijeron al mundo esencialmente – "Yo voy a elegir otro camino; yo voy a ser diferente cuando crezca".

Y claramente, ese convencimiento se ha visto reflejado en la elección de unas decisiones diferentes para perseguir oportunidades que no se les habían presentado antes. Después de todo, el sueño americano y la posibilidad de impulsarte a ti mismo hacia arriba en forma autosuficiente, todavía está vivo y funciona.

El consenso de la noche fue que, tratar de limitar el potencial del individuo por los estudios o por cuestiones demográficas, era pura mierda. Hasta James Earl Jones, supuestamente el vocero de Darth Vader, me daba palmadas en el hombro para decirme que estaba de acuerdo conmigo en ese punto.

Como lo he dicho siempre desde aquella noche – cuando Darth Vader dice algo, ¡es mierda, probablemente es mierda!

La aplicación de esta lección, es que tenemos la autoridad para llamar "mierda" la próxima vez que escuchemos algo que no es cierto, con respecto a quiénes somos, o cuando alguien imponga limitaciones sobre nosotros. Y eso incluye decirnos a nosotros mismo "mierda", cuando estemos dándole demasiado crédito a la suerte y no a la oportunidad de decidir. Cuando las circunstancias que se salen de nuestro control nos producen miedo, tensión y desaliento, es humano sentir esas emociones, pero no podemos permitir que nos derroten. Es cuestión mía y tuya, el empoderarnos lo suficiente como para encontrar lo que sea necesario dentro de la situación que nos rodea, que podamos controlar – sin importar lo pequeño que pueda llegar a ser – y comenzar ahí.

Si no has estado ejercitando tus músculos de hacer elecciones últimamente, puede que quieran comenzar a recordar decisiones memorables que has hecho en tu vida hasta ahora. ¿Alguna vez viste lo que venía para ti y dijiste: "No gracias, voy a buscar algo mejor"? ¿Alguna vez has ignorado tu sabiduría innata para seguir la corriente en algún propósito que todos los demás apoyaron, únicamente para tener que arrepentirte después? Mi opinión es que, siempre y cuando tú seas el dueño de tus propias elecciones, ya sea que te ayuden para bien o para mal, tus estás haciendo uso del empoderamiento. Ahora, ve y haz uso de esos mismos músculos, y dale una mirada al plan que estás desarrollando o considerando desarrollar para cumplir tus sueños.

¿Por qué no elegir una pequeña acción que esté en ese plan y actúas hoy? Con la acción viene el movimiento y antes que te des cuenta, ya estás empoderado para afrontar grandes desafíos. Solo esa simple decisión de hacer algo, cualquier cosa, puede convertirse en tu antídoto para sentirte empoderado, especialmente cuando muchas cosas parecen estar en tu contra, cuando sientes que la mala suerte y los problemas son tus únicos amigos. A lo mejor puedas sentirte empoderado ante la situación durante solo cinco minutos, pero te lo repito, esa es tu elección.

LECCIÓN # 3
La caballería aún no ha llegado
Palabra clave: ACTITUD

Un periodista me preguntó una vez, cómo yo había podido mantenerme con mi cabeza en alto cuando mi hijo y yo estábamos desamparados sin una vivienda. Él quería saber cómo me había sobrepuesto a la vergüenza. Mi respuesta inmediata fue: "Espera un momento, estábamos sin vivienda, no sin esperanza".

Él se sorprendió y no podía entender cómo eso era posible, ni siquiera cuando yo resalté que el estado de necesidad nunca define quiénes somos. Mi actitud ante esto fue que era una situación solamente temporal, una en la cual se me había dado la oportunidad de cambiar, en el momento en que yo decidí prepararme para mejorar mis habilidades en el campo de trabajo que había elegido. Pero ciertamente, tuve que admitir, que lo que fue difícil, fue el estar consciente que mi hijo y yo habíamos entrado a ser una clase de gente invisible, aún entre la misma gente sin hogar – como lo son las familias trabajadoras pero desamparadas. La realidad es que, el convertirte en invisible se suma al peso de la soledad, de pensar que nadie puede entender tu situación excepto tú. Eso hace más pesado el equipaje que solo tú puedes cargar para mejorar tu situación.

Una de las razones por las cuales, de hecho, decidí romper el silencio y hablar sobre mi historia públicamente, fue para incrementar la visibilidad del rápido y creciente número de personas que están uniéndose a las filas de los afectados por lo que yo he llamado "el collar blanco de la indigencia".

Durante las dos últimas décadas se ha calculado que el 12% de los indigentes de este país tiene empleo y va a trabajar todos los días, y que en algunas comunidades la cifra aumenta al 30%. No son solamente la gente que ves con una olla en la mano, o mendigando en las esquinas, sino familias que tienen empleos y van a trabajar duro o más duro, para ubicarse más adelante de los que están en mejores circunstancias.

Mientras escribo esto, todavía no conocemos la magnitud total del impacto en individuos del vasto y fluctuante mundo de los mercados financieros en los últimos tiempos. Cada vez que se han producido bajas en los precios del mercado, vemos a los directivos de los programas de televisión y de los noticieros, anunciando cómo algún ejecutivo perdió billones de dólares y cómo otro infortunado colega perdió 500 millones. Bueno, ¿y qué de los que perdieron todo? ¿Y los empleados que trabajaban en estas compañías por 25 o más años, que habían invertido el dinero de su jubilación en las acciones de la compañía y pensaban que habían planeado responsablemente su futuro para después de su jubilación? No como los trabajadores jóvenes, ellos ahora están entre los 55 y 60 años, en un nido que es virtualmente desesperanzador, y fuera de eso, ¡oh! repentinamente sin trabajo. Ellos no solamente están sin empleo, sino que ahora tienen que salir a buscarlo, en medio de una industria que está contrayéndose en lugar de expandirse.

Aunque no hay nada nuevo sobre los individuos y las familias trabajadoras que viven en la indigencia, el panorama ha sido golpeado más fuerte que nunca por huracanes con corrientes fuertes de categoría 5 – disparado por la saturación del rompimiento de casas, combinado con la tóxica codicia de Wall Street que se alimenta de la crisis en los prestamos y ejecuciones hipotecarias, junto con la crisis en los créditos bancarios. Sumado a eso, existen los elementos de tensión por la recesión, desempleo creciente, salarios bajos, para no mencionar la inflación en lo relacionado con el mantenimiento de la familia. Los crecientes apuros que hemos venido observando, incluyen los reportes de estudiantes universitarios imposibilitados para sostener los costos de su alimentación y que tienen que dirigirse a comedores comunitarios; personas mayores que tienen que elegir entre comprar su comida o su medicina; familias que tienen que dividirse porque no encuentran un refugio para acomodar a padres e hijos juntos; sujetos trabajadores que elige dormir entre el carro, y más todavía, hasta en los baños públicos.

Ya sea que estas circunstancias te hayan desafiado personalmente, o a alguien que conozcas, la lección que tenemos al frente nos enseña cómo comenzar en donde estamos, aún en momentos de crisis, si es que estás afrontando alguna. Después de todo, según mi experiencia, todos estamos en esto juntos. Solo para ser claro, déjame definir lo que es un sujeto trabajador en la primera década del siglo veintiuno. Si no tienes una posición de mando en cuanto a la forma en que te sostienes para ganarte la vida – o tienes participación en ello – entonces eres un "sujeto trabajador". Déjame darte un ejemplo: Si no estás en el Forbes 400, eres un "sujeto trabajador"- porque no estás en una posición de autoridad y con el empleo que tienes puedes ser reducido, despedido, o subcontratado en cualquier momento. Puedes mejorar tus opciones como jugador participante – convirtiéndote en un accionista o corredor de bolsa. O puedes ser un peón. Cualquier posición que decidas ocupar, estará determinado por tu actitud.

Entonces, ¿Cómo fue que mi hijo y yo fuimos capaces de resguardarnos de la indigencia sin sumergirnos en la impotencia ni en la desesperanza? La respuesta a eso me fue presentada en una de las lecciones de vida más importantes que mi madre trato de imprimirme. Es una que a veces he olvidado, particularmente cuando me siento alarmado, que dice que es más lo que no se ha hecho para remediar el sufrimiento que nos rodea, que puede convertirse en contagioso. En esos casos, puedo casi escuchar la voz de mi madre preguntándome: "Bueno hijo, si te sientes tan decidido, ¿por qué tú no haces algo al respecto?"

Cuando recuerdo este mensaje de ella, me remonto a las palabras de mi madre y a la primera vez que las escuché cuando estaba en mi adolescencia – momento en que ella decidió instalar en mi la base de la actitud de "puedo lograrlo" y me hago responsable", que era justo lo que ella quería enseñarme. Aunque hubo varias llamadas de atención de ella hacia mí, antes que pudiera decirse que yo había entendido el significado de esta lección que funciona en todo propósito y en todo momento de la vida, causó una absoluta impresión en mi vida cuando mi madre me dio el regalo de su sabiduría en la forma de un comentario pasajero.

Ocurrió durante una de esas extrañas ocasiones en las cuales no había nadie alrededor, dándonos a mi madre y a mí la oportunidad de compartir uno de esos momentos gozosos – viendo una de esas películas viejas del cine clásico por televisión. En esa ocasión nos vimos envueltos en una escena que ocurría en un viñedo en el oeste. En lo máximo de la acción, justo cuando todo parece estar perdido, y los tipos malos tienen pistolas y están rodeando al héroe solitario – quien debe afrontar la realidad que su caballo se fugó, que su compañero ha sido asesinado y que se le acabaron las municiones – una mirada de preocupación desafiante finalmente aparece en su cara. Mientras que mira fijamente al cielo, con cactus y armadillos a su alrededor, observa después al horizonte pero no ve ayuda a la vista.

Fue en ese mismo momento en que mi madre me mira y me dice: "Pon atención, esto es importante", mientras señala a la televisión, y me dijo unas palabras que me retumbaron para siempre: "¿Ves eso? ¡La caballería aun no ha llegado!".

Por un segundo, me negué a escuchar este edicto, argumentando que el sonido retumbante de los caballos y la nube de polvo formándose en la distancia era la señal que la caballería venia en camino. La expresión de alivio en la cara del héroe concordaba con mi análisis. Claro que eso fue hasta que el héroe vuelve a mirar y se da cuenta que finalmente se trataba de más chicos malos.

Innecesario decirlo, este héroe solitario venció finalmente. Y su victoria contra la adversidad estuvo totalmente ligada con el hecho de dejar de confiar en que la caballería vendría a rescatarlo. He aquí el problema: antes que su tremenda ingenuidad pudiera echar a perder su futuro, él tenía que apoderarse de su actitud autosuficiente, que era la que lo había convertido en héroe desde el principio.

Esta lección era fácil desde la tribuna, pero era mucho más difícil de aplicar en forma concreta durante las situaciones que vinieron en los años siguientes – cuando me hallé a mi mismo poniendo mis ilusiones en una caballería ilusoria. Por eso cada vez, que he visto nuevamente al horizonte y observo una nube de polvo, y escucho el sonido de los caballos que se acercan, se convierte en mi propia versión de que lo que realmente se acerca, es la pandilla con más chicos malos – ¡lo cual significa que las cosas se van a empeorar!

Eventualmente, la realidad es que ninguna caballería es enviada a ninguno de nosotros, los chicos buenos, sin importar qué tan merecedores podamos ser de esa ayuda. Permítame ser claro en cuanto a las opciones que existen para todos los héroes solitarios. De una parte, tienes la opción de culpar a los chicos malos y sentirte tan deprimido y acabado como te plazca, aunque eso no va a alimentarte, ni a ti, ni a tus seres amados. La otra opción es ponerte a la altura de la situación y convertirte en tu propia caballería.

¿Cómo hacemos eso? El primer paso, según lo he aprendido, es reconocer en dónde estoy y cómo llegué allá. Nueve de diez veces, frente a circunstancias extenuantes, he llegado a la conclusión que, donde sea que me encuentro, llegué allí porque eso elegí. Si, puedo referirme a los factores externos fuera de mi control y culparlos por mis aprietos, o sacar excusas acerca del por qué las cosas no funcionaron como debieron, especialmente si nadie se propuso ayudarme. De pronto todo eso es cierto. Pero eso no cambia dónde estoy. Solo mediante la reflexión: "Oye, aquí es donde estoy, y estoy aquí porque hasta aquí traje mi caballo", puedo hacer la siguiente elección para conducir hacia un nuevo amanecer en el cual realmente quisiera estar. O, como adapté esta versión con la terminología del siglo veintiuno: "Estoy aquí, porque manejé hasta aquí". Ahora es cuestión mía, y de nadie más, cambiar de dirección y manejar hasta un lugar mejor.

Tú puedes observar que la aplicación más fácil de esta lección es hacer un inventario para ver qué tan bien has confesado dónde estás y cómo llegaste allá. Puedes empezar por preguntarte a ti mismo lo que yo te voy a preguntar: "¿Dónde estás ahora?"

¿Estás en un camino en el cual te sientes esperanzado? ¿Estás en un lugar en el cual te sientes golpeado por distintas corrientes? ¿Tienes un plan para seguir adelante? ¿Dónde estás personal, profesional, emocional y físicamente? ¿Es ahí donde quieres estar, debes estar y puedes estar? Y lo más importante, ¿es ahí donde necesitas estar?

Si puedes contestar que si a todas estas preguntas, puedes contarte entre los bendecidos. Si no estás seguro, analiza cómo te sientes con respecto a dónde estás. ¿Te sientes dispuesto a dirigirte a donde quieres, pero no tienes medio de transporte? ¿Estás varado a la puerta de la entrada esperando que alguien te asista? ¿Estás actuando como una estrella de rock pero sientes como que todo se mueve muy rápido? ¿Quieres pararte en los frenos y bajarte en la siguiente parada? ¿O estás abierto a la posibilidad que puedas aprender todo lo que necesitas sobre la situación en que te encuentras? En cualquier caso, puede que te sirva de aliento saber que tus sentimientos son los mismos de otros que se sienten igual a como te estás sintiendo.

Si miras hacia tu propia desorientación y luego te haces la pregunta crucial: "¿Cómo llegue aquí?" aún si no programaste tu sistema de posicionamiento global, (GPS) con este rumbo y prefieres estar en cualquier lugar menos este, te estarás moviendo hacia una posición más adecuada con esta lección, si tú también logras admitir que, "bueno, está bien, si, yo manejé hasta aquí".

Y si todavía no estás en la posición de responsabilizarte por la situación en que te encuentras, de pronto puedas beneficiarte de algunos ejemplos de personas que todavía están culpando a la pandilla de los chicos malos o esperando por la caballería.

Tengo un primo que a lo mejor te recuerde a alguien que tú conoces. Él es una telenovela andante, siempre está en medio de un drama en el cual, él aparentemente no tuvo nada que ver; cada vez que la felicidad está por llegar a su vida, algo desastroso y fuera de su control aparece para truncar sus sueños y antes que diga cualquier otra cosa, ya sabemos que va a abrir la boca para pedir dinero prestado. Bueno, ¿fue que algunos extraterrestres lo raptaron y lo metieron a su nave espacial y luego lo forzaron a perder su carro jugando al póker? No, claro que no. El manejó hasta allá.

Para melodramas, como en los que podemos vernos a veces, nunca es demasiado tarde para cambiar la dinámica si decidimos tener en cuenta la verdad de la situación.

De repente también conozcas a alguien con actitudes parecidas a las de mi primo, que son de esos individuos que permanecen adquiriendo más y más responsabilidades, pero que todavía no admiten que no han logrado sus metas debido a la clase de decisiones que toman. Estoy pensando en mucha gente que conozco y de la cual escucho – hombres y mujeres altamente responsables que administran negocios, organizaciones benéficas, construyen sus familias, se las ingenian con distintas actividades y obligaciones, pero aún así sienten que dejaron sus verdaderas ilusiones perdidas en alguna parte del camino. Ellos suelen comenzar sus discursos diciendo: "Oh, si yo tuviera más tiempo, lo que en verdad me gustaría hacer es…" o "Si yo estuviera más joven, haría…". Pero cuando les preguntas cómo se alejaron de eso que realmente les apasionaba, confiesan diciendo: "Esto no fue lo que había planeado, pero bueno, si, terminé aquí". Y cuando les preguntas si alguna vez pensaron en retomar sus sueños o reinventar sus vidas, generalmente hay una excusa por la cual eso no funcionará, o te explican cuál puede ser la forma de fracasar frente a esa opción. Otros están esperando que las circunstancias vengan a despertarlos de donde están y los transporten a otro lugar. Como quiera que se le quiera llamar, todavía están esperando la caballería.

Una colega de Wall Street, quien estaba dirigiendo una oficina, criando a sus hijos, ayudando a su esposo que volvió a estudiar, y cuidando a sus padres enfermos, me dijo una vez que ella estaba negándose a sí misma y a sus ilusiones, pero que después de todo, "yo no tengo otra elección".

Nadie le impuso esos compromisos a ella, nadie le prohibió perseguir sus propias ilusiones y si otros le impusieron todo esto, ella permitió que la esclavizaran. Como un primer paso hacia su liberación, mi colega decidió que iba a encargarse de cambiar su situación y se convirtió en su propia caballería con el uso de una palabra de dos letras y una sílaba que comienza con la letra "n" y termina con la letra "o". En lugar de desagradar a todo el que había estado tirándole a ella su responsabilidad, cuando comenzó a decir que no a todos y les exigió que cargaran cada uno con su propio peso, entonces comenzaron a respetarla. El jefe le consiguió un asistente; su esposo reajusto sus clases para poder jugar un papel más activo en los quehaceres del hogar; sus hermanos acordaron dedicar más tiempo en lo relacionado con sus padres.

"Todos estos años había estado siendo la "colaboradora de todos", me dijo, "excepto de mi misma". Su actitud de "puedo hacerlo y me hago responsable", había estado allí siempre, pero había estado muy ocupada siendo la caballería de otros. Ahora ella tenía el control y podía decir si a sí misma y a sus propias metas, hasta una muy pequeña que consistía en pertenecer a un club de lectura, del cual quería ser parte desde hacía años.

Otra clase de excusas que utilizan aquellos que no quieren admitir que ellos son responsables de estar en donde están – están basadas en que el sistema está contra ellos y que ellos han estado siendo golpeados por "el hombre". Todos conocemos uno pocos de estos hombres y mujeres. Ellos no ven razones para ir en busca de la felicidad, porque con el racismo, el sexismo, y otros "ismos" opresores, básicamente somos impotentes. No por defender alguno de los "ismos" del mundo, ni ningún sistema deshumanizante, pero ¿no es impotencia lo que "el hombre" quiere que sientas? El reciente activista surafricano de los derechos humanos, Steve Biko, lo dijo de esta forma: "El arma más importante en las manos de un opresor, es la mente de los oprimidos".

Mi madre y Steve Biko debieron compartir sus notas en alguna parte del juego. Ellos ciertamente hubieran coincidido que no importa dónde te encuentres, solo tú tienes dominio sobre tu mente, tus creencias y tus actitudes. Entonces, si miras tu situación y dejas de usar excusas y/o culpas, y escoges decidir que puedes alterar tu situación por ti mismo, te alejarás del sistema, del "hombre" y de todos los "ismos" que tratan de controlarte. Primero, estarás recuperando tus fuerzas y segundo, no estarás esperando a alguien que cabalgue en un reluciente corcel para hacer tus sueños realidad o alejar tu dolor, porque en lugar de eso tú eres quien se subirá al caballo en el que llegaste hasta donde estás y te dirigirás a donde quieres, por ti mismo.

Cada vez que quieras vitalizar tu búsqueda, la aplicación de esta lección no te defraudará. Puedes comenzar por recordar esos tiempos en tu vida durante los cuales tu actitud de "puedo hacerlo" era el centro y el frente de tu vida. A lo mejor recuerdes cuando no tenías que esperar a nadie para que te dijera qué hacer o no hacer, te arremangaste, te pusiste a trabajar en el asunto y finalmente tú lo hiciste. Mientras estás ahí donde llegaste, también es bueno que te preguntes si estás esperando a la caballería, pero cualquiera que sea la respuesta, ahora que sabes que no va a llegar, sería muy importante que nuevamente te preguntaras cuál va a ser la siguiente vez en que utilices tu actitud "puedo hacerlo" y comiences a dar el paso para andar hacia donde quieres llegar.

Por último, debería mencionar el consejo que dice que los hábitos del pensamiento con frecuencia toman más tiempo en cambiar que los hábitos que conforman la conducta. La clave está en comenzar y permitir que el inicio de la acción, cree el impulso. Esa no es una opinión, pues dicho sea de paso, es una ley de la Física.

Lección # 4
Comienza con lo que tienes a mano
Palabra clave: INGENIOSIDAD

Habrás escuchado el viejo refrán que dice que "la limpieza habita junto a la santidad".

Bueno, aunque admiro bastante la limpieza, es la otra virtud la que me ha inspirado para utilizar la estructura de este refrán, porque hasta donde me concierne, la recursividad realmente está al pie de la divinidad.

Esta es la lección de la cual puedes sacar lo que quieras – sin importar lo minúscula que parezca ser – y utilizar tu fuerza innata de ingeniosidad, junto con el trabajo arduo y la capacidad para mantenerte enfocado, para hacer que tu vida y tu ser tengan un significado fundamental por alcanzar. Desde mi punto de vista, esta premisa se refiere a la fuerza de lograr milagros, la cual nos ha sido dada a cada uno de nosotros.

"Comenzar con lo que tienes a la mano", es una lección que se origina en la Biblia, cuando en el Antiguo Testamento Dios se le aparece en la hojarasca ardiendo a Moisés y le dice que vaya a Egipto a liberar a los israelitas de la esclavitud. Tú debes conocer este pasaje y recordar cómo al comienzo Moisés – quien en algún momento había sido adoptado como un príncipe de Egipto pero ahora se había convertido en un humilde pastor – insiste en que él era el hombre equivocado y hasta discutió con Dios, argumentando la excusa que no tenía los medios, las habilidades, ni la fuerza para hacer posible lo imposible. Moisés le pregunta al Señor: "¿Quién soy yo para ir al faraón y sacar a los israelitas de Egipto?". El Señor le dice que no se preocupe, recordándole: "Yo estaré contigo" y luego pone en marcha su plan, el cual consiste en que Moisés vaya y le de el ultimátum al faraón de liberar a los esclavos o arriesgarse a caer bajo la ira de Dios – a quien dicho sea de paso, los egipcios no conocían.

"Pero", objeta Moisés, "supongamos que ellos no me creen, ni escuchan mi petición y que me digan: 'El Señor no se te apareció'" Entonces Dios le pregunta: "¿Qué tienes en tu mano?" "Una vara", contesta Moisés refiriéndose a su vara de pastor. "Bótala al suelo". Cuando él hace lo que se le ordenó, el palo cae al suelo y se convierte en una serpiente. "Ahora, extiende tu mano", le dice el Señor "y tómala por la cola". Esta vez, cuando Moisés hace conforme a lo que se le dijo, la serpiente se convierte nuevamente en el palo. Entonces Moisés aprende como usar su mano para mostrar las señales que probarían que Dios lo había enviado – incluyendo la habilidad para convertir en sangre las aguas del rio Nilo.

No convencido, Moisés todavía argumenta que "es lento para hablar", lo cual eventualmente hace que Dios envíe a su hermano Aarón como su compañero y vocero. Pero el objetivo central de Dios hacia Moisés, fue que él debía liderar e ir a Egipto con "la vara en su mano, porque con ella dará las señales".

No fue sino hasta durante mi madures cuando vine a apreciar cuánto nos enseña este pasaje de la Biblia a no ponernos limitaciones a nosotros mismos por una supuesta falta de habilidades o recursos, o porque creemos que no estamos a la altura necesaria de atrevernos a grandes cosas. Moisés tenía mucho más consigo mismo de lo que él estaba dispuesto a admitir. Dios no necesitó decirle lo que tenía que hacer paso por paso. En lugar de eso, el punto era que Moisés debía ser recursivo y utilizar el don dado por Dios de su ingeniosidad para utilizar esos recursos – comenzando con el que tenía en sus manos. Suficientemente seguro, como puedes saber por la historia del Éxodo, una vez que Moisés elige acudir al llamado y acepta la dirección de Dios, decide seguir adelante y encuentra los medios, las habilidades y la fuerza para inspirar a otros para que sigan su derrotero.

La razón por la cual este pasaje siempre me resonaba – y se ha venido convirtiendo en algo relevante a medida que he aprendido a usarlo como adulto – es porque me fue enseñado, desde el lado práctico hace tanto tiempo atrás como logro acordarme, por mi madre, la personificación misma de la recursividad. Me lo enseñó en forma de consejo y de ejemplo, a través de muchas pruebas; mi madre insistía en que cada vez que un recurso faltaba, todavía podíamos "comenzar con lo que teníamos". Muchas veces la escuché decir: "Oh, he hecho tanto con tan poquito durante tanto tiempo, que puedo hacer cualquier cosa con nada". Y a medida que yo la veía hacerlo, el recurso natural de la ingeniosidad se me fue convirtiendo, no solo en oro, sino en parte esencial de quien soy – aquello por lo cual he llagado tan lejos mientras continúo creciendo y prosperando. En los últimos años, se me ha vuelto más evidente que el hecho de ser recursivo como mi madre, fue el modo de mejorar ese aspecto de ella que estaba dentro de mí – en mi "genética espiritual" (como exploraremos más profundamente en los capítulos posteriores).

Creciendo en medio de la empolvada pobreza de la campestre Luisiana, Betty Jean Gardner y sus hermanos caminaban millas para llegar a la escuela, sufriendo las humillaciones y la vergüenza de ser ridiculizados por niños cuyos padres les heredaron intolerancia e ignorancia. Parte de la determinación de mi madre por triunfar en la escuela y convertirse en una profesora venía de su deseo de sobrepasar las limitaciones que sus padres le habían impuesto – especialmente la roca de su apoyo, mi abuela, quien murió sin ver a su hija graduarse de secundaria siendo la segunda de la clase. Pero cuando mi abuelo volvió a casarse, en lugar de ayudar a su hija con el dinero para ir a la universidad, le permitió a su nueva esposa cómo distribuir sus recursos. Ninguno de los dos le ayudó a mi madre y aunque ella se sintió devastada, se apoyó a sí misma con una cantidad de habilidades para continuar con su plan de educación y siguiendo el camino para acompañar a sus hermanos hacia el norte.

Cuando mi madre finalmente se estableció en Milwaukee, ya había ganado todas las cualificaciones para conseguir su grado y licencia como maestra. El estado de Wisconsin no estuvo de acuerdo porque ninguno de los entrenamientos que ella había recibido en su tierra era relevante. Para complicar sus opciones, ella ahora era una madre soltera con dos hijos – mi hermana Ofelia y yo. Y después llegó un padrastro, Freddie Triplett - abusivo, controlador y violento, quien se convirtió en su prueba de resistencia. Como es común en situaciones de violencia domestica extrema, cada vez que ella intentaba dejarlo, él se desquitaba; dos veces lo hizo con medidas legales en contra de ella que la pusieron en la cárcel y a nosotros en un hogar de niños adoptivos. Creo que llegó un momento en el cual la misión de mi madre cambió, pues en lugar de trabajar en función de graduarse como maestra, ella eligió proteger a sus hijos y sobrevivir a Freddie, con un espíritu intacto, a como diera lugar y le costara lo que le costara. Y con todos los recursos de su ser, ella nunca nos iba a permitir olvidarnos que no tenía nada más que su amor incondicional para mi hermana y para mí, y más adelante, también para mis dos hermanas menores.

Cómo lo hizo, sigo sintiendo que fue milagroso. Mi madre hubiera preferido trabajar con su mente, pero en lugar de eso utilizó sus manos y estuvo empleada por años como doméstica. Cuando ella dejaba nuestra casa por la mañana y regresaba por la noche, lo hacía con la misma conducta profesional y dignidad que hubiera exhibido si se hubiera convertido en una ocupada maestra de universidad. Tenía una inconmensurable capacidad para hacerlo, demostrando ingeniosidad en su forma más pura – como solo el mejor de lo maestros lo puede hacer.

En el transcurso de compartir con otros, cómo la vi ser la prueba viviente de la premisa que dice que puedes comenzar sin nada y lograr algo, he descubierto que muchos con quienes comparto conocen a alguien que ejemplifican la ingeniosidad como la de mi madre. Por esta razón, yo sugeriría que una de las mejores formas de aplicar esta lección, es que consideres pedir prestado el ejemplo de la persona más recursiva que conozcas, y veas cómo lo máximo de tu propia fuerza emerge del fondo de tu ser. Es algo así como encender una luz en medio de la oscuridad – revelándote elementos de ti mismo que nadie, incluido tú mismo, no habías visto antes. Entonces, de nuevo, lo que parece nada a los ojos del mundo, cuando se le da el valor apropiado y se le hace funcionar, puede convertirse en la más grande de las riquezas.

Una vez que comiences a reconocer esas fuerzas subestimadas, el siguiente paso es que confíes es tu recursividad para hacer uso de ellas, para que puedas salir y logres elevarte hasta donde quieras. Si, la vara que tienes en tu mano puede no ser algo fuera de lo común, pero con ella puedes lograr cosas milagrosas, como nos dice la Biblia.

Aplica esta lección al pie de la letra y comienza con lo que tienes a la mano. A lo mejor es tu determinación o la de alguien que te ha inspirado; puede ser tu capacidad como padre, o tu habilidad para aprender; puede ser tu fe, o la historia que tienes para compartir acerca de la forma en que te sobrepusiste a tus desafíos; puede ser el lápiz que elegiste para tu papel; puede ser tu curiosidad, tu imaginación, o tu generosidad; puede ser tu ternura, tu generosidad, tu sentido del humor o la forma única de vestirte; puede ser tu deseo de aprender o de impactar a otros con tu sabiduría; puede ser tu agilidad con las palabras o la capacidad para comunicarte silenciosamente; puede ser el hambre y la necesidad de llevar la comida a la mesa. Aunque no parezca mucho, esta lección de vida te enseña que puedes lograr todo lo que te propongas. Pero tienes que ser ingenioso, alguien orgulloso de su capacidad recursiva; aprende que el adagio probado y comprobado "cuando se quiere, se puede", también aplica en tus circunstancias y recuerda cuál fue el sueño inicial que te llevó a trazarte unas metas. Cree en ti mismo y en la infinita abundancia de recursos que están a tu disposición.

LECCIÓN # 5
Los pasos de bebé también cuentan, siempre y cuando sean para avanzar. Palabra clave: PROPÓSITO

Muchas de las lecciones de vida más aplicables y profundas, parecen tan obvias que a veces pretendemos pasar por encima de ellas. Eso me ocurrió con uno de mis mantras favoritos – "los pasos de bebé también cuentan". Esta premisa hace una parte tan profunda de mi búsqueda por la felicidad, que el equipo de mi oficina se reunió un tiempo atrás y entre todos mandaron imprimir unas camisetas con ese eslogan.

Mucho antes que pudiera apreciar esta lección de vida tan transformadora, y antes que yo si quiera pronunciara esas palabras, su esencia había sido demostrada por uno de mis mentores desconocidos durante mi niñez, mi tío Joe Cook.

Si es cierto lo que he escuchado, acerca de que se dice que un mentor no es tanto alguien que te pone la mano en el hombro y te da unas instrucciones, sino más bien alguien cuyo trabajo es ayudarte a identificar tus fortalezas y debilidades, entonces el tío Joe calificaría perfectamente como mi mentor. Él no era realmente un tío, sino un primo por parte de mi padrastro; él fue posiblemente la única persona que con su sola presencia podía difuminar la violencia amenazadora que provenía de mi padrastro en determinado momento. El tío Joe poseía un efecto casi narcótico sobre el viejo; yo nunca entendí cómo lo hacía, pero cada vez que Joe Cook estaba en nuestra casa, yo sentía que mi madre, mis hermanas y yo estábamos protegidos.

Alguna vez, al inicio de sus años cuando vivía en el sur, el tío Joe llegó a ser un hombre abandonado y arruinado, "pero encontró la religión", como dicen por ahí. Fue su sentido de propósito – la convicción que él tenía algo con qué contribuirle al mundo – lo que lo inspiró a salir de la alcantarilla para convertirse en alguien de éxito bajo sus propios términos. ¿Qué fue exactamente lo que lo llevó a esa transformación? Nunca me lo dijo, pero lo que importó fue que él decidió conscientemente cambiar, vivir al máximo de su potencial para tener una vida llena de propósito y significado. Para él, eso no tenía nada que ver con encontrar el trabajo más adecuado, ni con conseguir una cantidad enorme de dinero. Él nunca hizo nada de eso porque decidió ser una persona substancial – alguien que fuera respetado por su forma de pensar y por su habilidad para resaltar lo mejor en los demás. Su objetivo nunca era halagar la gente sino hacer que se sintiera empoderada.

Como era de esperarse, terminó rodeado de un grupo muy grande de personas que lo conocían y lo amaban. El tío Joe acostumbraba decir: "Siempre es mejor hacer amigos, antes que necesites de ellos". Actualmente le llamamos a eso ¡"hacer contactos"! Él también fue grande en cuanto a la propiedad individual – especialmente en los negocios – y en su momento, creando oportunidades para la gente.

El tío Joe caminaba con una especie de dificultad, algo así como una cojera, a tal punto que no podía dar ni un paso normalmente; pero aún así tenía un aura de autoridad – un mando que procedía de su conocimiento de los distintos mundos por los cuales había viajado a través de los años. Cada vez que él decía algo, causaba efecto porque venía de esa autoridad y por su forma de decir las cosas, como un predicador pero sin extenderse nunca. Claro y al punto, su mensaje se quedaba contigo, aún después que olvidabas las palabras exactas con que él lo había dicho.

La explicación para la cojera del tío Joe tenía una historia atónita. En algún momento hacia los años de 1940s, cuando Joe decidió que necesitaba educación para vivir al máximo de su potencial, supuso que las oportunidades para cumplir sus metas serían mayores mientras más lejos se fuera del racismo y la pobreza de la campestre Misisipi; así que pensó que si se dirigía hacia el norte, rumbo a Milwaukee, donde algunos amigos y familiares ya se habían establecido, tendría mayor posibilidad de acceso a la escuela nocturna y al trabajo al mismo tiempo. Pero, ¿cómo iba a hacer el viaje si no tenía ni un centavo? Él iba a comenzar con lo que tenía – sus dos pies. Poniendo un pie detrás del otro, él caminó desde Misisipi hasta Wisconsin.

¿Qué había hecho posible lo imposible? Primero, él aceptó la verdad de la sabiduría en las palabras usadas por el Dr. Martin Luther King Jr.: "Es posible que no veas la escalera completa, pero es importante dar el primer paso". Lo siguiente, fue no rendirse, y por eso encontró las formas de recordarse a sí mismo, que no importaba qué tan lento fuera su progreso, si se mantenía trabajando para lograrlo. En ese momento daba pasos de bebé, pero esos pasos también contaban porque lo realmente importante, era que iba en la dirección correcta.

Su sentido de propósito lo mantuvo avanzando hacia adelante y lo ayudó a orientarse cuando llegaba a caminos encontrados, en los cuales tenía que decidir hacia dónde continuar. Cada vez que dudaba, de alguna manera alguien se aparecía y lo dirigía en la dirección acertada, o lo hospedaba y le daba de comer hasta el día siguiente para que pudiera descansar. Para mí, ¡eso era milagroso! Para el tío Joe, nuevamente tenía que ver con su dicho de hacer amigos antes de necesitarlos. Siempre lograba encontrar a alguien que lo conociera desde antes, o que conociera un amigo que pudiera recomendarlo. Nunca tuvo que depender de la amabilidad de un extraño porque, hasta donde yo sé, ningún ser humano era un extraño para él. O viceversa.

Obviamente que todo lo que él tuvo para decirme era académico, hasta cuando llegué cerca a mis 30 años y vi la oportunidad de poner a prueba el conocimiento que mi tío me había compartido. Eso fue cuando me convertí en padre y mi sentido de propósito era estar allí para mi hijo; la búsqueda por hacer reales mis sueños me hacía sentir empoderado durante toda la jornada ese año en el que estuve afrontando los retos de vivir en la indigencia. En la Iglesia Metodista Glide de San Francisco, el reverendo Cecil Williams, quien nos recordó - a los que nos sentamos en sus bancas, o a quien recibió un plato de comida en la cocina de Mo, o que encontró refugio en el hotel de paso de Glide - que todos nosotros éramos individuos que teníamos algo con lo cual contribuir. El reverendo Williams nos dio el sencillo pero claro mensaje de propósito en cada uno de nosotros – "avanzar, enfrentar la jornada, los pasos de bebé también cuentan".

Desde ese entonces, esta lección de vida universal nunca me ha fallado y me ha mantenido enfocado cuando la he tenido que aplicar en algo tan extenso como es aprender a ser un padre exitoso, en medio de constantes pruebas, en el rompimiento de ciclos generacionales de abandono, pobreza y abuso de substancias. Ha sido relevante en la conformación de mi propia compañía y aún ahora, a medida que trabajo para expandir mi sueño de traer inversión privada a las economías emergentes aquí y alrededor del mundo. El sentido de propósito me mantiene en movimiento hacia mi meta. La consistencia y el sentido de compromiso me ayudan a lograrlo.

Vale la pena que te lo repitas a ti mismo, cuando te encuentres dudando: "Así esté dando pasos pequeños, lo importante es que estoy avanzando". Puedes sentir que tambaleas cerca a la meta de llegada, pero esos pasos entrecortados, vacilantes y pequeños también cuentan.

Cada vez que miras hacia tus propias victorias, estoy seguro que puedes recordar los momentos menos gloriosos que has tenido, durante los cuales tu sentido de pertenencia y tu buena disposición te ayudaron a seguir andando, cuando solo estabas a pulgadas que te separaban de llegar al final de la meta pero no creías que llegarías. Esta lección – que los pasos pequeños también cuentan – puede haberte parecido de tanto sentido común que ni siquiera le prestabas atención.

Lógicamente, la idea que todos necesitamos el sentido de propósito para continuar avanzando en la dirección correcta es tan obvia, que olvidamos qué tan útil y aplicable resulta el ejemplo del tío Joe, por eso debo agregar que esta resulta ser una de las lecciones que es como el desodorante - ¡solo funciona si lo usas!

Muchos de nosotros simplemente caminamos hacia adelante y damos saltos en busca de aquello tan anhelado. Si alguna vez has tratado de comenzar una dieta o te has inscrito en uno de esos programas para ayudarte a mejorar rápidamente el estado físico, tú sabes tanto como yo, que cualquier producto que promete resultados más vertiginosos llama mucho más la atención. Esa es una industria multi-billonaria que quiere mantenerte comprando sus secretos exclusivos, pero ¿funcionan? No, en mi experiencia. Como tampoco funcionan los esquemas para enriquecerte que garantizan que tus deudas van a desaparecer y te harás millonario cuando termines de pagar lo que vas a deber mientras aprendes dicho esquema.

A lo mejor, una de las razones por las cuales me resistí a creer en las varitas mágicas que brindan felicidad y dinero de la noche a la mañana, se debe a que le quitan valor al propósito, a la lucha, a los planes, y a la disciplina que se requieren para triunfar en las situaciones importantes de la vida.

Por esta razón es que cuando me piden consejo acerca de cómo salir de deudas, comenzar un negocio, o hallar significado a las cosas, soy inquebrantable al decir que no existe un secreto en hacer de tu búsqueda, el objetivo primordial de tu existencia ya que tienes el poder para elegir, para elaborar un plan y sujetarte al él, siendo esto último – el sujetarte a tu plan – el propósito de esta lección.

Un comentario que el tío Joe agregaría es que, cuando se trate de persistencia, recuerda la grandeza de tu propósito. No permitas que el tamaño de los pasos pequeños limite la importancia de la enorme distancia que puedas recorrer o de los posibles descubrimientos que llegues a encontrar en cualquier momento, inclusive a la vuelta de la esquina - o de pronto estén tan lejos como en las galaxias, en la inmensidad del cielo – un océano de oportunidades en el cual todos comenzamos bastante parecido, sintiéndonos como manchitas diminutas. Pero la dinámica cambia en el momento en que nos convertimos en manchitas diminutas con propósito y rumbo.

Estoy hablando de la capacidad innata para confrontarnos con las dudas que nos hacen desfallecer en esos momentos en que creemos que ya no podemos dar ni el más corto paso. Los corredores de maratones de largas distancias y otros atletas de alto rendimiento, hablan de ese momento en el cual piensan que se han quedado sin nada de energía, pero sin embargo "algo" les impide abandonar la carrera. El término para ese "algo" que necesitamos activar para perseverar, es a lo que le llamo "persistencia oceánica". Esta fue una realidad de la que tomé conciencia y que me golpeó fuertemente, durante esos días en los que caminaba por la playa con Christopher Jr., y observábamos la insistencia milimétrica de una ola tras la otra, fluyendo y flotando, pero moviéndose siempre con el propósito y la fuerza que la naturaleza les ha dado.

Trata de recordar en tu pasado, alguna vez en la que tu sentido de propósito te ayudó a sostenerte, aún el los momentos más fuertes e inciertos, y cómo te ayudó a sobreponerte. Te apuesto que tú sabes cómo utilizar tu propia reserva de persistencia oceánica que te impulsa hacia adelante. Si no estás seguro de lo que te quiero decir, de pronto quieras hacer el esfuerzo de salirte de tu propia rutina e ir a visitar cualquier tipo de corriente acuática – el océano, un rio, un lago, una laguna – o un lugar que pueda inspirarte, y en el cual tengas frente a ti la fuerza de la naturaleza, y logres imaginar que tú eres esa ola que llega a la orilla y se devuelve para tomar mayor impulso, para volver a intentar llegar con más fuerza, retornando cada vez más indómito y fuerte; entonces podrás comenzar a experimentar cómo puedes utilizar esa misma energía y corriente que fluyen naturalmente, aún para dar pasos cortos, para esquivar las rocas, sumergirte y avanzar, como las fuerzas del universo que rigen la marea y hacen girar los planetas con propósito y persistencia.

El tío Joe hubiera puesto todo esto en términos mucho más sencillos, como lo hizo una vez que quiso explicar lo que lo mantuvo caminando. Rendirse no era una opción, especialmente porque él caminaba celebrando cada uno de los pasos que daba en su camino.

LECCIÓN # 6
No sigas posponiendo
Palabra clave: PERSISTENCIA

Como cualquier analista financiero podría decirte, Wall Street prefiere conocer el estado de las cosas, por difíciles que sean a desconocer lo impredecible de un cambio. Francamente, pienso que la mayoría de nosotros, como simples mortales, sentimos lo mismo. Con frecuencia es mucho más fácil quedarnos tranquilos en nuestra zona de comodidad, aún cuando ya no estemos tan cómodos, simplemente porque se requiere menos esfuerzo para quedarnos donde no queremos estar, que juntar las energías que se necesitan para crear el cambio y dirigirnos hacia donde queremos ir. Además, lo desconocido suele ser bastante abrumador.

Sin embargo, he aprendido que los cambios son necesarios para crecer y madurar y que si no provocamos el cambio que queremos en nosotros mismos, eventualmente el estado de las cosas cambiará por sí mismo – en formas que pueden hacer que la adaptación sea más pesada. Habiendo dicho todo lo anterior, acepto que soy la primer persona que se resiste al cambio – especialmente cuando estoy convencido que no estoy listo.

¿Cómo sabes cuándo estás listo para un cambio? Esa es una pregunta que me hacen muy frecuentemente y en tan distintas formas, que he tenido que revisarla todas las veces en que yo mismo no he podido esperar para reestructurar radicalmente el estado de las cosas, en esos momentos en que me aferro a ellas, solo para darme cuenta que la realidad es que rara vez sabes que estás listo para los cambios.

Este es un asunto que resulta relevante para muchos futuros empresarios y activistas comunitarios que me envían sus propuestas y solicitan mi consejo; sus ideas son buenas, algunas de ellas inspiradoras y especiales. Muchos de estos individuos tienen lo que necesitan para realizar sus proyectos, cuentan con páginas web y con planes que pueden usar para incorporar el complejo C-5 (Lección #1). Pero antes de ponerse en acción, esperan por la luz verde que aparentemente les diga que si están en el camino correcto y que van a tener éxito. Ellos quieren la aceptación de otros que les digan que si están listos. En verdad, nadie más puede proveer eso.

El día después que encontré la oportunidad para comenzar a adentrarme en el mundo de las finanzas y empecé a aproximarme hacia la posibilidad de trabajar con una reconocida institución de Wall Street, inmediatamente comencé a coquetear con la idea de tener mi propia firma algún día. Pero esperé, porque además del hecho que tenía mucho por aprender antes de intentarlo por mí mismo, estaba convencido que en términos de mercadeo y en el aspecto familiar, ese no era el mejor momento para mi siguiente paso; por eso me mantuve allí hasta cuando me despidieron, más o menos por ser más empresario de lo que mis jefes querían que yo fuera. Pero esta circunstancia se me convirtió en una bendición que me llevó a la acción – estuviera listo o no. No tenía ni la menor idea de lo que estaba por suceder. Desorientado, yo no sabía que no se podía lanzar una firma de inversión institucional en Chicago, menos que en cualquier otro lugar, con un capital de solo diez mil dólares, un teléfono y un arrume de tarjetas de negocios, en medio de una economía de burbuja, de la cual yo desconocía que estaba lista para estallar.

Bueno, la moraleja de la historia es que a veces somos empujados por las circunstancias antes que estemos listos. Otras veces, nuestras propias elecciones, conscientes o no, son las que hacen que tengamos que movernos, nuevamente, no en los momentos más oportunos. Rara vez se nos da una señal en verde que nos indique que estamos frente a una buena oportunidad y que es ahora o nunca. Dicho en otras palabras – ¡que es el tiempo de acelerar y ponernos en marcha!

Una de las historias que uso con frecuencia porque ilustra muy bien el punto que no existe un mejor o peor momento para cambiar el estado de las cosas, es la clásica historia de éxito de todos los tiempos de Ray Kroc. De pronto te sea familiar el hecho que, antes que él soñara que su futuro tendría que ver con la aventura del negocio de las hamburguesas – Ray Kroc hizo toda clase de intentos buscando diferentes formas, invirtiendo y perdiendo los ahorros de su vida varias veces. Lo que mucha gente no sabe es que en 1954, cuando por primera vez se le presentó la oportunidad de visionar su máximo sueño, él ya tenía 52 años y cien mil dólares en deudas.

A los ojos del mundo, él era la persona menos opcionada para tener otra oportunidad de inversión, pues se había pasado los últimos 17 años de su vida vendiendo equipos de cocina para restaurantes, sin obtener una ganancia visible, y sin capital para invertir en otra aventura prometedora – ni suya ni la de otra persona. Lo que más me sorprendió la primera vez que escuché su historia, fue que además de sus deudas y de una vida personal tambaleante, también estaba sufriendo de problemas de salud significativos que incluían diabetes y artritis, fuera de haber perdido su vesícula y la mayor parte de su tiroides. Aunque muchos le sugerían que ya había llegado a su punto de descenso, él jamás lo creyó y por el contrario, tal como lo expresó posteriormente: "Nunca había estado tan convencido que lo mejor de mi vida no había llegado todavía para mí".

Bueno, esa clase de enunciado tan audaz, tenía sentido para mí. Claramente, las preguntas sobre si él ya había sobrepasado el peor estado de su situación, o si por el contrario, su mejor tiempo ya había pasado, no eran asuntos que le preocuparan a Ray Kruc.

Pero además yo quería saber cuál era la lección de vida que él estaba empleando para obtener el éxito. En el papel, hasta cuando llegó a los 52 años, su vida había estado llena de problemas más que cualquier otra cosa; era un desconocido trabajador promedio nacido en el centro occidental de Illinois en Oak Park, y de pronto lo más sobresaliente que había hecho, fue por allá en los tiempos de la Primera Guerra Mundial, cuando a la edad de quince años, se retiró de la escuela y se alistó en la Cruz Roja para poder ir a Europa como conductor de ambulancia, con tal suerte que para cuando terminó su entrenamiento, la guerra terminó y él nunca salió de su país.

Entonces Kruc tomó una ruta más tradicional y comenzó a trabajar en ventas para una compañía que vendía vasos de papel para restaurantes; al mismo tiempo trabajaba para una emisora de radio y fuera de lo acostumbrado, tocaba al aire jazz en el piano. La mayor decisión para lograr un cambio ocurrió cuando conoció al inventor de una innovadora máquina mezcladora de leche de 5 velocidades y convencido que esa no era una oportunidad para dejar pasar, negoció los derechos exclusivos de mercadeo de dicho artefacto – a cambio de los ahorros que tenía. Posteriormente, 17 años más tarde, cargando una maleta llena de deudas, problemas maritales y de salud, sin mostrar indicios de tener visión para los negocios, Kroc estaba convencido que de no haber sido por esa mezcladora de leche, él no hubiera conocido el negocio de los restaurantes, sin mencionar que tampoco hubiera decidido visitar a dos hermanos muy inteligentes en San Bernardino California, cuyo estante de venta de hamburguesas, era tan concurrido que él esperaba que estuvieran necesitando por lo menos 8 mezcladoras de leche al mismo tiempo.

Ray Kroc estaba decidido a encontrar la razón por la cual estos dos hermanos estaban generando semejante clientela. Como cuenta la historia, en el momento en que él llego a San Bernardino y puso sus ojos en la dinámica que los dueños de este negocio habían creado, inmediatamente tuvo la visión para convertir lo que ellos estaban haciendo en algo mucho más grande – que sacudiría no solamente el estado de sus situación, sino toda la industria de la comida.

Él no esperó hasta reflexionar sobre esto, sino que decidió lanzarse a llevar a cabo su idea con mayor fuerza que nunca, pero sin dinero para invertir, ¿qué recursos podía tener? Según cuentan, Kroc regresó a su motel prometiendo que volvería la mañana siguiente; no durmió en toda la noche pensando en su plan y en lo que iba a hacer – utilizando su versión propia del complejo C-5. Cuando volvió a ver a los hermanos al siguiente día, les expuso su visión clara y concisamente sobre cómo ellos debían utilizar su modelo de simplicidad y eficiencia de ensamblaje en línea, para expandir su franquicia a nivel nacional. Ellos le preguntaron quién tenía el método para construir y administrar una compañía como esa, él les dio su famosa respuesta: "Bueno, yo lo tengo".

Luego se preparó un asombroso portafolio, describiendo sus más de 30 años de experiencia en ventas, viajes y conocimiento de la competencia. ¿Había él alguna vez administrado una cadena de restaurantes anteriormente? No, pero tenía una confianza ciega en 4 claves para el éxito en cualquier negocio: calidad, servicio, limpieza, y valor.

Ahí y entonces, en frente a ese restaurante de forma octagonal que vendía hamburguesas, debajo de un par de arcos dorados, los hermanos McDonalds estrecharon manos con Ray Kroc – acordando que habrían de llevar esa visión tan lejos como pudieran y que había llegado el momento de cambiar sus circunstancias.

Lejos de un éxito de la noche a la mañana, Kroc comenzó a avanzar con pasos pequeños, comprometidos y consistentes, que lo llevaron un año más tarde a abrir su primer McDonalds en Des Plains, Illinois. En 1961, después de haber vendido casi 200 franquicias más, pero todavía con pocas ganancias para él, se sentó con los hermanos McDonalds y le propuso que le vendieran su parte. De nuevo, él estaba alterando el estado de las cosas a un nivel de mayor riesgo. Les dejó poner el precio y ellos le dieron la cifra más extravagante que se les ocurrió en ese momento – 2.6 millones de dólares. Kroc consiguió ese dinero fundamentado en sus ganancias futuras, incluyendo las de la aventura de la finca raíz, que había sido una invención de alguien. Esta iba a ser su mina de oro, al construir sobre la base de comprar la tierra en la que sus franquicias construyeran sus restaurantes y después rentar la tierra a los dueños de los negocios, recibiendo dinero de arriendos y de ganancias por las ventas hechas en los restaurantes.

Casi a los 60 años de edad, Ray Kroc volvió a endeudarse con el banco como nunca antes. Dos años más tarde, la Corporación McDonalds, con 500 franquicias en funcionamiento, vendió su billonésima hamburguesa. Ese fue el año en que Ray Kroc hizo su primer millón. En 1968, todos los riesgos que había tomado, estaban cancelados y su visión se había materializado en lo que era, la más grande y rentable compañía de restaurantes en el mundo. Tenía 66 años y se negaba a retirarse o a disminuir el ritmo ni en un ápice, hasta el día de su muerte casi 20 años después – con una fortuna personal de 500 millones de dólares.

Lo que se destaca de la historia de Ray Kroc es que su motivación no fue para nada el dinero. Lo que es valioso es que él no estaba esperando la oportunidad perfecta para triunfar o por una evidencia para saber si era o no el momento. Él quería algo más que cambiar el estado de las cosas y estaba dispuesto a pararse en la brecha, ganara, perdiera o sobreviviera, y dar lo mejor de sí, cualquiera que fuera el resultado.

La historia de Ray Kroc, junto con las de otros, me enseñó que cualquiera que crea que el éxito puede llegar a cada uno de nosotros con un día de comienzo y una fecha de expiración, está errado. Esto debe recordarnos que no importa qué tan joven o viejo seas, tus mejores días realmente no han llegado. Una vez que te apoderes de esa filosofía, estás preparado para dar el primer paso para cambiar el juego y darte el gusto de jugarlo a tu forma y con tus reglas.

Si existe algún sueño que has venido posponiendo porque no estás listo o porque estás esperando al tiempo indicado, es bueno que analices que nunca va a haber un mejor tiempo que ahora mismo. Si has estado dudando o necesitando un permiso, un empujón, o cualquier otro pretexto que te haya estado deteniendo, debes preguntarte a ti mismo si es que no has estado posponiendo tus decisiones por demasiado tiempo.

Ahora, yo desconozco el lugar donde has crecido, pero en la vecindad de Milwakee, Wisconsin, había una expresión popular para aquellos de nosotros que se quedaban por los rincones mientras que otros saltaban lazo, escogiendo ese momento perfecto en el cual los lazos dobles giraban en direcciones opuestas. Para muchos de los principiantes era un momento de duda, saltando en los dos pies para tratar de encontrar el momento adecuado de entrar en los dos lazos, era cuando decíamos: "no lo pospongas más". Si alguien se quedaba allí por mucho tiempo "posponiendo", muy pronto otra persona vendría y le daría un empujón, y una vez empujado, podías terminar en el suelo casi listo para ser golpeado con la soga. O sentirías un fuetazo con la cuerda que te botaría al piso y dañarías el juego – tanto para ti como para todos los demás. El juego del saltar la soga era de gran riesgo pero con unas grandes recompensas.

Esta es una de esas lecciones de vida que de pronto tienen tu nombre en ella, si te está ocurriendo que estás parado al borde del cumplimiento de tus sueños. Si no sabes si estás listo o no, puede ser bueno que recuerdes una situación pasada en la que tomaste acción diciéndote a ti mismo: "No más excusas, es tiempo de hacer un cambio". Toma ahora mismo esa determinación y no la sigas posponiendo: ¡salta!

Lección # 7
¿Qué haría "el campeón"?
Palabra clave: INSPIRACIÓN

Siempre que me preguntan por un libro que haya sido memorablemente inspirador y que haya sido una motivación en mi vida, generalmente comienzo con la Biblia y posteriormente agrego todo lo que he leído, relacionado con historias de individuos sobresalientes, principalmente sus biografías pero también personajes de ciencia ficción. Cuando niño me enamoré de las historias con héroes aventureros – como las leyendas griegas y romanas de la mitología; recuerdo las aventuras del rey Arturo; también pienso en las novelas clásicas de ciertos autores, junto con una variedad de memorias y cuentos de personajes reales que se destacaron por muchos motivos. No digo que otros libros no hayan sido de interés, pero lo que más me ha ayudado a sentirme empoderado ha sido leer sobre el coraje y la resistencia de aquellos que fueron capaces de levantarse por encima de todos los obstáculos, triunfando notoriamente.

Creo que todos necesitamos la guía y el ejemplo de los héroes. A lo mejor esto era especialmente cierto en mi caso porque yo crecí sin la figura familiar del padre que pudiera protegerme y liderarme. Como resultado, me sentía especialmente emparentado con los héroes que conocía en los libros, el cine o la televisión. Ellos fueron más que modelos porque los considero como mis mentores – aunque algunos no fueron necesariamente reales ni los conocí en persona.

Uno de los momentos más transformadores e inspiradores de mi vida, ocurrió cuando por fin tuve la oportunidad de conocer a uno de mis héroes más importantes en persona. Esto fue en el inicio de los años de 1990s, durante un periodo muy desafiante, en el que necesitaba aprender la lección de vida que uno de mis principales mentores me ayudó a encontrar en ese día. Yo no sé si alguna vez conociste a alguien que hubieras admirado de lejos y que luego te sintieras desilusionado porque descubriste que ese personaje no resultó ser tan especial como te lo esperabas. Eso no fue lo que me pasó – porque la realidad de conocer a mi héroe excedió todas mis expectativas.

Ocurrió durante la época en mi carrera después que abrí un negocio en Chicago apostando a que podía cambiar mi vida. A largo plazo, mi estrategia surtió efecto y eventualmente se convirtió en un estándar dentro de la industria. Pero a corto plazo, en ese momento me daba un margen muy estrecho de ganancia debido a la cantidad de gastos que genera una compañía en crecimiento; además, en ese entonces tenía a mis dos hijos que necesitaban de mi presencia en ese preciso momento. Justo cuando todo estaba comenzando a encajar, me enfrenté al gran inconveniente de perder a uno de mis empleados clave, quien se fue a trabajar con la competencia. Independientemente del daño que me causó porque esta había sido una relación que yo fortalecí mucho, mayor que la desilusión que me causaba perder a un empleado, fue la preocupación frente a la posibilidad de perder entre el 30% y el 40% de mis entradas. Por razones obvias, el temor de perder una buena parte de mi negocio – cuando apenas estaba despegando – llegué a tan extrema situación, que tuve que volver a considerar la opción de volver a mi indigencia.

En ese precario estado mental, me fui a Nueva York a tratar de salvar las relaciones de negocio que parecían estar firmes. Aunque traté en todas las formas de convencerme a mi mismo de no dejar que el miedo se apoderara de lo mejor de mí, no podía dejar de sentir que el aire era demasiado denso en todas las direcciones en las que me dirigía. Bueno, eso fue hasta cuando llegué al aeropuerto, pasé por el departamento de seguridad y me dirigí a la puerta de salida, cuando reconocí a Lonnie Ali – la hermosa esposa de Muhammad Ali – en un teléfono público. Intercambiamos miradas, como si ella supiera justamente lo que yo estaba pensando – que si ella estaba allí en el aeropuerto, entonces él no estaba tan lejos.

Solo pensar en Ali – EL MÁS GRANDE – fue todo lo que me tomó volver a sentirme como cuando tenía 10 años de edad otra vez. En ese momento me acordé de la vez que trajimos a casa nuestro primer televisor, lo conectamos, lo prendimos, y allí en la pantalla, la primera persona que vi fue a Cassius Clay, diciendo: "Soy el más grande y el más hermoso". Eso fue tan real entonces como lo era ahora.

Desde ese día en adelante, mi estimación hacia él crecía – cuando se convirtió en Muhammad Ali, cuando peleó en contra de la discriminación, dando una batalla que creía injusta, y sacrificó su carrera por sus creencias, y todo lo demás que lo llevó a seguir siendo el Campeón a todo nivel. Su grandeza no era solo en el boxeo; fue su coraje y toda la humanidad que le tomó decir de sus propias hazañas: "Todo lo que hice fue defender aquello en lo que creo".

Ahora él estaba allí en el aeropuerto, con un carrito en el que llevaba sus maletas, el tiempo había pasado y nadie excepto yo, lo reconoció.

Pasó al lado mío, y cuando lo vi corrí y comencé a lanzarle saludos como si fuera un niño de tan solo 10 años: "¡Oiga, Campeón! ¿Cómo le va? ¿Qué está haciendo?" Me salían las preguntas a medida que lo observaba tratando de clamar su temblor. Yo reconocía los síntomas del Parkinson desde mis tiempos navales relacionado con la Medicina sumados a mis 5 años trabajando en el hospital como director de investigaciones médicas – mi campo de trabajo antes de comenzar a trabajar en Wall Street. Como yo recordaba, el mal de Parkinson afecta las habilidades motoras pero no necesariamente la mente. Al final fui capaz de preguntarle una sola cosa coherente: "¿A dónde va Campeón?"

Con su voz baja y rasposa pero audible contestó: "Voy a Los Ángeles. ¿A qué voy? ¡A anunciar mi regreso!"

"¡Increíble!" Estuve a punto de reír pero su humor era tan patético que fue todo lo que pude decir para no comenzar a llorar. ¿Qué opinas de eso?

Nos sentamos juntos por un minuto y tuvimos la oportunidad de hablar. Antes de despedirme, me acordé de mis preocupaciones y le pregunté: "Campeón, ¿alguna vez ha sentido miedo?"

"¡Sí!" Me contestó. Hizo una pausa y después prosiguió: "Siento miedo ahora que tengo esta enfermedad y no existe cura. Pero todavía sigo luchando". Eso fue todo.

En ese instante, yo estaba tan mal que no podía imaginarme que yo también podía tener acceso a ese recurso que tenía el campeón para sobreponerse a su miedo. Pero luego se me ocurrió que esa era una lección de vida que podía aprender y empezar a aplicar inmediatamente. Después de todo, ¿no es uno de los mayores beneficios, que cuando somos inspirados por nuestros héroes, la realidad que ellos nos muestran nos ofrecen posibilidades donde nosotros mismos no podemos verlas?

La ganancia de este encuentro para mí es la pregunta que encontraste al principio de esta lección, y que en mi caso ha sido tremendamente estabilizadora en tiempos difíciles -¿Qué haría el Campeón? Esta ha sido una herramienta indispensable como fuente de inspiración para enfrentar los miedos – reales o imaginarios. Lógicamente que todos disfrutamos de nuestros propios héroes que nos inspiran de distintas formas. Pero aún así, todos tenemos acceso al modo ejemplar en que ellos se sobreponen a los obstáculos.

En mi concepto, el temor es uno de los obstáculos más frecuentes que se interponen en el camino y nos retiene de mayores aspiraciones. Sabemos muy profundamente que nada puede alejar de nosotros el temor, pero podemos elegir que combatiremos lo que sea que nos lo está causando, con cualquiera que sea la herramienta que tengamos a nuestra disposición.

El día de ese inolvidable encuentro, el Campeón mismo me contestó la pregunta afirmando ¡que seguiría luchando! Con eso espanté el miedo por mi situación y aprendí esta lección: "¿Te acuerdas de ese temor que tenías por ese asunto en Nueva York? ¡Supéralo! No está poniendo en riesgo tu vida, ni tu salud, y si el Campeón dijo que está luchando contra algo que 'no tiene cura', entonces tú Chris, puedes sobreponerte a esta crisis".

Finalmente le estreché la mano, le agradecí y me subí al avión sonriendo todo el camino hasta Nueva York, en donde logré retener todo mi negocio y hasta le agregué más.

Cada vez que veo la aguja de mi monitor que indica temor, comenzar a ascender cuando las preocupaciones y las dudas me llegan, me acuerdo de esta lección permitiéndome inspirarme en el Campeón. A veces hasta me imagino a Muhammad Ali allí parado en mi esquina diciéndome que si él puede lograrlo, yo también puedo hacerlo.

Si actualmente no tienes un ejemplo en tu vida, de tu propio campeón, esta lección puede servirte para que reflexiones y encuentres quién puede servirte de inspiración. Ninguno de nosotros es lo suficientemente viejo como para tener héroes. Nadie es lo suficientemente viejo para no necesitar inspiración de vez en cuando – ya sea que venga de una imagen paterna, de un amigo, un modelo de enseñanza, de un personaje famoso que partió hace tiempo, o inclusive de un personaje ficticio. Si todavía lo dudas, estoy más que dispuesto a compartir contigo mi héroe. Su ejemplo a lo mejor no despeja todas tus preocupaciones pero si quieres enfrentar tus miedos cuando la cuenta es regresiva, admitiendo que estás asustado pero todavía estás luchando, puede que encuentres la inspiración que necesitas – ya sea para anunciar que te pondrás nuevamente de pie o que volverás a la lucha.

LECCIÓN # 8
Proclama: "¡paz y calma!"
Palabra clave: PERSPECTIVA

Aunque no hay nada nuevo con respecto a las crisis, al juzgar por el número de cartas que me llegan refiriéndose a los altos niveles de ansiedad, es posible que muchos de nosotros continuemos estando en turbulencia por un tiempo más en nuestras vidas.

A lo mejor has estado extremadamente ansioso o conoces a otras personas que afrontan más de lo que ellas están dispuestas a admitir con respecto a sus problemas. O como yo, a lo mejor están viviendo en medio de una atmósfera generalizada de incertidumbre - de pronto por los altibajos en la economía, o los bajonazos en algún tipo de industria, la agitación producida por la política y la guerra, o el desconcierto causado por los cambios de clima y los desastres naturales. Pero no son solo estos factores estresantes los que han disparado los niveles de nerviosismo que todos estamos experimentando. Las nuevas tecnologías, las invenciones, las oportunidades y las búsquedas potenciales están acortando los horizontes de mucha gente educada para el liderazgo. Muchos se sienten optimistas acerca del inicio de una nueva era de progreso y posibilidades, pero otros sienten que se están quedando atrás.

Con la esperanza y el miedo batallando por atraer nuestra atención, la inundación de información y el bombardeo de los medios han causado que casi todos los individuos que conozco sufran de déficits de atención. Se ha dicho en muchos lugares que los programas de noticias actualmente son una vergüenza y deberían cancelarse; yo estoy de acuerdo. Lo que se ve en las noticias está diseñado para mantenernos el corazón a punto de estallar y con la atención puesta en historias sensacionalistas, por cuyo desenlace esperemos hasta después de los comerciales – con televisores por todas partes a donde vamos, o en las pantallas de los computadores y hasta en los aparatos manuales, incluyendo el celular. Justo cuando comenzamos a procesar una historia, sale otra a la luz y ni siquiera tenemos el tiempo para decodificarla ni para digerir tanta información.

En el afán de permanecer actualizados, aceleramos la mente y el cuerpo para mantenernos actualizados, los estudios sobre salud han sugerido que si tratamos de permanecer despiertos más tiempo y dormir menos para lograr hacer todo lo que tenemos que hacer las 24 horas del día, el tiempo de descanso se ha reducido casi a 6 horas. Podrás imaginarte lo que esto le causa a nuestro reloj biológico y al ritmo que necesitamos mantener para mantenernos ir de acuerdo con el movimiento del planeta. ¡No es raro que las industrias farmacéuticas estén creciendo tanto!

En este ambiente tan convulsionado, yo trato de mantenerme lejos de la ansiedad que tiende a expandirse como si fuera algo viral, aunque no existan verdaderas crisis. Por esa razón, cuando recibí una llamada de un amigo de mucho tiempo atrás en el negocio del corretaje, que venía de hacer medio millón de dólares al año trabajando para uno de los más prestigiosos bancos inversionistas y que actualmente se encontraba sin trabajo – y dispuesto a comenzar a trabajar por una fracción de su sueldo antiguo – me sentí muy mal por mi amigo y hasta pensé que el suyo era un caso aislado; pero después de muchas otras llamadas similares a esa, entendí que muchos de mis colegas se encontraban inequívocamente en un momento de dolor.

Mi primer consejo para alguien que ha estado en la parte más alta del juego – dando empleo a otros – es que consideren la posibilidad de comenzar con la experiencia que ya tienen para iniciar su propio negocio. En este clima económico, los expertos estarán en profunda ventaja sobre los "Titanes" que se hunden constantemente.

La segunda parte de mi consejo a los que se encuentran en crisis – en lo relacionado con el trabajo o en cualquier otra área – es que luchen por encontrar un lugar de calma y quietud en medio de la tormenta, desde donde puedan recuperar la perspectiva de la situación. Solo mediante un punto de vista razonable hallarán las soluciones y el empoderamiento que ha estado disponible, pero que permanece opacado por la crisis.

La obra clásica de "El mago de Oz" ("The Wizard of Oz"), nos presenta esta lección mediante un enfoque muy entretenedor. Tengo gratos recuerdos de la vez que la vimos con mi familia, especialmente porque sabía que a mi madre le fascinaba Judy Garland, o se sentía relacionada con ella, a lo mejor por la tristeza que ella escondía detrás de su incomparable voz y de su belleza. Recuerdo que el programa aparecía en televisión una vez al año, y cuando era anunciado, mi mamá, mis hermanas y yo buscábamos la forma de verlo juntos y de hacer de ese momento una ocasión especial para todos nosotros. Por supuesto que yo me sabía algunas partes del libreto y podía tararear las canciones, anticipándome a algunas de las escenas que me asustaban todas las veces. La música que sonaba cada vez que la bruja malvada aparecía, me hacía casi salir el corazón, y me recordaba todos los malos momentos que vivía con Freddie, mi padrastro. ¡Y esos monos voladores todavía me asustan!

Mirando atrás, veo que esa historia era justo lo que yo necesitaba cuando el peligro requería que yo me sobrepusiera a mi debilidad. A lo mejor yo no lo veía así en ese momento, pero a un nivel más profundo, la enseñanza es que a veces la única forma de descubrir nuestra verdadera fuerza es pasando por la crisis que tememos. Como se ve en la película, a cada uno de los personajes le tomó enfrentar los retos de vida o muerte, para darse cuenta que cada cosa que ellos querían que el mago les concediera, ellos tenían la capacidad para lograrla dentro de sí. El espantapájaros pensaba que él no era lo suficientemente inteligente y sin embargo, él fue el tipo con la lógica y el razonamiento que guió al grupo para tomar las decisiones correctas. El hombre de lata pensaba que era el menos valioso porque fue hecho sin corazón, excepto que su generosidad por los demás y su pasión por no rendirse fueron lo que mantuvo al grupo luchando. El león cobarde, lógicamente, sentía vergüenza por no tener el coraje que debía acompañarlo por ser "El rey de la selva", pero cuando fue puesto a prueba actuó valientemente para enfrentar el miedo.

Como niño, y aún después, yo admiraba al león. Mi escena favorita en la película es cuando el gran mago de Oz trata de enviar a Dorothy y a sus amigos lejos, aún después que ellos cumplieron su misión y resulta que es el león el que se enfrenta con verdaderos cojones para descubrir y confrontar al hombre que estaba detrás de la cortina, y que había asumido un papel de poder que no se merecía. La otra lección sobresaliente es la parte de las zapatillas rojas. Todo el tiempo Dorothy tenía dificultades para llegar a su casa, pensando que solo el mago podría ayudarla y sin embargo ella tuvo la fuerza para lograrlo sola, porque la habilidad que ella ya poseía se había opacado frente el miedo.

Olvidé muchas cosas acerca de la película hasta que mis propios hijos fueron creciendo y tuve la oportunidad de redescubrirla con ellos nuevamente. Ahora puedo verla desde una perspectiva diferente, luego de varios de esos tornados que pasan por nuestras vidas. La lección de adulto es que no puedo perder de vista el hecho que cada vez que el pánico se apodera de la situación, la lógica, la razón y el poder para encontrar soluciones, vuelan a través de la ventana, también en palos de escoba.

Tú igualmente debes haber experimentado esta situación, de una manera o la otra. Cada vez que hablo con individuos que crecieron en familias inestables como la mía, y que han necesitado permanecer en alerta roja, les escucho hablar de la importancia de mantenerse con una mentalidad despejada en medio de la crisis. Lo mismo le oigo a profesionales que se desempeñan en áreas relacionadas, por ejemplo con el cumplimiento de la ley, el refuerzo en caso de incendios y lo relacionado con el campo médico, porque en sus circunstancias ellos necesitan desempeñarse equilibradamente y a la vez tener sus sentidos muy agudos. Similarmente, cuando la gente afronta una pérdida, o debe aprender a convivir con la enfermedad, ya sea propia o la de un familiar, en lugar de dejarse devorar por la desesperación, ellos hablan de mantener la perspectiva de las cosas y permanecer con los pies bien puestos sobre la tierra al mismo tiempo.

Nuestra habilidad natural para sobrevivir nos da la capacidad para encontrar nuestro propio control mental de calma en medio de la crisis, nuestro propio refugio en medio de la tormenta. Aprendí esto de ver a mi madre reaccionar ante la posibilidad del riesgo de violencia que podía explotar en cualquier momento de nuestra vida con mi padrastro. En lugar de engancharse, reaccionar y explotar ante la adversidad, ella tenía la habilidad de permanecer absolutamente inmóvil, aquietando aún su aliento, el latido de su corazón, y cualquier movimiento involuntario; ella permanecía en un estado de tranquilidad a nivel físico y celular, como no lo he visto nunca en ningún otro ser humano. Esa habilidad nos mantuvo vivos a ella y a mí en varias ocasiones.

Aunque yo tuve ese ejemplo personificado de calma en caso de peligro - y aprendí a desarrollar esa rigidez cuando era necesaria – también aprendí a desarrollar otras respuestas para desengancharme de situaciones de ansiedad. Hay ocasiones en que permanecer inmóvil frente a un ataque, no es suficiente para apaciguar la crisis. A veces empleamos lo que se llama el mecanismo de pelea o huida. Muchas veces yo utilizo la opción de levantarme e irme, con el fin consciente de cambiar el escenario ya sea desviando el objeto de mi atención o para salir de mi oficina a recibir aire fresco. Saliéndome fuera de la crisis aunque sea por diez minutos, usualmente es posible retomar la perspectiva.

Tú debes tener tu propia forma de mantenerte con los pies sobre la tierra o de levantarte y cambiar el panorama para poner distancia entre tú y tu preocupación. También puedes hablarle directamente a la crisis con autoridad y firmeza, como aprendí en el pasaje bíblico del Nuevo Testamento – en la parábola descrita en los libros de Mateo y Marcos – en la que se cuenta que Jesús y Sus discípulos viajaban en una pequeña embarcación a través del mar de Galilea. Mientras Jesús dormía, una feroz tormenta se desató en medio de la noche y Sus seguidores fueron a despertarlo frenéticamente, seguros que iban a morir. Cuando Él despertó, hizo callar al viento desafiante y le dijo a las olas: "¡Paz y calma!". Como está escrito, al decir esto de repente la tormenta cesó y el viento y el mar calmaron su furia, quedando todo en total calma.

Los discípulos estaban sorprendidos mientras Jesús les recordó que no debían permitir que sus miedos los sobrecogieran. Demostrando que Jesús era capaz de confrontar la tormenta hablándole directamente y diciendo: "¡Paz y clama!", la parábola nos enseña que nosotros también tenemos la opción de responder de igual forma cuando las tormentas de distintas corrientes nos acosan.

Como pudiste aprender al ver y/o leer "El mago de Oz", siempre hay algo que podemos utilizar para soportar las adversidades que nos quieren desviar – así sea para enseñarnos que no hay otro lugar como el hogar. A lo mejor te acuerdes de aquellos tiempos en que sobreviviste a una crisis y que te dieron empoderamiento y fuerza, mostrándote nuevas perspectivas acerca de ti mismo y de tu situación. De pronto también pudiste utilizar tus propias estrategias para cambiar el rumbo y alejarte de esa fuente de ansiedad, o para hablar directamente a la tormenta y ordenarle que cesara inmediatamente. Si no lo has hecho – por decreto mío – no de mago sino de alguien que lo ha hecho consigo mismo – tienes el permiso para decir: "¡Paz y calma!", cuantas veces decidas. Puedes usar esas mismas palabras o las tuyas propias para tranquilizar a esos compañeros de trabajo irritantes, a los bebés con sueño, o manejar relaciones personales que están desbaratándose, o mantenerte al margen cuando las situaciones son inciertas, o cuando tú o aquellos que te rodean van directo a una caída.

Como me recordaba un querido colega hace no mucho, el maravilloso libro para niños escrito por Maurice Sendack, "Where the Wild Things Are", que encierra una lección para toda la familia, en la que, como puedes saber, el pequeño Max se está comportando como una bestia y es enviado a su cuarto – y pronto es trasportado a un lugar en el que vivían unas criaturas parecidas a bestias. Cuando ellas le muestran a Max sus garras y dientes, el les grita inmediatamente: "¡Quietos!" y se enfurece más que las criaturas, hasta que las amansa. En un sentido adulto, Max no solo tiene la perspectiva sobre lo que puede hacer en momentos de crisis sino que conoce su capacidad para desprenderse de su enojo y encontrar la calma.

Y una cosa más – no hay nada de pasivo en buscar la paz. Tampoco hay nada de malo en prepararte para las distintas clases de crisis. A lo mejor has escuchado el refrán que dice que no estaba lloviendo cuando Noé construyó el arca. Eso también nos recuerda que cualquiera que sea la forma que escojamos para resolver el problema del día, lo primero es encontrar la perspectiva de la situación y luego es mucho más fácil comenzar desde ahí.

LECCIÓN #9
Hasta Lewis y Clark tenían un mapa
Palabras clave: BÚSQUEDA Y DESARROLLO

Tengo una pregunta para ti: ¿Estás loco? Para ser más específico: ¿Alguna vez alguien te ha dicho que estás loco porque persigues metas o ideales muy ambiciosos? Permíteme reconstruir nuevamente mi pregunta: ¿Te han dicho que el ideal que persigues es muy loco?

Bueno, si alguna vez has dejado que un ideal se vaya de tus manos por esa causa, tengo unas palabras para decirte (que no se pueden publicar) pero que puedes usar la próxima vez que alguien haga un comentario al respecto de tus ilusiones. Sin embargo, mejor que perder tu energía invirtiéndola en molestarte o en ponerte de mal genio, puedes dejar el drama y emplear la que yo creo que es una de las lecciones de vida más prácticas que puedo ofrecerte – y que ha sido utilizada por la raza humana desde la invención de un artefacto muy loco llamado "rueda".

La esencia de esta lección es que por cada sueño que desees perseguir, existe la posibilidad que en alguna parte del mundo o de la Historia, alguien ya haya estado allí y por lo menos, intentado hacerlo – y puede asesorarte con una visión general de sus inconvenientes y descubrimientos, tanto como de sus caídas y triunfos. Contrario a todos los que opinan que debes ignorar a tus predecesores y forjar tu propio camino en un bosque al cual nadie ha ido antes, mi experiencia ha sido que, cuando estás comenzando, es sabio pedir instrucciones antes de lanzarte a la jungla. Después de todo, los peregrinos que partieron al norte hacia nuevos horizontes, lo hicieron solo hasta que exploradores como Lewis y Clark establecieron la ruta. No solo eso, esta lección te recuerda que hasta Lewis y Clark tenían un mapa.

No hay vergüenza en comenzar con el plano, huella o pautas de otro. Si me lo preguntas, ¡es una locura no hacerlo! En todo caso, he aprendido que cada vez que decido seguir mi propio sendero utilizando los mapas que otros elaboraron para triunfar, si los adapto a las circunstancias de mi camino, eventualmente logro aprender mucho hasta que llego a desarrollar mi propio método para compartirlo a su vez con los que vienen detrás de mí, en busca de metas similares o iguales. Siempre me he referido a este enfoque como el de hacer preguntas y posteriormente probar las respuestas para uso práctico en el momento o más adelante. Otros han decidido llamar a este proceso B&D – Búsqueda y Desarrollo – una expresión que me encanta utilizar.

Mi madre nunca utilizó esta terminología, como tampoco me dijo que estaba loco por querer ser como uno de mis ídolos, Miles Davis. Por el contrario, ella siempre me animaba a hacer el trabajo preliminar que él tuvo que desarrollar para convertirse en el icono mundial de los clásicos de jazz que Miles era. Con mucho sacrificio ella me compró una trompeta, hizo arreglos para que tomara lecciones y por un período de 9 años me animó a estudiar, actuar y hasta tocar profesionalmente durante mis años de secundaria. Ese período de B&D fue un programa intenso de descubrimiento que me ayudó a ver que no fue su genialidad la que le dio la habilidad de su maestría, sino sus años de estudio combinados con su audacia para salirse de los limites musicales. Cuando llegó el día en que mi madre se dio cuenta que yo no iba a ser otro Miles Davis porque "Cariño, no hay sino uno solo y ya tiene el trabajo", no fue nada traumático. En mi investigación yo sabía que a mi edad Miles estaba en Nueva York tocando con Quincy Jones y John Coltrane. Yo todavía vivía en casa de mi madre, tocando con un par de pelagatos que se llamaban ¡Pooky y Ray Ray! La conclusión era que yo iba a tener que hacer más trabajo preliminar de B&D para averiguar quién habría de ser Chris Gardner. Pero lo que tomé de este modelo fue la llama de la pasión por ser alguien reconocido mundialmente por alguna razon, algún día – y el deseo por desarrollar la destreza para reclamar ese título.

Además de eso mi madre me dio un curso accidentado de B&D cuando le compartí otra de mis aspiraciones, que era la de ser un actor famoso. Ella no me dijo que estaba loco sino que me buscó el periódico para que viera la lista de avisos para actores que decía "se necesita ayuda". Un breve tiempo después, cuando me estaba alistando para irme a ver una película, insistiendo todavía en que yo tenía todo el talento que se necesita para aparecer un día en pantalla gigante, me entregué en sus manos cuando le pedí $5 dólares. Ella me probó nuevamente diciéndome: "Bueno, ¿por qué no actúas como si tuvieras esos $5?" Si eso no había sido suficiente para disuadirme, mientras más me daba cuenta de lo difícil que sería lograrlo, mi búsqueda me mostró que yo realmente no tenía un deseo tan ardiente para ser actor, como el que se necesitaba para lograrlo.

Posteriormente, durante mi servicio en la armada, en el que me encaminé por la rama médica, fui afortunado de alcanzar a entender la importancia de trabajar en B&D, durante una investigación médica cuando fui escogido por uno de los expertos mundiales en cirugía de corazón, el doctor Robert Ellis. En el reino de la Ciencia y la Tecnología, la investigación se refiere típicamente a varias fases – estudiar los precedentes, crear pruebas controladas, hacer análisis de comportamiento y arrojar conclusiones sobre todos los datos; el desarrollo generalmente se refiere al proceso de aplicar esos hallazgos en la creación de nuevos productos, tratamientos y tecnologías. En mi carrera en Wall Street he llegado a evaluar altamente la versión de B&D en los negocios – donde la búsqueda se entiende como el compromiso de los recursos hacia el conocimiento creciente de lo que está ocurriendo en el mercado; el desarrollo es convertir ese conocimiento en productos o actividades para la compañía. El gobierno y las organizaciones dedican sus recursos de B&D tan adecuadamente como lo hacen las alianzas globales y todas las economías.

Piensa, si estás de acuerdo, en todas las veces a lo largo de tu vida en que hubiera sido sabio emplear primero el recurso de hacer tu búsqueda antes de poner en marcha tu plan. Muchos de nosotros hacemos eso todo el tiempo, cuando se trata de averiguar por todas partes, desde un doctor o especialista médico que estemos necesitando, hasta un contador experto cuando se acerca la época de los impuestos. Piensa en cuántas veces hacemos la búsqueda utilizando un mapa cuando estamos manejando para localizar un sitio específico. A muchos nos gusta ir a comparar en los almacenes antes de hacer la compra definitiva – que también son otras formas de B&D. Igualmente tenemos la tendencia de analizar las decisiones trascendentales que requerirán de nuestra parte un tiempo largo de compromiso, averiguando por adelantado los pormenores. En otras palabras, hacemos el ejercicio de B&D.

Sin embargo, dentro de todas las cosas en las que jamás pensaríamos en invertir tiempo ni energías, es sorprendente encontrar una gran cantidad de gente que desconocen la forma en que terminarán en su carrera escogida, o en la forma en que han elegido emplear su tiempo. Hay quienes dicen que sus carreras fueron un regalo porque eso era lo que sus padres esperaban, mientras que para otras personas, fue cuestión de oportunidad. Así que esta es una buena ocasión para reevaluar y pensar en tu proyecto de vida en forma deliberada y consciente.

Este fue exactamente el caso de Meg cuando llegó a un punto de retorno en su vida. Nos conocimos en una exposición de la industria editorial a la cual asistí unos años atrás, y allí me encontré con una mujer pequeñita, muy sonriente y energética, con aproximados 60 años de edad; ella caminaba por todo el lugar con varias copias de su manuscrito inédito en sus manos. Cuando le pregunté cuándo iba a ser publicado su libro, ella me contestó que todavía no tenía una editorial o agente que la representara.

"¿Algún interesado?" le pregunté, a lo cual ella admitió que ninguno. Pero eso no era lo principal ya que su objetivo en ese momento era hacer preguntas, pedir consejos y hacer contactos. ¡Sí! Ella estaba haciendo su proceso de B&D y cuando le pregunté a qué se debía esa sonrisa en su rostro, Meg me contó acerca de la forma en que había pasado la mayor parte de su vida adulta como administradora en el campo médico y que aunque había disfrutado su trabajo y ayudado a su esposo a darle estudios profesionales a sus tres hijos – uno como médico y el otro como abogado – lo que verdaderamente siempre había soñado hacer era escribir ciencia ficción. A medida que pasaban los años ella veía que sus posibilidades para lograrlo se desvanecían. Luego, poco antes de su tiempo para pensionarse, decidió que era el momento de "intentarlo o abandonarlo para siempre".

Su familia y compañeros de trabajo estaban horrorizados. Les parecía una locura y le pidieron que reconsiderara, porque financieramente, era el tiempo equivocado, sin mencionar que la salud de su esposo había desmejorado recientemente. Al mismo tiempo, Meg había comenzado a pensar que si no trataba de escribir las historias de ciencia ficción que había estado inventando en su imaginación durante todo este tiempo, realmente enloquecería. Entonces, ¿qué la llevó a tomar esa decisión? Ella contestó concretamente: "J.K. Rowling".

Meg había comenzado su B&D siguiendo el mapa de uno de las escritoras más famosas de la Historia. De hecho, cuando yo estaba escribiendo "En busca de la felicidad" y hacía la investigación para todo el proceso de mercadeo, todas las veces que iba a las librerías, sin importar la ciudad en la que me encontrara, el primer aviso que me daba la bienvenida era un estante dramático con unos libros de una misteriosa caratula azul y la cara de un estudiante de escuela con sus gafas puestas – se trataba de "Harry Potter y la orden del fénix", que era la quinta publicación de la serie de Rowling.

Aunque sabía que los libros habían logrado una increíble popularidad – convirtiéndose posteriormente en la serie más vendida de todos los tiempos, vendiendo 400 millones de copias entre 1997 y 2007 – hasta ese momento, yo no tenía idea del fenómeno tan grande en que esto se había convertido. Cuando comencé a enterarme, me di cuenta que se trataba de otra invasión inglesa. A todas partes a las que me dirigiera, encontraba niños, adolescentes, hasta adultos jóvenes y mayores que estaban devorando el libro como si fuera un postre recién horneado. Eso en sí era asombroso. Ver jóvenes lectores tan emocionados leyendo era algo hermoso, sin mencionar el hecho que el libro tiene casi 900 páginas.

Obviamente que la parte de este triunfo que lo hace destacarse, es la historia personal por medio de la cual J.K. Rowling alcanzó la felicidad a su propia forma – comenzando en donde ella estaba. Ocurrió en 1995, cuando esta inglesa, madre soltera que vivía en la ciudad de Edimburgo, ubicada en Escocia, escogió ir tras de su sueño en un tiempo en el que escribir y sostener a su bebecita significaba optar por recibir la asistencia del gobierno.

Aunque yo conocía las dificultades de su historia, como la mayoría del público, estaba fascinado por conocer los detalles de lo que Rowling había alcanzado y la forma en que lo logró. No me sorprendió la idea loca que puso todas las partes en movimiento. Parece que 5 años atrás, durante un viaje largo en tren, Jo (versión corta de Joanne) Rowling fue impactada con una historia real que resultaba ser muy apropiada como para escribir un libro. A medida que comenzó a visualizar su personaje principal, que se trataba de un niño que estudiaba en una escuela para magos, se iba llenando con toda clase de detalles, como si la historia se estuviera contando a sí misma. Pero, como ella lo describiría posteriormente a los reporteros, no tenía consigo un lápiz que le funcionara con el cual pudiera empezar a escribir toda esta cuestión mágica que estaba ocurriendo en su imaginación. Cuando se le preguntaba a Rowling por qué no le pidió un esfero prestado a alguno de los pasajeros, ella admitió que se sentía avergonzada de hacerlo. Pero resultó bendecida de no haberlo hecho porque no teniendo como escribirlo, se vio forzada a refinar los detalles en su mente, durante las 4 horas del viaje.

Aprendí que Jo Rowling había estado escribiendo continuamente desde cuando tenía 6 años de edad, luego cuando estaba en la universidad estudiando francés, y posteriormente cuando estuvo trabajando entre otras metas como investigadora de Amnistía Internacional. Cuando ella comenzó a escribir el que se convertiría en el primer libro de Harry Potter, no solamente tenía su talento natural y sus habilidades transferibles de otras áreas, sino que también contaba con los ejemplos clásicos que podían ayudarle como guía de inicio en su procedimiento a seguir. Además de la obvia influencia de J.R.R. Tolkien con su trilogía de "El señor de los anillos", y de T.H. White con su obra de "The Once and Future King" (obras en las que también se incluyen magos), hubo otras fuentes de inspiración, que incluyeron la obra de "Macbeth" escrita por Shakespeare y otros escritos populares para audiencias jóvenes, dados a conocer en las escuelas inglesas.

Dichos predecesores literarios le dieron pautas a seguir, pero después de inventar su trama. No fue tan sencillo como sentarse con el mapa y producir su obra maestra. Hubo un cambio que la llevó a vivir en Portugal, un matrimonio, una hija, luego un divorcio, una maternidad solitaria, y un combate contra la depresión. Durante todo eso, Jo escribió donde y cuando pudo, pero fue en Edimburgo donde decidió comprometerse con su meta como nunca antes – en "un frenesí", como ella lo describió, meciendo a su hijita en el caminador, en un café cercano donde Jo escribió en todo momento que tenía disponible.

Ciertamente, como el padre soltero que tuvo que pasar por la indigencia con un hijo pequeño, empujando un caminador para arriba y para abajo por las calles de San Francisco, para dejarlo en un jardín infantil y poder irme a trabajar y perseguir mi sueño de lograr mis fines en el mundo financiero, lo puedo entender.

Además fue importante ver que Rowling no estaba totalmente enfocada en publicar algo en lo que la industria editorial no estaba muriendo por publicar. Su prioridad consistió en dejarse llevar por la inspiración de sus héroes literarios y contar una historia inolvidable. Por eso, en lugar de escribir una novela comercial para adultos jóvenes que hubiera sido simplemente entretenida, Rowling fue lo suficientemente inteligente para escribir sobre el distanciamiento, oscuridad y temor, tanto como el encantamiento y la lucidez experimentados durante la niñez. Todos esos sentimientos fueron plasmados en el papel.

Como aspirante a escritora, mi conocida Meg fue muy sabia para hacer su B&D, tomándose el tiempo para conocer la obra de J.K. Rowling. No hay duda que lo que aprendió de su búsqueda es que si alguno de nosotros piensa que no hay tiempo suficiente para hacer lo que más nos gusta, los años entre 1994 y 1997 para J.K. Rowling demuestran todo lo contrario.

Consumirse en el desarrollo de su proyecto fue lo que le permitió a Jo sentirse empoderada y feliz, mucho tiempo antes de ver un solo centavo por su trabajo. Su motivación no tuvo nada que ver con convertirse en billonaria, aunque eso fue lo que ocurrió. ¿Cómo fue posible? De nuevo, búsqueda y desarrollo. No magia. Como todo futuro escritor, ella hizo el trabajo preliminar siguiendo un modelo antiguo, enviando unas cartas y pasando por los malos momentos que representan los habituales rechazos. Sin embargo, de alguna forma ella encontró un agente que envió sus manuscritos a varios editores recibiendo respuestas negativas durante un año – hasta que un editor de una compañía inglesa, Bloomsbury, decidió que su hija de 8 años leyera un capítulo. ¿El resultado? ¡La niña quedo conectada y quería continuar leyendo aquella historia!

Eso fue en agosto de 1996. El primer pago adelantado de Rowling no fue suficiente para que ella pudiera escribir tiempo completo, pero de nuevo su B&D le ayudó a garantizar que se sostendría hasta 1997 cuando firmó los derechos de autor de "Harry Potter y la piedra filosofal", permitiéndole un avance de $105.000 dólares. Cuando le preguntaron cómo se sintió en ese momento, ella dio la famosa respuesta: "Casi me muero".

A ese punto, sospecho que Jo Rowling botó los mapas y utilizó su propia visión para continuar con el mercadeo de su libro y la película, con una franquicia que actualmente cuesta 15 billones de dólares y más. Su obra filantrópica consiste en ayudar a organizaciones como "One Parent Families" (Familias de padre o madre), y juega un papel muy activo en muchos asuntos globales, particularmente los que afectan a las mujeres y a los niños. Ella hizo su propio camino. De la forma en que empezó, fue con una loca idea – y su pasión por contar una historia que pudiera interesar. Y luego siguió mapas que fueron trazados por otros, pero nunca se rindió ni se dio por vencida.

Como moraleja para aprender de su versión de la lección de "Hasta Lewis y Clark tenían un mapa", Meg ha dicho que ella no está muy lejos del camino de J.K. Rowling para encontrar un agente. Ya lleva en ese trámite cerca de un año, pero no se ha desanimado en lo más mínimo. "Primero", me explicaba, "he escrito dos libros que amo totalmente. ¿Cuánta gente puede decir eso?". Además, aunque ella tuviera que considerar la opción de auto-publicar sus libros, como un último recurso, estaba muy segura de cómo muchos autores a lo largo de la Historia, fueron rechazados incontable número de veces antes de ser finalmente aceptados. Antes de despedirnos, Meg agregó todo el valor de su B&D con una sonrisa y un recordatorio útil en todo momento: "Solo se necesita de una persona que diga que sí".

Déjame repetir, solo para que quede constancia: los mapas son útiles. Si Dios no quisiera que los usáramos, ¡no nos los hubiera puesto en la guantera del carro!

LECCIÓN # 10
Encuentra tu botón
Palabra clave: PASIÓN

Hasta que tuve el privilegio y enfrenté el desafío más grande de contar la más valiente, pero a la vez dolorosa parte de mi vida, pensaba que todos los aspectos de lo que me había ocurrido y la forma en que reaccioné, eran solo en mi caso. Nadie, hasta donde yo sabía, había soñado, ni temido, ni sentido lo mismo – fuera lo que fuera. Por ejemplo, pensé que era solo yo el que quería ser conocido mundialmente por alguna capacidad en la que me destacara algún día. Es cierto, me tomó un tiempo para encontrar la puerta correcta por la que pudiera ingresar y encontrar mi pasión verdadera. Antes de hallar mi camino a Wall Street, había hecho intentos en el mundo de la Música y posteriormente en el campo de investigación médica. ¿Ha hecho alguien algún recorrido parecido para encontrar su ruta? Aparentemente no, si los comentarios que he escuchado sirven como indicadores. A propósito, ha sido reconfortante oír repetidamente que mucha gente ha tenido su propia experiencia y muchos de ellos han confesado: "Yo pensaba que solo me había ocurrido a mí".

Esas fueron las palabras que me envió Susan, una talentosa diseñadora gráfica y artista que nunca había compartido con alguien su deseo de convertirse en ser alguien reconocida mundialmente por alguna razón. Para ese momento ella estaba utilizando su plan B, poniendo su energía en un trabajo de oficina que le ayudaba a sostenerse, y a ganar suficiente dinero para ejecutar el plan A, y eventualmente sería una diseñadora independiente. Pero al mismo tiempo ella debía admitir que fantaseaba todo el tiempo con renunciar a su trabajo durante el día para dedicarse a sus actividades de tiempo completo, aunque tuviera que hacerlo gratuitamente y convertirse en indigente. Luego me pidió consejo sobre lo que debía hacer.

La lección de vida, que se me presento cuando tenía 28 años de edad y que ha continuado apareciéndoseme en diferentes encrucijadas desde aquella vez, consiste en que no hay plan B para la pasión. Hacer lo que amas y amar lo que haces. El plan A es primero, además porque el plan B siempre nos causa disgusto.

Si, es cierto que muchos individuos están forcejeando con desafíos financieros inauditos en sus vidas. Muchas veces me preguntan si no es ridículo o irresponsable anteponer la pasión al sentido práctico. Mi respuesta es que es erróneo pensar que tenemos que dejar de soñar por una crisis, ya sea económica o de otra naturaleza. Mi creencia es que debes ser responsable con tus seres amados y contigo mismo sin traicionar tus sueños. Déjame adelantarme un paso argumentando que no hay nada más práctico que aprovechar la fuerza de la pasión.

Entonces hagamos la pregunta billonaria – la pregunta definitivamente más frecuente durante los años que llevo haciendo consejerías. La pregunta no va dirigida al qué, quién, cuándo y cómo, que pueden ayudarte a encontrar respuestas valiosas. Esta pregunta se basa en el "dónde". "¿Dónde puedo encontrar ese "algo" que me ayude a ser reconocido mundialmente?" "¿Dónde puedo hallar la puerta que me permita entrar por el camino del éxito?" "¿Dónde puedo activar la parte dentro de mí que me haga sentir que amo tanto lo que hago que lo haría gratis?" "¿Dónde descubro la afirmación que me haga saber que estoy donde debo estar y que me haga sentir no bien sino excelente?"

Cuando tenía casi 20 años de edad y decidí dejar mi casa materna, ya había eliminado las opciones que en ese entonces se tenían en cuanta para alcanzar la grandeza, en gente de mi ancestro. La única manera de lograr el éxito en mi vecindad, tanto como lo pudiéramos creer, era si sabias cantar, bailar, o tenías habilidad en el deporte. Como yo estaba convencido que era el único joven negro americano que no sabía bailar, cantar ni tirar la pelota, las esperanzas que tenía no eran mayores. Tocar la trompeta y componer algunas canciones de jazz estaba fuera de vista, desde que Miles Davis ya había coronado ese mercado. El futbol me había permitido desarrollar algunas habilidades de liderazgo, excepto que renuncié cuando los entrenadores me pusieron en posiciones en las que no me desempeñaba muy bien. Irónicamente, cuando estuve en la Armada se me abrieron varias oportunidades debido al futbol. Sin embargo, a pesar de todo había llegado a la conclusión que la habilidad para correr, saltar y atrapar bolas estaba francamente por encima de mis posibilidades. De otra parte, una de las ocasiones memorables en las que estaba viendo el campeonato de básquetbol de la NCAA por televisión, no pude dejar de observar que un par de jugadores ganaban un millón de dólares diarios. Mi madre me abordó justo en el momento en el que venía del otro cuarto desde donde me había escuchado. Entonces me puso en claro la ley que dice que, se puede tener éxito en cualquier campo en que uno se lo proponga, siempre y cuando "uno realmente quiera".

Ella estaba incitándome, abriéndome la puerta al resto del mundo – el gran y amplio lugar en donde yo descubriera qué era lo que más deseaba hacer. El primer gran descubrimiento sobre dónde podía empezar a buscar, fue haciendo todo lo que estuviera en mis fuerzas para encontrar individuos que estuvieran en la cima del juego, sin importar lo que era, quienes pudieran mostrarme dónde encontraron lo que necesitaron para lograr aquello para lo cual fueron hechos. En respuesta a mi interrogante, fui bendecido con abundantes oportunidades para aprender de algunos de los mejores y más inteligentes en sus distintos quehaceres. En mis comienzos, cuando me inicié en la Armada, sirviendo en el área médica en los servicios hospitalarios de Camp Lejeune de Carolina del Norte, tuve la fortuna de tener a la teniente comandante Charlotte Gannon, acogiéndome bajo su mando. Inteligente, llena de vitalidad y entusiasta, y en ningún momento tonta, todo al mismo tiempo, el estilo de su liderazgo es uno que todavía utilizo hasta el día de hoy. Durante ese mismo período de tiempo, conocí y fui a trabajar con el doctor Robert Ellis – quien me incluyó en su jornada para entender y mejorar las condiciones en las cuales ocurren las cirugías y trasplantes de corazón. Él le dio a su trabajo un nivel de brillantez, precisión, curiosidad, imaginación y enfoque fanáticos, que eran similares a Miles Davis en la trompeta y que yo estaba dispuesto a incorporar en lo que hiciera. Al mismo tiempo Rip Jackson, el hombre que me entrenó para instalar y dirigir el laboratorio de investigación, fue un mentor incomparable. Un querido viejo del sur, que no se molestaba en esconder sus puntos de vista raciales, que me hubieran hecho difícil aprender de él. Pero yo no podía ignorar sus increíbles habilidades, especialmente su escrupulosa atención para detallar y planear, sin dejar de tener en cuenta ni una sola parte por pequeñita que fuera; él no dejaba ningún margen de error.

Cada uno de los tres era diferente en su estilo, pero tenían una cualidad en común que fue la que me sirvió de clave para encontrar la puerta a mi éxito. Gannon, Ellis y Jackson, habían encontrado y utilizado el botón para encender su pasión. ¿Fue porque nacieron con dones especiales y entendieron sus llamados? Yo no creo. Me parece que se debió a que ellos tuvieron la habilidad de activar su botón para desarrollar cualquiera que fuera su actividad. Por falta de una mejor descripción, diré que ellos estaban simplemente "prendidos", encendidos con todos los cilindros, operando a niveles máximos, a tantas revoluciones que el sueño, la comida y otras necesidades humanas parecían escasamente importarles.

Entre más pienso en esta idea del botón que hay en cada uno de nosotros, más comienzo a prestar atención sobre la forma en que alguna gente tiene esa energía y ánimo en ellos. Cuando dejé mi trabajo en la investigación médica y comencé a desempeñarme como representante de ventas para una compañía de suplementos médicos, encontré más ejemplos de gente en ese campo que parecía haber encontrado su botón. Esto era cierto no solamente sobre individuos que estaban en las ventas sino sobre los que estaban del lado de la compra, para completar la ecuación. Algunas veces los compañeros mas "prendidos" no estaban ni siquiera en la cima, porque se trataba de secretarias, internos, guardias de seguridad, custodios – pero sin duda muy motivados. No se trataba de que hubieran encontrado su llamado sino que tenían la capacidad para poner toda su pasión en lo que hacían.

¿Te suena esto a alguna experiencia que hayas vivido o presenciado? Si has encontrado el botón que te enciende los motores pero no estás seguro si estás encendido a todo volumen, o si estás en el campo indicado o no, mi siguiente pregunta es: ¿Qué estás esperando?

He escuchado bastantes razones por las cuales muchos piensan que es impráctico cambiar sus destinos; también escucho individuos racionalizando sobre cómo están suficientemente satisfechos para quedarse con el salario que tienen. Me suena como a un sueño pago por cuotas. Mis verdaderos sentimientos son, que si tu botón no está prendido con el trabajo que tienes, un sueldo no es suficiente, como tampoco lo es el hecho que seas bueno en algo en lo cual obtengas un excelente nivel de vida o que te de importancia a los ojos de los demás. Los únicos ojos que importan, son los que ves en el espejo. Tú puedes y mereces amar lo que estás haciendo de tal forma que lo hagas gratuitamente, que te desesperes porque el sol no sale lo suficientemente temprano en la mañana para hacer lo que sea que haces.

¿Por qué no vas en busca de tu dicha? Después de todo, si no la sientes, no puedes esconder tu frustración. ¡Ve en busca de tu felicidad!

Ese fue el mensaje que recibí cuando conocí a mi abuela paterna la primera vez. Como padre novato, yo había hecho mi viaje a Luisiana con mi bebe a conocer finalmente a mi padre biológico y al resto de la familia Turner. Eso fue emocionante, retador y maravilloso – más que todo por lo que aprendí acerca de mi mismo a través de mi abuela de 82 años, Ora Turner. Luego de tomarse su tiempo para estudiarme y para hacer su juicio sobre mí, finalmente me dijo sabiamente: "Muchacho, tu camino siempre va a ser diferente del de los demás; y toda oportunidad que tengas, tienes que aprovecharla con pasión".

Eso sonó muy significativo y poderoso, pero yo no entendí las implicaciones totalmente hasta el siguiente domingo, cuando la vi usando sus tenis Convers de plataforma alta para ir a la iglesia y poder ¡ayudar a "la gente mayor" a sentarse! Eso era pasión. Pura y poderosa. Ella se aceptaba completa y totalmente como era, dondequiera que estuviera, y vivía con pasión incondicionalmente. Ella había encontrado su botón.

No por coincidencia, posteriormente en San Francisco me senté para compartir una de las primeras tazas de café con Bob Bridges – quien me dio mi primera introducción a lo básico de Wall Street. Mientras más entendía del asunto, mas pasión e interés sentía por aprender. Luego vino el momento de la verdad, cuando visité la bolsa de valores de San Francisco por primera vez. La energía era espectacular; yo estaba parado allí y el ritmo de mi corazón se aceleraba, la gente se movía en todas las direcciones y los boletos se sellaban, los negociantes gritaban haciendo sus órdenes, garabateando furiosamente sus bajas, con pitos y campanas sonando fuertemente. Yo sentí que había muerto e ido al cielo. Aunque nunca había visto algo como eso ni tenía experiencia previa en todo lo que observaba, me sentía en casa. Fue cuando algo dentro de mí hizo conexión y pude reconocer la estructura, el movimiento y el flujo de Wall Street – como si fuera Música. Este era el lugar en el cual yo debía estar. No era que yo dijera: "Oh sí, yo puedo hacer esto", sino "Este era el lugar en el cual yo estaba supuesto a estar". Había encontrado mi botón.

Espero que sepas de lo que estoy hablando, ya sea porque identificaste cuál es el botón que enciende tu vida o porque todavía no lo hallaste – lo cual también es esencial reconocer. Una vez que lo hayas identificado, el siguiente paso es activar la pasión que alimenta tu vida. Estás en esa búsqueda y deberías sentir un torrente de felicidad descomplicado y simple. Si. Es un poco como enamorarte; dependerá de ti ser lo suficientemente inteligente como para comprometerte en la medida de la pasión que vas encontrando en el camino.

Yo me he dedicado a aplicar esta prueba del botón, al observar algunas de las estrellas mundiales del mundo financiero – comenzando en San Francisco con Gary Shemano y Marshall Geller; más adelante con David Moh y posteriormente con Ace Greenberg – quienes son diferentes pero todos completamente conectados con su pasión. Lo mismo ocurre con gente vinculada con el mundo del entretenimiento, de las empresas sin ánimo de lucro, de los derechos civiles y del sector educacional, a los cuales he tenido la oportunidad de conocer, sin mencionar a aquellos con quienes he podido codearme y que me han ayudado a crecer en cuanto a ser consciente sobre el mundo globalizado en que vivimos. Todos ellos son gente con pasión. Y todavía pienso en mi abuela con sus zapatos tenis de plataforma alta en la iglesia. ¡A eso le llamo ser feliz!

Hay una nota anexa que he tenido que confesar últimamente. ¡Tengo problema para dormir porque no puedo quitar la sonrisa de mi rostro! La elección no es muy difícil: ¿felicidad o sueño? ¡Tú escoges!

MÓDULO DOS

EL PASADO DORADO Y ESPINOSO

"La Historia es una carta de navegación en
tiempos peligrosos.
La Historia es quiénes somos y por qué somos
como somos".
David C. McCullough
Historiador y escritor

INTRODUCCIÓN A LAS LECCIONES #11 A #19 LECCIONES PERSONALES EXTRAÍDAS DEL PASADO

La mayoría de nosotros ha escuchado las distintas versiones del dicho: "Si nosotros ignoramos las lecciones de la Historia, estamos condenados a repetirlas". Por años, siempre que lo escuchaba mi reacción era recordar el diálogo entre el "Llanero Solitario" y su compañero de escena, el indio llamado "Tonto" cuando éste decía: "Nosotros tenemos problemas" y Tonto le contestaba: "¿Quién diablos es 'nosotros'?". Si yo hubiera tenido la más remota idea que existía algo de útil en el hecho de estudiar las lecciones de mi propia historia, no me hubiera molestado con todo lo que me ha ocurrido.

Sin embargo, con el tiempo me encontré con el contexto de la versión original de este dicho, escrita cientos de años atrás por George Santallana – un filósofo hispano nacido en América quien es el autor de "Life of Reason" Él nunca dijo "nosotros". Lo que la versión original dice es: "'Aquellos' que no pueden recordar el pasado, están condenados a repetirlo".

Bueno, después de todo si estaba refiriéndose a mí, porque aunque yo estaba de acuerdo con la premisa que dice que es importante para todos nosotros estudiar nuestra historia personal, me tomó años juntar la suficiente fortaleza para volver a visitar y recordar los capítulos de todo mi pasado. Bueno, estoy aquí para reportar que aunque la jornada fue dolorosa, el conocimiento que desenterré en el proceso se ha convertido en mi propio tesoro escondido – el cual estaba esperándome todo este tiempo, allí mismo, en mi patio trasero. Esto me sirve para decirte que si tú eres como yo acostumbraba ser, que evadía mis propios capítulos o que les daba demasiado poder para herirme en el presente, entonces también tú estás perdiéndote del tesoro que puedes hallar en el pasado.

Ahora sé que muchos de nosotros preferimos esquivar lo que ocurrió en el pasado en algún momento, porque es doloroso u obsoleto (como dirían algunos), porque no se puede hacer nada para cambiarlo, distinto a alejarlo o superarlo. Pero si hacemos eso, nos arriesgamos a perder la información sobre lo que realmente nos hace felices: la esencia pura del gozo que teníamos cuando éramos niños; si no nos tomamos el tiempo para reclamar los sueños que hayamos podido dejar abandonados allá, en el dorado y espinoso pasado, seremos miserables por eso.

El tesoro del cual estoy hablando viene en la mayoría de preguntas y respuestas que siempre he dado, en las preguntas que escucho todo el tiempo acerca de los recursos que se consideran escasos: ¿Dónde encontraste la esperanza para creer que no siempre serias indigente? ¿Cómo lograste ver que tus sueños se convertirían en realidad cuando nadie más podía creerlo? ¿Dónde aprendiste a creer en ti mismo?

Las respuestas a esas preguntas me llevan consistentemente al pasado, a la tierra de la niñez, la adolescencia y a mis primeros años de vida adulta – aún hasta a eventos y gente cuyas vidas existieron antes que la mía. Esa es la forma en que podemos llegar a la raíz del asunto. Y sin embargo, la ironía para muchos de nosotros es ver cuánto, en primer lugar, nos resistimos a indagar. Por eso yo lo llamo "espinoso" tanto como "dorado". Durante mucho tiempo de mi vida adulta, mi sentimiento era que estaba feliz porque había logrado salir de allí con vida. Entonces, ¿Por qué valdría la pena volver a dar un tour por mi infierno personal? Bueno, ser uno de los principiantes que escuchan a otros contar sus historias, me permitió llegar a la conclusión que todos tenemos nuestras propias versiones de momentos y recuerdos infernales. Para mi gran sorpresa, resulta que nadie crece con la escena de la vida perfecta que describen las historias de hadas. ¡Qué gran despertar! No importa de qué vecindad o calle importante vengas, hubo pasajes dolorosos para cada uno de nosotros; así es la vida y así es el pasado. Y de otra parte, aún en el pasado más espinoso, en las circunstancias más difíciles que yo haya escuchado, también hubo destellos de luz, sentido del humor, placer, descubrimiento, cumplimiento de metas, y decisiones triunfantes.

El hecho de reconocer que la adversidad no ocurría solamente en mi vida, fue un aliciente para afrontar el regreso a mi normalidad. Pero la principal razón que tuve para decidir hacer mi trabajo fue que hasta que no afrontara algunos asuntos residuales – miedo, disgusto, vergüenza, pérdida, abandono, debilidad – mis recuerdos estarían acorralándome de cualquier forma. Asombrosamente, cuando decidí finalmente que iba a enfrentar ese asedio, parándome firme frente a todos esos asuntos, encontré la libertad que no había conocido nunca antes. ¿Doloroso? Sin duda. Pero es la decisión más importante y la cual me ha liberado para poder perseguir y alcanzar la felicidad con que he sido bendecido sin medida. ¿Quién lo hubiera sabido?

Durante casi todos los eventos para firmar mis libros, encuentro a alguien al final de la fila esperando para compartir conmigo algo que no le ha dicho a nadie más. Así me ocurrió en una memorable ocasión en que un caballero estuvo esperando un buen rato para acercárseme, estrechar mi mano y decir que escucharme hablar de mi pasado le había recordado de algo en el de él. Por años, cada vez que él se quitaba el cinturón y escuchaba el sonido de la chapa durante el proceso, se llenaba de temor porque ese era el mismo sonido que percibía cuando era un niño y su padre se quitaba el cinturón para golpearlo a él y a miembros de la familia.

"Pero tú sabes" me dijo, "yo nunca me he dado crédito propio. Ya tengo 53 años y yo nunca le he pegado a mi hijo que ya tiene 16 años". Esa había sido una decisión consciente que él ahora recordaba – un descubrimiento importante acerca de si mismo, que él había subestimado todo este tiempo. Esa elección consciente era parte de quien era él y lo había guiado hacia encontrar nuevas formas de ser un padre firme. "Puedes darle a un hijo una dirección positiva y disciplina sin necesidad de golpes", insistía, "a través del ejemplo, de una comunicación significativa". El sentimiento de orgullo en las habilidades paternales que este hombre acababa de entender totalmente, se convirtió en un tesoro sobre sí mismo.

Los dos nos sentimos validados al estar parados donde estábamos, pues si no hubiéramos hecho la conexión que hicimos con el pasado, no hubiéramos experimentado esta libertad.

También he descubierto que cuando se trata de tomar decisiones con respecto al presente o al futuro, no hay mejor lugar para buscar una guía, que el pasado con todo su contenido de experiencia y educación personal

– una "librería virtual de recursos" como yo digo. Y no solo en mi caso ya que todos tenemos un lugar en el baúl de nuestras memorias en el cual nos espera la sabiduría. Podemos deducir en dónde nos estancamos con creencias falsas que todavía se interponen en nuestro camino, y la forma en que podemos librarnos de nuestros temores o cómo reconectarnos con las creencias que nos empoderan. Y lo mejor de todo, podemos encontrar evidencias de las fuerzas y el potencial que habíamos olvidado o dejado atrás.

Recuerda que cuando miramos al pasado, solo una de muchas áreas de las cuales podemos encontrar recursos útiles, no significa que tengamos que revivir todos los momentos. El propósito de retomar y hacer el inventario de las lecciones tempranas de tu vida, es examinar y aprender de aquellas que dejaron huellas. Entonces podrás mirar hacia donde estás ahora o hacia donde te diriges y decirte a ti mismo: "¡Oh sí, yo he visto esta película antes!". Esa información vale oro porque hasta cierto punto, nadie más estuvo allá sino tú. ¿Cómo lo manejaste? ¿Qué errores cometiste? ¿Qué hiciste mal? ¿Qué hiciste bien? Tienes esa enorme oportunidad de hacer uso de lo que no funcionó antes admitiendo: "Ah sí, esto fue lo que dañé anteriormente" y luego, de pronto más adelante puedes identificar que te estás dirigiendo a cometer el mismo error. También puedes analizar los patrones que no te funcionan y elegir lo que haces correctamente y actuar de esta forma o encontrar maneras alternas para reaccionar y seguir cosechando mejores resultados. Si has estado empujando una roca cuesta arriba solo para dejarla rodar por encima de ti cada vez que llegues a la cima, tu pasado debe estar guardándote una lección que todavía no has aprendido o que no has sabido aplicar para alterar la dinámica de una vez por todas.

Si. Llegar al conocimiento puede ser como trepar por enramadas espinosas que oscurecen el camino. Tampoco es un proceso que se logre de la noche a la mañana. Todo el que haya pasado por una terapia o haya afrontado asuntos del pasado a través de escribirlos o de otros métodos, puede testificar sobre su dificultad y su valor. No lo digo para desmotivar a nadie sobre este duro trabajo de desenterrar el oro de quien eres – pero nadie puede hacer eso por ti sino tú. Por el contrario, si eres muy divertido cuando se trata de tu pasado – como yo fui en un tiempo – te estás per-diendo de una época de dividendos de los cuales podrías estar obteniendo ganancias de un inventario que posees ¡del cual ni te imaginas!

Así es como una amiga muy querida me lo presentó algunos años atrás cuando le dije que el pasado era algo que carecía de total interés para mí y que estaba fuera de mis límites. Como artista y escritora para el público infantil, mi amiga me contó una fábula sobre un mendigo que se estaba perdiendo de su verdadero potencial. ¿Estaba hablando de mí? No me interesaba la historia pero de todas formas la escuché. Este mendigo – pobre, indigente, harapiento, sin nada que comer, con frio – siempre dormía en el mismo lugar, desconociendo que había un espacio lleno de oro escondido justo debajo del sitio polvoriento sobre el cual él había estado acampando todo ese tiempo. Hasta que despierta a su inconsciencia, con el firme propósito de buscar otras alternativas, otras personas que le dijeran donde encontrar un tesoro y poder abandonar la miseria, el dolor, la humillación y la confusión de sus circunstancias.

"¿Qué quiere decir todo eso?", le pregunté. "Lo que quieras que eso signifique", me contestó mi amiga, "por eso se llama fabula" me explicó. Distintas interpretaciones se me han ocurrido con el paso de los años; el oro podría simbolizar la verdad escondida de quién somos y de cuál es nuestro verdadero potencial. Algunos han sugerido que puede representar la "consciencia colectiva" o la "mente maestra" que contiene todo el pensamiento y el conocimiento del pasado, el presente y el futuro. Otros han interpretado que el oro simboliza la claridad, la pureza y la alegría del ser, mientras la miseria viene de nuestra búsqueda externa, en lugar de mirar al interior de nuestro ser.

El punto de la fábula que martillaba dentro de mí, era el cambio de "los harapos a las riquezas". Es de mencionarse que hasta que te encuentres contigo mismo, consciente del oro que vales, de dónde vienes, dónde has estado, y de la persona que estás destinada a ser, serás básicamente "un indigente". En otras palabras, hasta que no llegues a valorar toda tu experiencia y encontrar felicidad en todo lo que has vivido y vivirás, habrás estado sin la mayor de tus riquezas.

Como una entrada a las lecciones que estamos a punto de desarrollar, el correo de Scott en Michigan puede servirnos como un buen comienzo. Scott comienza anotando: "Aunque somos diferentes en muchas formas (soy blanco y crecí en una generación distinta), existen entre nosotros algunas similitudes". A pesar que él consideraba que su niñez no fue en ningún momento tan retadora como la mía, decía que había algunas cosas en común con las que se sintió retado a recordar eventos olvidados de su pasado que fueron esclarecedores para él. Siendo un banquero muy exitoso y como voluntario activo en algunas causas significativas, Scott se dio cuenta que su preocupación no resuelta en sus años de juventud lo mantenía lejos de saborear su éxito:

"Mis padres se divorciaron cuando yo era un adolescente. Los dos volvieron a casarse en el trascurso de los 10 meses siguientes y desde ese entonces sentí una enorme inestabilidad, hasta hace pocos años... Durante los momentos más intensos de miedo siempre me preocupaba por quedarme sin hogar algún día, aunque esto fuera muy irreal. Debido a eso, hasta recogí a un hombre indigente alguna vez durante un invierno en que él estaba pidiendo limosna... Posteriormente me casé con una viuda que tenía una hija, y ahora tenemos dos hijos más. Soy realmente bendecido de tener lo que tengo actualmente, pero espero que algún día pueda ayudar a aquellos que lo necesitan de una forma más eficaz".

Scott nos da un ejemplo grandioso de alguien que ha continuado aprendiendo acerca de si mismo basado en su pasado dorado y espinoso y nos dirige hacia los recursos que estaremos explorando en seguida, a partir de las lecciones #11 hasta la #19:

#11: En lugar de evadir el oro del cual venimos, Scott escogió la libertad que surgió de recordar su pasado.

#12: Como Scott, todos podemos obtener un mayor sentido de auto-consciencia, siempre y cuando estemos dispuestos a buscarlo y utilizarlo de nuevas maneras.

#13: Como su correo lo indica, en lugar de estar abatidos por el pasado, cada uno de nosotros tenemos la oportunidad de elegir un camino del descubrimiento de dónde venimos y hacia dónde nos dirigimos.

#14: El ejemplo de Scott nos muestra la importancia de entender quiénes somos y lo que tenemos para ofrecer sin permitir que otros o las circunstancias determinen nuestra identidad.

#15: Para él y para cada uno, el pasado puede empoderarnos y guiarnos hacia una lección continua de perdón.

#16: Como una clave para entender relaciones del pasado, presente y futuro, Scott y muchos de nosotros podemos entender aspectos vitales acerca de la forma en que nos enseñaron a tener confianza en nosotros mismos y en los demás.

#17: El esfuerzo que cada uno de nosotros hace para reclamar los sueños olvidados, será recompensado con el conocimiento sobre la fuerza de motivación en el cumplimiento de nuestras metas (¡una gran lección!).

#18: Así como Scott miró hacia los eventos que le causaron preocupación, podemos usar esta lección como una herramienta para ganar nuestra independencia de pensamientos o creencias que no nos sirven.

#19: De pronto lo más valioso de todo, es que el pasado guarda una lección pendiente - para Scott y para todos - sobre el coraje que desarrollamos cuando nos enfrentamos a las pruebas más difíciles.

Algunas de estas lecciones obtenidas del pasado pueden ser conocidas ya para ti. De repente has estado profundizando por tu cuenta durante algún tiempo y esto es para ti como un coche en un parque. Y si no es así, resuelve que tú no vas a ser una de esas personas destinadas a repetir los errores del pasado. Tú estás aquí para liberarte a ti mismo.

LECCIÓN # 11
¿Quién le teme al gigantesco y horrendo pasado?
Palabra clave: LIBERTAD

Hay un hombre al que conocí muy bien y que llegó a un punto en su vida, en algún momento de sus cuarenta años en el que finalmente entendió que podía haber algo de valor en su pasado y se atrevió a escarbar bajo sus pies. A los ojos de los demás, él ya había alcanzado su fortuna, habiendo cumplido muchos de los propósitos que se había trazado para su vida. Muy pocas personas conocían la magnitud de lo que este hombre había enfrentado, ni los ciclos generacionales que decidió romper, aunque era evidente a los demás que él era un hombre autodidacta. De hecho, se traba de alguien muy alegre, con mucho por celebrar – éxito como empresario, cumplimiento como padre, relaciones personales y profesionales significativas, y una especial capacidad para darle empoderamiento a otros. En todos los propósitos y puntos de vista, la vida era espectacular y él no tenía queja alguna.

Pero hasta que él no tomó la decisión de enfrentarse con las situaciones más oscuras en su vida, no estuvo seguro de qué hacer con los recuerdos insistentes de su pasado – principalmente los años dolorosos de su niñez y juventud, experiencias que rara vez compartía con alguien más. Abandonado por su padre biológico a quien nunca conoció, había pasado tiempos en un hogar para niños cuando su madre pasaba temporadas en la cárcel por sus intentos de liberarse por sí misma de la violencia de su padrastro. Este hombre trabajó mucho para comprimir esos recuerdos y los sentimientos de debilidad al ser un niño y no tener la capacidad para proteger a sus seres amados. Él mantuvo los eventos más dolorosos, como la vez en su adolescencia en que fue víctima de asalto sexual, como secretos firmemente guardados. Después de todo el venía de una larga fila de gente que practicaba eso de "no preguntes, no cuentes", para no discutir asuntos poco placenteros. Y él no encontró el incentivo para cambiar esa tradición.

Si esta historia te parece familiar, probablemente hayas adivinado que ese hombre soy yo. Actualmente, mi vida es literalmente un libro abierto. Pero hubo una vez, un tiempo en que yo fui el campeón indisputable del peso pesado, ¡cuando se trataba de esquivar el pasado! Si nunca has tenido una aversión parecida y ya tienes la libertad de mirar en el folder de los recuerdos significativos de tu vida, puedes darte por bendecido. Si, del otro lado, has estampillado algunos recuerdos como "secretos y confidenciales" – para nunca ser expuestos a la luz del día, ni siquiera para ti mismo, probablemente es el momento para que te preguntes calmadamente: "¿Quién le teme al gigantesco y horrendo pasado?".

Cuando llegué a mis veinte años, se hubieran necesitado unos cuantos interrogatorios, y para contestar la anterior pregunta, hubiera tenido que forzarme a mí mismo para levantar la mano y admitir: "¡Yo temo!". Sin embargo, en lugar de hacer algo al respecto, yo tenía otras prioridades – o eso era lo que me decía a mí mismo. Era mucho más importante, o por lo menos eso sentía, enfrentarme a los interrogantes sobre el presente y el futuro. Por ejemplo, me apresuré para casarme sin tomarme el tiempo para ver si estaba emocionalmente listo o no. Y luego estaba el tema acerca del prestigioso pero mal pago trabajo como investigador médico. ¿Estaba viviendo por encima de mis sueños iniciales de ser reconocido mundialmente algún día? ¿O estaba bajando mis expectativas porque nunca fui a la universidad y no quería que nadie supiera de donde venía yo?

Irónicamente, muchas de mis respuestas hubieran surgido al haber hecho alguna B&D de mi propio pasado. Pero esa área de investigación estaba fuera de mi alcance y yo tampoco quería ir allá. Después de todo, ¡había cerrado la puerta con seguro y me había deshecho de la llave".

La primera abertura en mi armadura ocurrió una noche que salí con unos amigos a uno de los clubes más actuales de comedia que estaban comenzando en San Francisco hacia los años 80s. El acto que habíamos ido a ver era con Richard Pryor, el pionero y quien ya se había convertido en el rey de la comedia, y el reciente sobreviviente de un accidente en el cual, se había prendido en llamas y fue rescatado por la policía mientras corría por la calle. Durante su presentación, Pryor estuvo haciendo chistes sobre lo que muchos rumoraron acerca de que no fue accidente sino un intento de suicidio, explicando que todo comenzó cuando intentaba mojar una galleta Oreo en un vaso de leche pasteurizada. Su expresión deliberada de proponer algo tan inocente causó muchas risas en el auditorio. Luego habló de cuando se despertó en la ambulancia rodeado de gente vestida de blanco y pensó: "¿No esto una desgracia? ¡Estoy muerto y me enviaron al cielo equivocado!"

Si todo eso no era suficientemente irreverente, lo complementó haciendo el mismo chiste barato que los cómicos de mala calidad hacían cuando prendían un fosforo en el escenario y preguntaban con risa: "¿Qué es esto? ¡Hombre, ese es Richard Pryor corriendo por la calle!".

Yo estaba impactado de ver cómo él podía tomar las experiencias más dolorosas de su vida y convertirlas en su repertorio. Y eso fue lo que él hizo con todo, escarbar en lo más profundo de su dolor, sacarlo a la luz y producir hasta la última gota de risa con eso. Él habló de sus debilidades, defectos, de cosas que eran vergonzosas, sobre sexo, familias disfuncionales, racismo, política, y la espiritualidad diaria. Pryor habló sobre su padre bueno para nada – un boxeador, proxeneta, y el más malo que el conoció – quien haría parecer a los miembros de la mafia como ositos de felpa. También trajo a la vida un loco elenco de personajes que debió observar en medio de la locura de crecer en un burdel atendido por su abuela, en el cual su madre trabajó hasta que se alejó cuando tenía la edad de 10 años. Fue allí donde él aprendió a arreglárselas por sí mismo. He leído en algunas fuentes que cuando él era joven fue abusado por alguien que vivía en la vecindad y por un cura de la localidad. Pero de alguna forma, en lugar de ser frustrado y victimizado, Pryor tuvo la capacidad de defenderse y transformar todo ese dolor es una historia para contar que fuera jocosa y fascinante al mismo tiempo.

Al comienzo, yo pensé que era solo yo quien me reía tan fuerte que lloraba y me mecía en la silla hasta cuando vi a mí alrededor que todo el mundo estaba contagiado por el curativo espíritu del buen humor. Fue como estar en la iglesia, y Richard Pryor estaba diciendo verdades como un predicador, libertándonos de algunos de esos mismos lugares oscuros en los que habíamos estado antes.

¿Cómo lo hizo? Él sacó cada pasaje que tenía algo interesante para revelar en su pasado – sus relaciones rocosas, todos los trabajos inusuales que tuvo después que fuera expulsado de la escuela a la edad de los 14 años, su mala época en la Armada. Nada de lo que había vivido estaba fuera de su control.

Lo que probablemente lo hizo el comediante más influyente de todos los tiempos, fue que tanto como te hizo reír también te hizo pensar. Ciertamente, a mi me hizo pensar en la posibilidad de examinar los recuerdos más oscuros de mi propio pasado. ¿Me producía miedo esa posibilidad? Claro que sí. Pero también se me ocurrió que por evitar los asuntos terribles del pasado, me estaba perdiendo de todas las cosas buenas que me ocurrieron en esa misma época. No solo eso, sino que por primera vez, la comedia de Richard Pryor me convencía que seguramente yo también tenía cosas muy cómicas y dramáticas guardadas, correspondientes a aquellos tiempos. Déjame agregar rápidamente que yo no sentía ningún deseo de hacer comedias divertidas con esto ni contar mi historia en grande al mundo. Y no estoy diciendo que Richard Pryor era un modelo de salud mental, aunque estaba encontrando su propia terapia a través el humor. Lo que me sorprende fue la visión de tener la misma libertad que yo presencié esa noche, en la que logró hacer útil todo o algo de lo que yo tambien había experimentado.

Pasaron casi otros 20 años antes que esa visión ocurriera en mi vida. Si no hubiera sido por la insistencia de mis seres amados, por mi elección de asegurarme que mis hijos no heredaran la política del "No preguntes, no comentes", me hubiera tomado más tiempo romper el clico del silencio. Las pocas veces que le hice preguntas a mi madre sobre información vital que he necesitado – como quién era mi padre, por qué yo no lo conocí, o por qué ella no pudo dejar a mi padrastro para bien – mi madre cambiaba el tema. No había razón para hablar de algo doloroso; era agua debajo del puente. Las pocas veces que me he visto callando cuando mis hijos me preguntan acerca de nuestra historia familiar, me he dado cuenta y les contesto. No porque mis respuestas fueran de profundidad, sino como un comienzo para romper el ciclo generacional del silencio que persiste en muchas familias.

El verdadero ímpetu por encontrar la llave y abrir la jaula donde el gigantesco y horrendo pasado se estaba engordando a mis expensas, fue durante una presentación frente a un grupo de chicos de una escuela urbana intermedia. Por los comentarios y preguntas que salían de los muchachos, muchos de los cuales eran adolescentes, entendí que ellos estaban escuchando las mismas opiniones negativas acerca de su futuro, que yo escuchaba sobre mi vida. Cuando uno de los chicos anunció que le gustaría tener su propia agencia de planes de inversión algún día y los demás comenzaron a burlarse, yo dije algo que después fue incluido en la película sobre mi historia – algo que fue dicho tantas veces a esos chicos con quienes estaba hablando como las que me dijeron a mí cuando era un niño – "No los escuches" le dije, "de hecho, nunca dejes que alguien te diga que no puedes hacer algo. Ni tus padres, ni tus profesores, ni nadie".

Más tarde, me hallé a mi mismo hablándoles sobre eventos y circunstancias acerca de donde yo crecí de las cuales no había compartido con nadie por años. De repente, todos se recostaron en sus sillas y la luz de las posibilidades comenzó a brillar en sus ojos. La increíble libertad que yo había encontrado al hablar finalmente al contar de donde venia fue mejor de lo que hubiera imaginado. Y todavía mejor, era contagiosa. Aquel joven que estaba dispuesto a compartir sus aspiraciones comenzó una cadena. Luego otras manos se levantaron para pedir consejo. Una de las niñas preguntó: "Señor Gardner, ¿por qué la gente quiere mantenerte oprimido cuando tienes un sueño?"

De nuevo estaba sosteniendo una conversación conmigo mismo. "Bueno", le dije, "las personas que no hacen nada por sí mismas, sienten envidia y por eso quieren hacerte creer que tu tampoco puedes lograrlo. Pero, ¿sabes algo? Tú tienes un sueño, es tuyo y debes protegerlo, por eso no debes dejar que nadie te diga que no puedes. Si tu quieres algo, consíguelo y punto".

Cuando me fui esa tarde y tomé el taxi de regreso a mi oficina, comencé a decirle al taxista acerca de otras memorias que ahora era libre de recordar y de contar – acerca de la indigencia, de ser padre soltero de dos adolescentes, y de cualquier tema bajo el sol. Me he mantenido hablando y los taxistas se convirtieron en mis terapeutas. ¿Por qué no si estaba pagando?

Desde ese entonces, continúo esforzándome para ser tan libre como Richar Pryor, para escarbar en cualquier lugar de mi pasado que pueda convertirse en algo útil para mí y para otros. Pensé que iba a ser por algún tiempo antes que las espinas fueran arrancadas; el mayor descubrimiento liberador que hice, fue que aunque fuera algo muy doloroso de recordar y reabrir las heridas del pasado, ya no seguía siendo débil.

La parte absurda era que todo este tiempo, el pasado había ejercido toda su fuerza sobre mí, pero ahora, enfrentando y recordando todo lo malo, lo feo, tanto como lo bueno y lo bonito, estaba recobrando mis fuerzas.

Algunos pasos de empoderamiento para aplicar esta lección solo puede tomarlos alguien que esté listo para admitir el temor del pasado. El primer paso es recordarte a ti mismo de lo que te estás perdiendo por repudiar tanto lo que eres. Eso fue lo que Sonia, una pintora, hizo cuando estaba llegando a sus 60 años de edad. Yo estaba sorprendido por una serie de pinturas que ella dibujó de ella cuando era niña, en una extraña y colorida casa en donde ella creció. Sonia dijo que por muchos años ella evitó los recuerdos de cosas que ocurrieron en ese lugar; también hizo a un lado los recuerdos de su inusual familia; además de las partes dolorosas de su pasado, ella cuenta que muchas partes eran borrosas y confusas como para tratar de recordarlas. Pero eso fue hasta que una imagen apareció en su cabeza, de hermosas alfombras y antigüedades que ella había admirado cuando estaba pequeñita; ahí fue cuando comprendió que de lo que se había estado perdiendo era la parte de sí misma que utilizaba escenarios comunes y los personajes estrafalarios de su familia, los cuales inspiraban su arte. Con esa claridad en mente, Sonia comenzó una serie de pinturas sobre sus recuerdos personales que resultaron convirtiéndose ¡en las más exitosas de su carrera! La libertad para ahondar en el pozo del pasado cambió su vida, me dijo ella.

El segundo paso para liberarte del poder del gigantesco y horrible pasado es enfrentándolo con preguntas. No estás pretendiendo vivir en el pasado ni vas a permitirte quedar atrapado en historias viejas. Más bien estás en una importante misión en la que quieres hacer un hallazgo. Si alguna vez has visto entrevistas a comediantes como Richard Pryor, probablemente has escuchado a las grandes estrellas hablar sobre la forma en que escriben sobre un tema en el que quieren basar su comedia y luego van directamente a buscar material que les sirva directamente de su pasado. Tú también tienes derecho a la misma libertad. Profundiza sobre algún tema de tu interés o sobre alguna experiencia vivida y observa qué sabiduría y lecciones de vida puede retribuirte el ayer.

Tú tienes realmente la posibilidad de mejorar tu Pryor interior y encontrar nuevas soluciones basándote en cómo afrontaste los contratiempos, desafíos, fracasos, adversidades y errores anteriores. De pronto has sido más valiente de lo que pensaste y te debes ese crédito desde hace ya tiempo atrás. ¿O existe una forma de aplicar lo que has aprendido de esas situaciones en la actualidad? Lo que sea que decidas, no te olvides de disfrutar la libertad de no tenerle más miedo al gigantesco y horrendo pasado.

Lección # 12
En tu biblioteca de recursos, valora todas las experiencias
Palabra clave: AUTO-CONSCIENCIA

Hace no mucho tuve un almuerzo con un colega de Wall Street que se retiró recientemente y decidió aprovechar para pasar más tiempo con la familia, al mismo tiempo que se actualizaba en sus lecturas, pasatiempos y esfuerzos filantrópicos. "Chris", me dijo, "¡jubilarme es lo peor que me ha podido ocurrir!" Como muchos individuos altamente capaces, él nunca había experimentado lo que era tener todo el tiempo disponible para sí mismo. El lujo del tiempo libre, según su opinión, lo iba a matar. Si eso no lo lograba, aparentemente su esposa si haría ese trabajo. No importaba lo que ella sugiriera – todo, desde iniciar un negocio nuevo en casa hasta viajar por el mundo en un velero, enseñar una clase en la universidad pública, estudiar un tema poco común como la astrofísica – todo parecía sin sentido.

Hasta intentó hacer unas terapias – que para él fueron todo un desespero. "Vamos hombre, eso es para locos", me dijo mi amigo, agregando que su terapeuta le había asegurado que él no estaba loco pero que debía admitir que no estaba dispuesto a abrirse para hablar de su pasado. El diagnóstico fue que estaba sufriendo de una pérdida radical de su identidad, la cual había estado completamente ligada a su vida profesional. De repente, ahí estaba él, solo en su casa, hecho un extraño para sí mismo, su trabajo se había convertido en quien él era y sin eso, él había dejado de existir.

Innumerable cantidad de individuos probablemente se han visto desconectados repentinamente de quien pensaron que eran – por causa de la pérdida del trabajo, no necesariamente por el hecho del retiro voluntario. Cuando quien eres está basado en lo que haces, el impacto al no hacerlo más puede ser devastador. Hemos visto esto en los diez miles de personas en el área financiera, que en la actualidad se preguntan, no solamente "¿Qué hago ahora?" sino "¿Quién soy?". Esto no tiene por qué ser el fin del mundo. En lugar de eso puede ser una oportunidad de buscar el verdadero balance de lo que es importante en la vida, al igual que el momento para enfocarse menos en lo que se acabó y más en el valor de la experiencia adquirida.

A lo largo de estas líneas le reafirmé a mi amigo que él no era el único en sentirse un extraño consigo mismo y que existe muchísima gente con la que se puede relacionar. Yo he estado en circunstancias parecidas antes.

Ahora, para ser justo conmigo, no he sido tan testarudo o tan terco como este tipo. Pero le aseguré que si yo pude salir a flote con mi falta de voluntad para enfrentarme a mi pasado, él también podría hacerlo. El primer paso era avanzar en la búsqueda de la auto-consciencia – el mayor premio que le espera a cualquiera de nosotros, los que estamos dispuestos a soportar las espinas del pasado.

¿Cómo? Bueno, le sugerí que es como el inicio de cualquier otra búsqueda, educándote a ti mismo. Solo que esta es una educación sobre tu propia historia. Este fue después de todo, uno de los argumentos lógicos que me he planteado, pero ¿dónde debe ir uno a conseguir esa educación para obtener una nueva auto-consciencia? Lo que vino a mi mente justo después fue la imagen de una especie de biblioteca – algo así como una sección de la biblioteca pública de Nueva York, con una gran entrada custodiada por un enorme par de leones de mármol. Mi idea es que cada uno de nosotros tengamos un lugar como ese, nuestra propia biblioteca de recursos en donde podamos visitar y consultar cualquier libro o artículo acerca de cada aspecto de nuestra vida y de las experiencias a las cuales necesitemos tener acceso.

Este concepto le gustó a mi amigo. ¿Pero no sería agobiante visitar ese lugar? Sería casi como ingresar cualquier palabra en un buscador de Internet. ¿Cómo sabrías cuál de los millones de resultados obtenidos sería relevante? "Buenas preguntas", admití. Entonces la esencia de esta lección tan personal de vida me pareció muy clara – que todo lo que hemos experimentado es relevante y hace parte de quienes somos, ya sea que no guste o no. Como Einstein escribió acerca de lo que significa educación: "Todo verdadero aprendizaje es experiencial. Todo lo demás es información".

Por lo tanto – en tu biblioteca de recursos, valora todas las experiencias.

Mi amigo decidió que valía la pena el esfuerzo de examinar detenidamente su pasado para ver si había algo de valor que pudiera encontrar y que le ayudara a entender por qué su jubilación le molestaba tanto. La auto-consciencia que el ganó durante el proceso le ayudó a darse cuenta que muy en el fondo de su pasado existía un niño solitario, y lo que él pensó que era una vida privilegiada, en segunda instancia, significaba pasar más tiempo con su niñera que con sus padres o sus hermanos mayores, los cuales ya se habían marchado cuando él apenas estaba en la escuela. Fue doloroso saber que nunca supo mucho acerca de la gente que significaba lo máximo para él. Pero luego su lado práctico, una de sus fortalezas, salió con la solución para aprender acerca de sus familiares. Lo siguiente que supe, fue que estaba haciendo carteleras enormes de su genealogía por los dos lados de la familia. No, él no pudo darse otra niñez para remplazar la que perdió pero decidió divertirse en el camino a conocerse, comenzando donde estaba. Su siguiente plan consistió en viajar a algunos de los lugares de donde sus ancestros vinieron.

Al mismo tiempo yo he logrado hacer una recolección por mi parte de por qué la biblioteca de recursos es interesante para mí. No sorpresivamente, la respuesta me ha llevado de regreso a mis años de crecimiento y al recuerdo de lo buena y genial mercadeista que era mi madre cuando se trataba de promocionar las maravillas del sistema de la biblioteca pública de Milwaukee.

No existía nada fuera de lo normal acerca de sus deseos por entusiasmarnos para que pasáramos más tiempo en la biblioteca. Mi madre era como la mayoría de los padres que aprecian la educación y las letras como los mejores ladrillos para construir el éxito. En mi vecindad, si querías escalar en el mundo – estoy hablando literalmente – tu meta era irte al norte, menos de una milla arriba del camino, donde la migración era el camino a la educación para la gente educada de color. Si vivías abajo de cierta calle, eso significaba que habías estudiado para destacarte, que tenías tu propio negocio, o habías logrado ir a la universidad o conseguido trabajos profesionales – profesores, servidores civiles, abogados, banqueros, doctores y cosas por el estilo. Debajo de ese límite, se asumía que no eras educado o que carecías de los medios para hacer algo contigo mismo y con tu familia.

Claro que para mi madre la educación era más que un requerimiento para hacer un movimiento ascendente. Para ella, la educación era la razón por la cual ella había emprendido su jornada desde tan lejos, por lo que ella había sacrificado todo para que nosotros la tuviéramos. Era lo único que tenía sentido en medio del caos. En su libro, la educación era tan necesaria como respirar, comer, dormir y orar. Como Einstein, ella valoraba todo aprendizaje y toda experiencia, y defendía su punto de vista como ninguna otra persona.

Las campañas publicitarias de mi madre sobre la razón por la cual nosotros debíamos visitar la biblioteca, eran únicas. Mejor que sugerirlo, sería bueno para mí pasar la tarde en un ambiente seguro que me ayudara a cultivar mi mente, lo que ella decía era: "La biblioteca pública es el lugar más peligroso del mundo". "¿El lugar más peligroso del mundo? ¿Por qué?" yo le preguntaba. "Porque tu puedes ir allá y aprender a hacer cualquier cosa".

Años más tarde me sorprendió escuchar una idea similar a mi héroe máximo, Nelson Mandela quien dijo: "La educación es el arma más poderosa que puedes usar para cambiar el mundo".

Mi madre nunca escuchó ese enunciado, pero evidentemente estaba utilizando la misma sabiduría universal. Y sabía exactamente lo que estaba haciendo, me estaba dando una espada poderosa que me ayudara a pelear mis batallas. Si ese es el caso, como he escuchado decir, que un mentor es alguien que puede ver tu potencial, el cual no puedes ver por ti mismo, pero no puede decirte lo que es o llevarte hasta tu meta y debe prepararte para que puedas enfrentar los obstáculos inesperados, entonces Betty Jean Gardner Tripplet estaba desempeñando el papel de Obi-Wan Kenobi en mi vida. Ella nunca me fabricó una visión, pero donde quiera que me encontrara perdido en mis pensamientos, imaginando posibilidades para el futuro, sentía que ella me animaba diciéndome: "Hijo, ¿estás viendo fantasmas otra vez? Y si los ves, está bien, siempre y cuando sea con los ojos de tu alma, porque si es así como estás viéndolos, no hay nadie más que pueda verlos sino tú".

Esa era su forma de decirme que si yo no perseguía mis sueños, ellos no serían nada más que fantasmas – posibilidades fugaces que llenarían mis días. Para evitar ese destino, bueno, existía la peligrosa librería pública – llena de toda clase de recursos y donde yo podía aprender a hacer cualquier cosa. En el proceso, podía desarrollar mi auto-consciencia para hacer uso sabio de los recursos que aprendí.

Sin duda la estrategia de mi madre funcionó. Hasta el día de hoy debo ir a una librería o a una venta de periódicos a diario, no puedo estar sin hacer alguna de las dos cosas. Cuando era un niño, cada vez que entraba a nuestra biblioteca local tenía el sentimiento de aventura y emoción. Con sus techos altos, sus puertas brillantes, y ese olor mustio tan misterioso, la atmósfera me hacía sentir como si yo estuviera en una película de espías cada vez que me dirigía al catálogo de las fichas, como un detective que podía usar un código – el sistema decimal de Dewey – para rastrear libros, artículos, guías de referencia, hasta asuntos viejos guardados en un microfilme, sobre toda clase de temas.

Entre todos los beneficios que venían con la visita a la biblioteca, estaba el hecho que yo era libre para deambular por los estantes y hacer mi propia elección de lo que podría ser relevante o interesante para mi vida. También estaba esa persona severa, a veces un hombre o a veces una mujer, que se sentaba en el escritorio de referencias y contestaba mis preguntas cuando yo no estaba seguro de dónde encontrar material acerca de algún tema. No muy extremadamente amigable al comienzo, el típico bibliotecario de repente se convertía en un Sherlock Holmes cuando le invitaba a acompañarme en mi misión de localizar material difícil de encontrar.

Mi concepto sobre una visita virtual a tu biblioteca de recursos puede aplicarse con la fuerza de tu imaginación cuando sientas deseos irresistibles por encontrar información valiosa de tus propios archivos. Puedes sorprenderte si te das cuenta que probablemente ya estás haciendo esto por tu propia cuenta cada vez que eliges aprender algo nuevo. Es un reflejo natural cuando estás pasando a un estado inusual de tu vida para referirte al pasado como un libro listo para guiarte. El desafío, según he aprendido, consiste en recordar que no se trata de solamente pasar por encima de la superficie, sino abrir ampliamente esos archivos y llegar en forma autoconsciente al fondo guardado dentro de ellos.

Como un ejemplo reciente del valor de toda experiencia, compartiré una porción de una hermosa carta escrita a mano que recibí de Pat, una mujer casada, madre y abuela, en sus tempranos 70s, retirada y vive en Omaha, Nebraska. Ella respondió al escuchar "Mi historia sobre nosotros" tomando la decisión de mirar más de cerca su propia historia y a su origen. Debido a que no tenemos mucho en común en términos de género, edad, raza, o antecedentes culturales, Pat reconoce que algunas de las partes más difíciles de nuestra vida han sido similares.

Ella recuerda lo difícil que fue crecer en un orfanato en San Louis, donde ella y sus tres hermanos fueron enviados a vivir cuando su madre soltera no pudo sostener más la familia de los cuatro. Aún así, su madre lograba visitarlos cada tercer día, tomando tres trasportes para poder llegar y los mismos de regreso.

Pat se acuerda de lo que era ir a la escuela en el invierno con solo un saco liviano para protegerse del clima. Cuando la gente le preguntaba si tenía frio, ella decía: "Oh, no". Cuando su hermana menor se enfermó y necesitaba medicinas, Pat se negó a creer que ellos no podían comprarlas. Su ingeniosa solución, la cual nadie estaba haciendo en aquella época, fue ir al ático y buscar botellas vacías que ella podía vender a 5 centavos cada una – recogiendo eventualmente el dinero para las medicinas que le ayudaban a su hermana a sobrevivir a su enfermedad. En lugar de ver la vida como llena de dificultades, Pat se auto-describe como alguien muy bendecida. Ella se siente agradecida por su matrimonio de muchos años, por sus hijas y nietos maravillosos, y por la oportunidad de trabajar en varios lugares comenzando en su adolescencia. Fue muy conmovedor ver cómo el pasado la ayudó a reconectarse con las fortalezas que fueron parte de lo que ella es y la forma en que las usó para enfrentarse a la difícil situación que afronto durante años:

"Llegué a octavo grado, pero no sé cómo lo logré. No sabía leer ni entendía las matemáticas... luego, hace 15 años volví y pasé por todo el proceso de lectura y matemáticas porque quería tomar mi examen de para validar la secundaria. Fui durante todas las noches y los fines de semana... Fue muy extenso, tuve que tomar 5 exámenes, ¡pero lo logre! Todavía me cuesta trabajo cuando leo libros – pero ahora puedo. Y ya puedo escribir cartas como esta para ti".

El proceso de recordar su pasado le ha servido a tal punto en su vida para energizar su auto-consciencia, que al final de la carta, ella reconoce cómo su meta en la vida se ha convertido en la búsqueda de su felicidad. Su sueño era trabajar con gente mayor como ella, que no aprendió a leer ni escribir. Pat escribe: "Escuchamos mucho acerca de 'ningún niño puede quedarse atrás', pero me gustaría que pensáramos en 'ninguna edad puede quedarse atrás'".

Pat no era una mujer significante en términos de dinero o educación formal, lo cual ella dejo muy en claro, pero por su carta, era evidente que ella había llegado a creer que tenía mucho para ofrecer. "Mi don especial", ella confiesa, "es que tengo la capacidad para entender el dolor de los demás, porque yo también lo he sentido, y yo sé cómo hacerlos sentir bien acerca de si mismos". Para demostrar el potencial que se obtiene de aprender a leer y escribir en la madurez, ella estaba pensando en escribir su historia – algo que ella en otro momento de su vida era imposible de considerar. Ella estaba confiada en que tenía la tenacidad para lograrlo. Ese nivel de auto-consciencia probablemente no hubiera sido posible sin una visita a su biblioteca de recursos.

Para alguien que jamás había considerado la posibilidad de poner lápiz y papel juntos para contar su historia, déjame compartir lo que le contesté a Pat: "¡Hazlo! Tú no tienes que esperar hasta que te jubiles para empezar tus remembranzas y usar los recuerdos del pasado. No te preocupes de si lo que vas a decir vale la pena o se vende, o si alguien más va a valorar lo que has escrito. La acción operativa es simplemente contar tu historia. Si está escrito que la compartas con otros, puedes tener la seguridad que tu historia encontrará sus propias piernas y andará".

Lección # 13
Dibuja la línea de tu vida
Palabra clave: DESCUBRIMIENTO

Imagínate por un momento que estás parado en el escritorio de referencias de tu propia biblioteca virtual de recursos – donde las experiencias vitales y las lecciones de vida de tu pasado están guardadas – y te gustaría que te dirigieran a ese tesoro legendario que supuestamente puedes encontrar si buscas en tu pasado. En lugar de darle este trabajo al sabelotodo que sienta en el escritorio de referencias, tú tienes la oportunidad con la ayuda de esta lección de vida para crear un concepto de orden y organizar todo el material, dibujando la línea de tu vida. Ese es tu mapa del tesoro.

Si tu primera reacción a esto es "¿Qué?" entonces bienvenido al club. Yo también tuve esa misma reacción en el año 2003, durante una reunión de planeación estratégica organizada por una institución sin ánimo de lucro. La profesional en planeación estratégica sugirió que antes que habláramos de asuntos para confrontar la organización, deberíamos identificar individualmente qué papel jugamos en la búsqueda colectiva que hemos asumido. Y para poder compartir las fortalezas y habilidades específicas que cada uno tenemos para aportar, la planeadora estratégica nos pidió que escribiéramos la historia de nuestra vida en un papel. Ella tomó unos marcadores y los distribuyó en el recinto. Todos nos reunimos en grupos de 8 o 9 personas, intercambiando expresiones de confusión. "Oh, es fácil", dijo ella, "solo dibujen la línea de sus vidas".

Los gruñidos comenzaron, y yo era el que más. Estábamos presionados por el tiempo, muchos de nosotros éramos ejecutivos ocupados y con otras agendas. Ella nos explicó que cada uno tenemos nuestra historia de cómo llegamos a donde estamos – en la vida, en el trabajo, en las relaciones – donde sea que estamos. Contar nuestra historia individual, ella insistía, es importante en contextos personales y profesionales, dondequiera que hagamos historia organizacional, cumplamos una misión, o construyamos nuestra hoja de vida. Dibujando la línea de la vida, aparentemente podemos contar nuestra historia en su versión corta – y haciéndolo, crea este mapa del tesoro en los grandes eventos, puntos de retorno, y cimientos que trajeron a cada uno de nosotros a la sesión de planeación estratégica.

Todo eso sonaba fuera de mi alcance, pero su recomendación era no pensar en eso, sino hacerlo, pues no iba a estar ni mal ni bien. El punto era tratar de hacerlo tan visual como fuera posible, comenzar desde el primer recuerdo posible y luego dibujar la línea sin palabras, pero con todos los cambios, curvas, vueltas, subidas y bajadas, hendiduras, puntos muertos, altas y bajas. Como yo necesitaba más que una hoja de papel, cuando terminé vi la línea de mi vida que acababa de dibujar y me recordó de los mapas de transito del área de Rapids y de las muchas veces que mi hijo y yo dormimos en el tren que llegara más lejos y volviera a dar la vuelta completa. Tan escueta como era mi memoria, pude ver cómo todas las paradas a lo largo del camino habían sido necesarias para mi crecimiento y para impulsarme hacia adelante.

Muchas emociones distintas brotaron de mí a medida que apreciaba todo el camino que había recorrido. En lugar que mis años tempranos lucieran tan oscuros y sombríos como los recordaba, vi las entradas de luz que estaban allí y que no recordaba. Luego ella sugirió que le diéramos a nuestro dibujo un título. Había solo una palabra que venía a mi mente: "Búsqueda".

Mis compañeros participantes estaban emocionados con los descubrimientos que hicieron con el dibujo de sus líneas de la vida, aunque todas eran distintas. Algunas eran reminiscencias de olas en el océano; otras parecían arrecifes inclinados; algunas de nuestras vidas incluían orillas con formas y curvas. Interesantemente, cuando la planeadora retomó el tema hacia el propósito organizacional, éramos un grupo mucho más cohesivo que antes de hacer el ejercicio porque nos conocíamos más a través de nuestras líneas de la vida – y podíamos respetar mejor las experiencias pasadas que varios compartieron. Con ese descubrimiento que hicimos acerca de nosotros y de los demás, parece que nuestra discusión acerca de hacia dónde queríamos ir como organización era más directa y con resultados más orientados de lo que hubieran sido, si no se hubiera realizado ese ejercicio. ¡Sin lugar a dudas, yo había aprendido algo nuevo!

La planeadora estratégica me explicó posteriormente que ella desarrolló esa herramienta cuando trabajó como terapeuta ayudando individuos que sufren de estrés postraumático. La idea es que saliéndote de tus experiencias – dibujándolas y no hablando de ellas – se hace más fácil alejarse de la parte dolorosa de una vivencia, pero a la vez siendo capaz de mirar hacia ella y descubrir la verdad acerca de lo que te impactó. Ella aplica esta técnica trabajando con organizaciones, negocios, y grupos de gente que necesitan juntarse rápidamente en un mismo proyecto, haciendo acuerdos sobre su historia organizacional. Los ejemplos que ella me dio fueron sobre otras organizaciones y personas que necesitaban reinventarse a sí mismas, adaptar sus estrategias para obtener mayor crecimiento, para recuperarse de pérdidas, o para comenzar de nuevo.

Este enfoque me tocó una fibra conocida. Después de todo, si tú como una entidad financiera no sabes cómo llegaste a donde estás, ¿cómo puedes marcar el rumbo hacia donde quieres llegar? ¿Cómo puedes saber qué de lo que has estado haciendo ha funcionado y qué no? Mirando la totalidad del dibujo – luego de dibujar la línea del crecimiento de la empresa, algo así como la gráfica de estadísticas – las estrategias exitosas y las que fracasaron aparecen muy claramente.

El objetivo de esta lección - así como he seguido creciendo a medida que continúo recomendando esta estrategia a otros – es que tengas una perspectiva fresca de tu pasado. Uno de los descubrimientos que he venido haciendo al observar mi línea personal de búsqueda, fue evidenciar en dónde aparece la intención de esquivar los recuerdos de ciertos eventos y dónde estaba deteniendo recuerdos innecesarios.

En el momento que hice ese ejercicio, el año de indigencia era algo que estaba reteniendo por demasiado tiempo dentro de mí, aunque evitara hablar de ello. Me di cuenta que por años, cada vez que volvía a San Francisco por cuestión de negocios, yo elegía quedarme en el mismo hotel, en el mismo cuarto con vista a Union Park Square, lugar donde mi hijo y yo tuvimos que dormir muchas noches. Era importante recordar de donde venía y que nunca iba a volver allá, ¡nunca! Pero al mismo tiempo vivía con el temor que todo lo bueno, el gozo, la estabilidad y la seguridad en la vida que logré para mis hijos y para mí, de alguna manera se esfumarían; por eso mi mecanismo de defensa me decía que si yo me hospedaba en ese hotel y miraba hacia abajo a donde yo estuve, me mantendría en una alerta alta para prevenir que semejante desastre no me ocurriera otra vez. Dibujando la línea de mi vida, finalmente pude ver que mi temor se estaba apoderando de lo mejor de mí.

Ese descubrimiento fue tan profundo como un exorcismo, porque la siguiente vez que me dirigí a San Francisco, reservé una habitación en el otro lado de la ciudad - ¡y me encantó! ¿Sería por todo lo que profundicé acerca de mi antigua zona de sobrevivencia? De pronto si o de pronto no. Pero el verdadero regalo fue que tuve la opción de elegir.

No mucho después de esa revelación, tuve la oportunidad de dirigirme a un grupo de un programa de detención juvenil y decidí poner a prueba lo que descubrí durante esa sesión, sugiriendo que los jóvenes pudieran contar sus historias sobre cómo llegaron a donde están dibujando sus líneas de vida. Uno de los muchachos que estaba listo para salir pronto – asegurando que no quería volver a repetir los mismos errores, me permitió conservar su dibujo y me autorizó para compartirlo como un ejemplo:

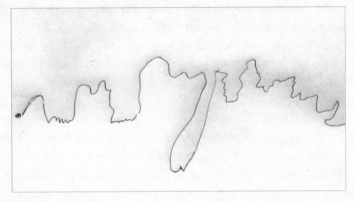

Él narró su dibujo con títulos, llamando a sus puntos altos "excelente" y a sus puntos bajos "perdido"; luego describió otras cimas como "OK" y otras bajadas como "inestable". Era claro que él quería que su futuro fuera más brillante. Pero al igual que su dibujo, no estaba seguro que podría lograrlo. Mi sugerencia para él y para otros a quienes realmente les gustó este ejercicio, fue que miraran nuevamente su pasado y marcaran una "X" a cada punto del dibujo en el que tomaron una decisión que influenció la dirección y forma de la línea – buena, mala o fea – Muy pocos de los adolescentes tuvieron problemas en identificar que sus elecciones estaban dibujando sus líneas – y no lo contrario. El siguiente paso fue reconocer que sus elecciones podían determinar la dirección de la línea que falta por dibujar. En cuanto al joven que estaba preparándose para salir al mundo y que no estaba seguro de cómo lo afrontaría, su descubrimiento consistió en que él podía tomar el mismo lápiz y una hoja limpia para dibujar el resto de vida que le queda – mientras que opte por las mismas decisiones positivas que lo llevaron a escribir "excelente" en el ejercicio que acabábamos de hacer.

Para aplicar esta lección recomiendo que hagas el intento, dibujes tu línea y te atrevas a explorarla. Descubrirás a vuelo de pájaro que los mayores puntos de regreso y los capítulos particulares llamarán tu atención primero que todo, como un mapa topográfico. Vas a observar tus elecciones importantes, dónde dudaste, dónde tuviste dificultades, te caíste, y los lugares en que te levantaste, al igual que los lugares en los que te quedaste demasiado tiempo. El descubrimiento disponible a cualquiera de nosotros cuando dibujamos la línea es que en medio de lo que parece caótico, inestable o aburrido, tuvimos la habilidad de encontrar nuestro propio orden coherente, nuestra dirección y forma. Y también vemos la conexión entre las lecciones que hemos aprendido y construido – o que elegimos fracasar para aprender bajo nuestro propio riesgo.

De pronto quieras dibujarla en tu imaginación, o hacer el ejercicio como lo desarrollamos con la planeadora estratégica. Solo tienes que confiar en tus habilidades para trazar mapas del tesoro; es un ejercicio simple, se trata de tu historia y tú eres quien la cuenta; puedes elegir lápices, esfero, crayones, papel, marcadores, o pintura y cartulina; en síntesis, usa lo que quieras, inclusive si quieres usar gráficas, compás, trasportador, etc.

A lo mejor conoces a alguien que haya dibujado esa línea suave y directa, que apunta todo el tiempo a las estrellas y nunca titubea, ni cambia de dirección, ni se estrella, o se hunde. Para aquellos de nosotros que orgullosamente decimos que estamos aquí, gracias a cada dificultad y hendidura en el camino, ¿realmente querríamos eso? Sin los giros ni las fluctuaciones, tu línea sería muerta ¡y eso no se llama vivir!

Sin embargo, dibuja tu mapa, el tesoro escondido que te espera no es más que la rima y la razón de tu existencia. La línea de tu vida le da significado a todo lo que has experimentado, sufrido y disfrutado. Te permite mirar atrás para observar el diseño y cómo las piezas desconectadas encajan juntas como un rompecabezas; verás cómo al cambiar solo una de ellas en el camino se hubiera transformado todo lo demás. Es el descubrimiento de sí mismo y la confirmación de 3 verdades personales muy valiosas: (1) Fuiste hecho para vivir esta vida, para aprender, amar y ser amado. (2) Eres el héroe de una historia significativa que es únicamente tuya – una trayectoria que tiene forma, dirección y propósito. (3) Todo y todos están en tu vida por un propósito.

Mi consejo es que no aceptes estas verdades por fe, sino que las experimentes por ti mismo.

LECCIÓN # 14
¿De quién eres hijo?
Palabra clave: IDENTIDAD

Mientras hablaba en una reunión de beneficencia en la Florida hace algún tiempo atrás, tuve la oportunidad de conversar posteriormente con una mujer encargada de organizar la conferencia; y volvió a contar una historia que muchos de nosotros podemos hallar muy parecida. Fue una lección que tuvo una enseñanza para nosotros dos, pero vino de su parte; está relacionada con la forma en que elegimos percibirnos a nosotros mismos y cómo nuestro pasado tiene la clave con la que podemos reclamar una correcta identidad.

Ella confesó que por muchos años estuvo consciente que estaba siendo sujeta por un sentimiento muy profundo, que le había hecho creer que ella nunca iba a ser lo suficientemente capaz de alcanzar sus verdaderas aspiraciones. A sus casi 60 años, ella era atractiva, simpática, una organizadora de eventos realizada, voluntaria comunitaria, y una abuela con múltiples intereses sobre los cuales sentía mucha pasión. Pero en lo relacionado con llevar su sueño al siguiente nivel y utilizar toda su creatividad como empresaria, cada vez que era el momento de dar el primer paso significativo, siempre algo la paralizaba.

Cuando le pregunté: "¿De dónde viene esa inseguridad?", ella se encogió de hombros dejando ver su inseguridad y comenzó a reírse, pero luego se controló y admitió que algo le estaba molestando desde hacía ya tiempos. Me dijo: "Cuando era una niña mi mamá me decía que yo era un error". Siendo la menor de varios hermanos, ella llegó al hogar cuando sus padres habían perdido la pasión mutua. Más aún, cuando ya ellos no estaban interesados en agrandar la familia, entonces ella fue concebida en una extraña noche de intimidad. Esta mujer decía: "Es horrible que te digan que eres un error, que eres no deseada".

Yo estuve de acuerdo en que es horrible e inaceptable, hasta cuando se dice en broma; luego le compartí sobre cómo yo experimenté los mismos sentimientos dolorosos cuando mi padrastro me reprendía, restregándome en mi cara que mi padre biológico me abandonó. Hablándole a ella como una vez tuve que aprender a hablarme a mí mismo, le dije: "Bueno, tú no eres un error para mí" y le di un abrazo – que realmente era para los dos y para cada chico al que alguna vez se le ha enviado el mensaje de ser alguien que no merece que se le tenga en cuenta.

"Me alegra mucho que digas eso", me dijo, "porque yo tampoco me considero un error". Hablamos sobre cómo los comentarios estúpidos como el que su madre hizo, pueden dejar una nube sobre la identidad que no tiene nada que ver con quienes somos. Como niños, muy pocos de nosotros tenemos la capacidad de rechazar los comentarios demeritorios y negativos, inclusive si no se hacen con malicia. Nuestro trabajo como adultos es decidir no pasar esas palabras a nuestros hijos y rechazar todo comentario impensable y cruel acerca de nosotros – sacudirlos de nuestros hombros como la caspa.

Lógicamente, tal como esta lección nos lo aclaró a nosotros dos, no siempre es fácil rechazar la identidad que nos dieron basados en nuestra procedencia. Es especialmente retador rechazar la identidad que está conectada con quienes fueron nuestros padres.

Este desafío me hizo acordar del pasaje de un libro de la poeta Nikki Giovanni que me regalaron en esa época. Durante mis años de secundaria, en esa parte de la vida en que el mundo lanzaba unos mensajes negativos sobre mi identidad, una línea del poema en particular me ayudó a reconfortar mi auto-estima recitándola cada vez que la necesitaba: "Yo soy tan perfecto, tan divino, tan etéreo, tan irreal, que no puedo ser comprendido, excepto con mi permiso".

El libro más reciente de Giovanni, aunque no es una colección de poesía, también trata con asuntos de identidad – pero desde una perspectiva distinta. Se titula "On My Journey Now: Looking at African-American History Through the Spirituals", y además enfatiza la necesidad de estudiar el pasado – aún cuando representa confrontar los días oscuros de la esclavitud y la debilidad. Nikki comienza preguntando sobre cómo los africanos que fueron traídos primero a este país y fueron esclavizados, no solamente se las arreglaron para sobrevivir sino que prosperaron a través de sus descendencias. Cómo fue esto posible, pregunta ella, esa gente cuya existencia estaba controlada por la insalubridad tuvo la capacidad de permanecer sana. Tuvo que ver con soportar con fortaleza, basados en la única cosa que podían: su identidad. Para permanecer sanos, ellos tuvieron que separar su identidad de la condición de esclavitud. ¿Cómo sabían ellos quiénes eran? ¿Cómo podían declararle a los demás y a sí mismos: 'Este es quien yo soy'?

Lo hicieron, dice ella, enseñando a sus niños sobre sus cánticos espirituales como: "si alguien te pregunta quién eres, diles que eres un hijo de Dios".

Ese mensaje se transmitió de tal forma que nunca te llamaras a ti mismo esclavo, o le dijeras a alguien que eras hijo de un esclavo o que pertenecías a un amo. Como un hijo de Dios, tú no eres un error, o el producto de la lujuria o de la violación, porque fuiste hecho para estar aquí para aprender, para amar y ser amado.

Le hablé a mi nueva amiga en Florida sobre el libro de Giovanni y además sobre los usos de la pregunta que es la esencia de esta lección - ¿De quién eres hijo? Ella sonrió y entendió inmediatamente contestando: "Soy una hija de Dios" y luego dijo que ella no era religiosa en nada, pero el hecho de permitirse a si misma dar esa respuesta le dio la identidad que la hizo sentir orgullosa y que además le dio sentido de pertenencia en este mundo.

La lección que surge de preguntar "¿De quién eres hijo?" es también una forma para que recuerdes, que independientemente de la situación de la vida en la que naciste y que donde sea que vivas, eres libre de elegir tu lugar de pertenencia y de identificar a tus padres en tus propios términos. De pronto tú piensas en ti como un hijo de Dios; o a lo mejor eres un hijo de la naturaleza, del universo, de la divina madre. El hecho que estés aquí – justo como fue planeado para ser parte esencial del diseño total. Tú eres importante en la totalidad de la vida.

Dando un paso adelante, diré que el libro de Giovanni además nos recuerda que los cánticos espirituales fueron definitivos porque ellos le ayudaron a aquellos que los cantaron a reafirmarse en la promesa de salvación. La creencia que ellos eventualmente serían libres también se convirtió en una parte integral de su identidad. Los coros espirituales que ellos cantaban le decían que ellos eran hijos de hijos de Dios y estaban siendo guiados con amor para que algún día, cuando miraran atrás y vieran todas las etapas de la jornada, hasta los inconvenientes más difíciles, comprendieran que ocurrieron por una razón. Por eso es que algunos de nosotros que hemos estado en la tormenta podemos mirar al pasado y decir: "En mi jornada ahora / Monte Sión / bueno no quitaría nada, monte Sión / en mi jornada ahora / monte Sión" – un sentimiento reflejado también en la anterior lección.

Si tu identidad ha sido estropeada por un mensaje falso que alguien te envió en el pasado, tú puedes rechazarlo como algo falso cada vez que lo decidas. Siempre tienes la opción de preguntarte de quién eres hijo, y contestar en una forma en que valide tu existencia. Como quiera que contestes, ahora que es tu jornada por la vida, la única que tienes, tu identidad es la estrella que brilla entre todas las demás, siempre y cuando estés dispuesto a reclamarla.

Lección # 15
Estudia tu propia versión del Génesis
Palabra clave: PERDÓN

Muchos años atrás, antes de iniciar mi carrera en Wall Street, cuando estaba trabajando en el campo de investigación médica, leí un reporte que decía que por encima del 50% de las visitas al doctor son causadas por síntomas que parecen no tener una causa física – enojo, miedo, preocupación y otras emociones que son frecuentemente reprimidas por los pacientes desde la niñez.

Recientemente he escuchado hablar del libro del doctor Dave Clarke titulado "¡They can't Find Anything Wrong!". Del resultado de sus estudios sobre enfermedades causadas por el estrés, su posición es que el primer paso para curar síntomas sin diagnóstico es retornar al pasado e identificar esos elementos estresantes – a través del acto de recordar. En la mayoría de casos, sus pacientes experimentaron recuperación total porque fueron capaces de entender cómo comenzó su dolor emocionalmente, antes de volverse dolor físico. Basado en su experiencia el doctor Clarke observa que algunos pacientes hasta logran perdonar a esas personas y experiencias del pasado que posiblemente han sido responsables de factores que inicialmente detonaron el dolor.

Ahí es donde podemos ver las espinas obvias, en conjunto con el oro potencial de las lecciones del pasado, las cuales ayudan a pavimentar el camino del perdón – incluyendo el perdón hacia nosotros mismos. Garantizado, eso no significa que todos tenemos manifestaciones físicas del estrés acumulado desde el pasado. Pero también es cierto que hasta que no hagamos algo respecto al equipaje de los dolores viejos, los resentimientos, y las distintas formas de enojo o culpa que cargamos con nosotros para todas partes, estaremos limitando nuestra felicidad actual.

De nuevo, cuando sentimos fuertemente que hemos estado equivocados, el perdón puede ser una montaña alta de escalar. ¿Cómo podemos comenzar? Estoy contestando esta pregunta para mí mismo. He hecho mucha búsqueda espiritual, leído y cuestionado. En el tema sobre cuál fue la presencia que más me hirió y estresó en mi niñez, tengo que decir que se trató de mi padrastro Freddie. Hasta en la juventud, recuerdo que trataba de contestarme por qué se le permitió tantas veces pisotear aspectos positivas de mis primeros años. Y a medida que el tiempo transcurría, comencé a cuestionarme sobre cómo es posible que si alguien está en nuestra vida para enseñarnos algo, ¿cómo una fuerza tan negativa como Freddie podía estar allí también? La respuesta me guió a la Biblia, a nuestros orígenes humanos en la historia del jardín del Edén.

Fue importante volver a visitar este pasaje del cual muchos de nosotros tenemos numerosas interpretaciones – por ejemplo, desde los puntos de vista de la escuela dominical, la Literatura y el Arte – y mirarla por primera vez desde la perspectiva que puede ser una historia personalmente relevante, no solo para mí sino para muchos. ¿Qué puede enseñarnos acerca de nuestra condición humana y sobre nuestra habilidad para perdonar a otros y a nosotros mismos?

Como recordarás, entramos al jardín del Edén en las escrituras, un paraíso, como lo conocemos con Adán y Eva – quienes tenían abundancia de todo lo que necesitaban para ser muy felices. En este lugar ellos son protegidos, guiados y amados por Dios, quien les da su propósito – apreciar, cultivar y cuidar el jardín, siempre y cuando ellos no rompan una regla – nunca comer del árbol de la ciencia, del bien y del mal, porque les equivaldría a la muerte – Adán y Eva podían permanecer en el jardín para siempre sin envejecer ni morir. Pero hay una fuerza negativa en el Paraíso con ellos, un ser que acosa y engaña a Eva para que rompa la norma y pruebe del fruto prohibido, diciéndole que ella no morirá y que de hecho, si lo come le dará el poder para ver con los ojos de Dios y para conocer el bien y el mal. Luego que ella se deja convencer y Adán la sigue, las consecuencias por la desobediencia fueron ciertamente graves.

Dios les concede Su perdón a Adán y Eva pero no los deja sin castigo. Él está especialmente enojado con Adán, quien primero trata de cubrir lo que hicieron y después culpa a Eva. Cuando el papel de la fuerza negativa es revelado, Dios maldice a esa fuerza condenándola a vivir como una culebra y a arrastrarse para siempre en su barriga como lo más bajo de lo bajo; Dios también maldice a los descendientes de la serpiente sin darle ni el mínimo potencial para crecer. Pero Dios no maldice ni deshereda a Adán y a Eva. Por su desobediencia y por haber caído en la tentación, su castigo es que en lugar de quedarse en el jardín y continuar comiendo del árbol de la vida, el cual los hace inmortales, ellos deben irse a algún lugar ubicado al este del Edén – el mundo que algunos de nosotros reconocemos como la primera vecindad – donde ellos tienen que aprender a cosechar su propia comida, en medio de una tierra espinosa y difícil, y en donde eventualmente morirán. A pesar de su mortalidad y de las dificultades que afrontaron, ellos retendrían el recurso de conocer el bien y el mal, lo bueno y lo malo. En cuanto a lo que hacer con ese conocimiento, se les concede el poder de elegir. Ese es el regalo para la humanidad.

El Padre / Creador de Adán y Eva no divide. Él todavía está ahí para proveer guía, amor y otros recursos milagrosos cuando los necesitamos, pero tanto como determinar el camino, el propósito y cómo ellos encuentran su potencial – es ahora su responsabilidad.

El papel de la serpiente en esta historia y en la nuestra es realmente interesante. La lección para perdonar, como yo la veo, es que no podemos culpar a las fuerzas negativas – porque eso significaría que estamos descendiendo a su nivel. De pronto recuerdas que en el ambiente en el cual creciste, existían influencias que pudieron haberte derribado – posiblemente a través de tentaciones que respondían a tus instintos más básicos – que están presentes a diario. De repente no estaban representadas en una persona sino en las circunstancias de dónde y cómo creciste.

De nuevo, no era producto de mi imaginación que yo relacionara a la culebra en mi versión del Génesis con mi padrastro. En la escala evolutiva de las cosas, definitivamente este hombre era sub-humano – analfabeta, alcohólico, violento, falto de alguna consciencia moral. Por encima de mi sensación de debilidad, mi propio enojo y mi miedo me tentaban a responder a su ira con la mía – y convertirme en él – siempre era una tentación latente. Sin embargo el don de la libertad de elegir me permitió escoger no hacerlo. En un tiempo llegué a unos términos que me hacían pensar en la posibilidad de que él estuviera en mi vida para enseñarme exactamente cómo no ser. ¿Fue mi elección no ser como Freddie para probar que yo soy mejor que él? ¿Para qué yo pudiera "mostrarle" o "vengarme" de él por decirme todos esos años que yo no valía nada? No. Eso hubiera sido un veredicto en lugar de una decisión para empoderarme de mí mismo.

A través de mi versión del Génesis he recibido ayuda para obtener mi propia explicación sobre la ausencia de mi padre; mi elección fue no seguir sus pasos y romper el ciclo generacional. Eso no me hizo olvidar el vacio ni el dolor, pero eventualmente me ayudó a perdonar.

Porque puedo elegir perdonar pero no olvidar; ya no tengo que cargar más conmigo la maleta de dolor y rabia y estoy muy agradecido que los síntomas de enfermedad por estrés que pudieron manifestarse durante la madurez, se fueron hace mucho tiempo.

Si alguna vez te preguntas de dónde viene el estrés que se te manifiesta en el presente pero que está provocado por algo mayor que ocurrió en el pasado, estudiar tu propia versión del Génesis puede darte paso a comprender bien muchas cosas. Si observas la influencia de una oscuridad que te ha limitado, el entendimiento de esa influencia sobre ti puede allanar el camino para que abandones ese equipaje. Cuando enfrentamos nuestros propios inconvenientes y limitaciones en momentos de tentación, si nos hemos estado auto-limitando y permitiendo que lo más básico de nuestro ser nos controle, el mensaje de la caída de la gracia de Adán y Eva es que somos humanos y no inmortales. Pero como seguimos reteniendo la chispa de lo divino, así como podemos perdonar también podemos ser perdonados.

Permíteme agregar un consejo para acompañar el acto del perdón – toma practica y concentración. Vuelvo a decirte que la clave consiste en que podemos perdonar aún en las ocasiones en que no podemos olvidar. Las dos son vivencias separadas.

John Kennedy lo dijo claramente cuando aconsejó: "Perdona a tus enemigos pero nunca te olvides de sus nombres", a lo cual yo podría agregar: "O sus direcciones".

LECCIÓN # 16
¿Quién es quién en tu vecindad?
Palabra clave: CONFIANZA

Muchos de nosotros estamos familiarizados con el enunciado que ha sido uno de los clásicos de todos los tiempos, relacionado con la búsqueda de la felicidad, acuñado por Henry Ford: "Mientras que sostengas que puedes o que no puedes hacer algo, estás en lo correcto".

Yo pondría mi firma bajo ese enunciado sin dudarlo un instante. No hay duda que creer en ti mismo es un ingrediente clave en cualquier meta que afrontes. De hecho, en muchas sesiones de preguntas y respuestas en las cuales he tomado parte, surgen interrogantes acerca de dónde viene esa creencia, cómo cultivar un sentido de certeza sobre tus posibilidades y cómo reconectarte a todos esos sentimientos cuando ellos parecen haber desaparecido.

En mi experiencia propia, me siento infinitamente bendecido porque el mensaje más importante de mi madre hacia mí fue "tú puedes", el cual fue reafirmado por otros individuos y profesores cuyas opiniones yo tuve en cuenta y creí porque sabía que me amaban y querían lo mejor para mí; por eso descansé en ellos y en su confianza en mí. Sin embargo, la parte critica de la ecuación que he llegado a entender, es el asunto de la confianza.

La moraleja enseñada en esta lección, tiene como propósito dar claridad a una variedad de asuntos sobre la confianza que aparecen en las relaciones, en el trabajo, y en nuestra existencia diaria, a medida que intentamos atravesar por situaciones difíciles para alcanzar otras mejores. La confianza estaba allí para alertarnos sobre el poder que tendría en nuestras vidas, en las relaciones pasadas y en los años venideros.

Este fue un tema que surgió en una conversación que tuvo lugar en Oregón, después de un evento para firmar libros una noche en que dos caballeros, Dan y Jim, me esperaron para pedirme consejo. Los dos eran gerentes de alto nivel en el mismo tipo de negocio en empresas nacionales y los dos estaban trabajando el tiempo de preaviso porque las dos compañías estaban en proceso de cierre. Como futuros candidatos para buscar nuevos empleos, cada uno tenía diferentes asuntos por resolver sobre el tema de la confianza.

Dan tenía toda la confianza en este mundo acerca de sus habilidades para adaptarse a una nueva carrera en un escenario diferente, pero al mismo tiempo se sentía pesimista sobre sus posibilidades porque no conocía a alguien en quien pudiera confiar para ayudarle a abrir puertas y buscar oportunidades, las cuales escaseaban y se alejaban cada vez más, según su opinión. Del otro lado, Jim tenía amigos, contactos y conexiones en las que confiaba para reubicarse rápidamente, pero no estaba seguro si confiarían en él porque, muy profundamente admitía que no él mismo no confiaba en su capacidad para volver a adaptarse a un trabajo diferente.

Mi curiosidad se incrementó. ¿Cómo estos dos hombres podían tener perspectivas tan diferentes acerca de la confianza? En cada caso, el pasado y las circunstancias de "¿Quién es quién?" en sus respectivos contextos, eran la clave.

Dan recuerda que el mentor más importante de su vida – su padre – murió la noche de su graduación de la escuela secundaria. Hasta entonces él se consideraba a sí mismo como una persona alegre y con suerte que generalmente gozaba de simpatía a su alrededor. Pero sin otro mentor para llenar ese vacío, él aprendió a depender de sí mismo. Aunque había cultivado excelentes relaciones personales, estaba felizmente casado, y era un padre muy orgulloso, Dan siempre se había visto como la persona encargada de hacer que las cosas se realizaran – antes que mirar a los demás como los encargados de ofrecerle seguridad. De hecho, su padre también fue así; cuando Dan me contaba su historia, tenía la capacidad de reírse y decía: "Mi desafío está en tener la actitud para pedirle ayuda y consejo a la gente a la cual admiro, aunque yo generalmente soy el que se los brindo a los demás". Cuando hizo ese comentario, vi que todo su semblante se iluminó.

Jim describió su crianza como lo más parecido a la niñez ideal. Había sido una estrella en su equipo de básquetbol, el presidente de la clase, y "el hombre grande en el campus" desde cuando estaba en kínder. Recordando su "¿quién es quién? él mencionó algunos individuos de su pasado – sus padres, amigos, profesores, novias – que le enviaron el mensaje que iba a ser la súper estrella muy posiblemente en cualquier cosa que hiciera. Mencionó que las puertas se le abrían fácilmente, que siempre que necesitaba un favor o depender de la ayuda de alguien para tocar una puerta o dos, nunca tuvo que insistir. Pero muy profundamente, Jim admitió que no estaba muy seguro que merecía toda esa admiración que recibió. "¿Sabes qué? Las expectativas altas pueden ejercer mucha presión", comentó y siguió diciendo que muchas de sus relaciones adultas – en el trabajo o con mujeres – terminaban con él pensando o diciendo: "Sencillamente esperas demasiado de mí". Su reto, contrario al de Dan, era estar tan disponible para sí mismo tanto como lo estaba para los demás.

Como puedes ver, hay diferentes formas de aplicar la lección acerca de la manera en que las relaciones del pasado son instrumentos que utilizamos para relacionarnos con respecto a la confianza. La aplicación más básica, lógicamente, es el acto de mirar atrás y recordar quiénes fueron los encargados de enviarte los mensajes que te ayudaron a desarrollar tu confianza en ti mismo y en los demás – mensajes que llevas actualmente contigo a todas partes.

Cuando hagas esto, es posible que inicialmente descubras – como yo – que algunos de tus "¿quién es quién?", resulten ser individuos en los que no pensabas desde hacía años y cuando tratas de traerlos a la mente, aparecen como fotografías borrosas, pero a medida que te haces preguntas acerca de los mensajes que recibiste de ellos, frecuentemente encuentras algo específico que te ayuda a recobrar la imagen nítida. Recientemente una de mis colegas del mundo editorial me dio un ejemplo sobre este fenómeno; ella habla constantemente acerca de los retos que se afrontan con la pérdida de peso y comenta: "Yo fracasé en todas las dietas que comencé". Otras veces dice: "Bueno, yo vengo de una familia de gente bajita y gorda, entonces ¿por qué tendría yo que ser diferente?" hasta que finalmente una vez yo le contesté: "¿Quién ha dicho eso?".

Ella tartamudeó por un momento y después se quedó callada, como haciendo una profunda reflexión. Algo de su pasado que estaba sepultado hacía mucho tiempo vino a su mente. Se acordó que cuando era adolescente todos la admiraban por su figura pequeña y su aspecto atractivo, hasta cuando el director de una agencia de modelaje y una amiga de sus padres trataron de desanimarla por su deseo de trabajar en la carrera de la actuación y el modelaje diciéndole cosas como: "Tú no eres alta ni delgada", y como si eso no fuera suficientemente negativo, la supuesta amiga encogió sus hombros y agregó: "Siempre vas a tener problemas de peso".

Cuando mi colega me compartió esa memoria, fue como una aceptación de la influencia poderosa que tienen los demás en nuestras creencias – inclusive individuos que no han tenido un papel importante en nuestro crecimiento y que no saben de lo que hablan y en quienes posiblemente, no deberíamos confiar. No hay nada de malo al preguntar, aún en el presente: "¿Quién era esa persona para decirme eso?" y luego decidir: "Bueno, pues no voy a tener problemas de peso después de todo". Nunca es demasiado tarde para hacer la elección de confiar en tu propio juicio.

Me encanta esta aplicación inmediata de preguntar "¿Quién es quién en tu vecindario?" por el simple hecho de la alegría que siento al recordar la riqueza de los personajes que fueron parte de mi pasado, cuando exploro esas relaciones y me acuerdo de gente a la cual amé, guardé rencor, extrañé o me pregunté qué habrá sido de ellos, a quienes a la postre finalmente no juzgo y simplemente aprecio la forma en que enriquecieron mi vida.

Si tienes problemas de confianza, no dejes de hacer el esfuerzo que necesitas para reflexionar sobre las relaciones que desarrollaste durante tu crecimiento, tanto en tu hogar como en el colegio, y en los sitios que frecuentabas. Si detectas conscientemente las palabras y los hechos de quienes influyeron en ti en el pasado – y tal vez actualmente – puedes sorprenderte de la forma tan obvia en la cual el elenco de personajes de tu película, podrían necesitar revisar algunas de las lecciones que a lo mejor ellos te decían que necesitabas. Hace un tiempo, yo estaba en un restauran-te de Miami hablando con un señor que se sentó en una mesa cercana; é; me compartió que eligió la carrera de la enseñanza antes que seguir a los tipos de su vecindario en intentar ciertas empresas riesgosas y estaba muy agradecido de haberlos tenido como ejemplos de lo que no se debe hacer, y de haber confiado en su sentido para no creer en las promesas de conseguir riquezas de la noche a la mañana. Estaba seguro que de no haber confiado en su propio juicio estaría muerto o preso.

El asunto de la confianza es el punto central y la clave de esta lección, que también es acerca del amor. Entonces, así como te permites recordar "¿Quién es quién?", también saca ventaja de la oportunidad de apreciar más de cerca el amor que te dieron, aunque no te lo hayan expresado en la forma en que preferías. Mira atrás también para apreciar ese amor y valorar a todos los que han enriquecido tu vida y hecho tu camino más interesante. Adicionalmente, tendrás la oportunidad para agradecer por las lecciones que te enseñaron esas distintas personas que fueron parte de tu existencia – aún cuando particularmente no te agradaban para nada, así se tratara de roles modeladores de lo que hacer o no hacer, o fueran un verdadero dolor de cabeza para ti.

Una buena amiga mía utilizó su "¿Quién es quién?" para decidir si abrir o no un negocio. Ella se dio cuenta que cada jefe tóxico que tenía era la versión actualizada de su padre; ella recuerda que él nunca respetaba a las mujeres que trabajaban con él y animaba a sus hijos a destacarse, pero no a sus hijas. No importaba qué clase de éxito ella obtuviera en sus negocios, su padre nunca le daba la admiración que ella necesitaba y quería. Después que renunció a cambiar la mentalidad de su padre, se fue a trabajar con hombres altamente poderosos que le recordaban a su progenitor, y también esperaba ganar su aprobación - pero en vano. Cuando ella se dio cuenta que estaba repitiendo el mismo mensaje, que nunca iba a ser lo suficientemente eficiente, en lugar de culpar a las diferentes figuras de autoridad, todas esas versiones actualizadas de su padre, ella decidió despegarse de ese modelo y se convirtió en su propia figura de autoridad. En el momento en que dejó de interesarse por la aprobación de otros - y se decidió a confiar en su propia aprobación – estableció su empresa bajo sus propios términos, y la relación con su padre mejoró.

La recomendación de mi parte, junto con esta lección, es que entre más aprecies a cada uno de los que haya tenido un papel en tu pasado –

ya fuera para reforzar, inspirar, entretener o inspirarte – mas fácilmente puedes confiar en que posiblemente tú también tuviste un lugar sus vidas.

LECCIÓN # 17
¿La bicicleta roja o la amarilla?
Palabra clave: MOTIVACIÓN

"¿Qué es tu por qué? Esa fue una pregunta que le escuché por primera vez a un conferencista cuando asistí a una reunión de una compañía de seguros de vida. Desde ese tiempo he venido preguntando qué y cómo otras personas persiguen sus sueños, pero yo le agrego la pregunta del "¿por qué?" De hecho, al poco tiempo después se la formulé a un caballero joven y admirable que un colega me presentó. Cuando comenzamos a hablar me contó que acababa de tomar las riendas de una fundación de caridad privada – lo que el describió como "el sueño de su profesión".

Cuando le pregunté: "¿Qué es tu por qué?" él no estaba seguro de lo que eso significaba. Entonces le expliqué que cuando la gente dice que tiene una meta, siento curiosidad por saber qué los motivó inicialmente a perseguir ese sueño. Por ejemplo, le pregunté: "¿Por qué Filantropía? ¿Fue eso algo que siempre supiste que querías hacer? ¿Cuándo eras niño alguna vez te imaginabas que algún día marcarías una diferencia en el mundo?"

Él se rió y admitió que nada de eso había pasado por su mente y me explicó que lo que siempre quiso hacer, fue ser el primero en la familia que iba a la universidad. Desde cuando era joven tuvo la idea que él era distinto y la mayor ambición que se atrevió a encontrar, fue que un día tendría una educación superior. Cuando se trató de elegir la profesión de sus sueños, dijo que tuvo que ver con la pregunta: "¿La bicicleta roja o la amarilla?"

Posteriormente me contó su historia. Él era de una familia de cuello azul y creció en la zona rural del medio-este donde la mayoría de los estudiantes graduados de la secundaria, como sus hermanos, no continuaba en la universidad. Cuando estaba terminando su secundaria, tomó a su consejero escolar por sorpresa el día que le manifestó su interés por inscribirse en la universidad del estado más cercana. El consejero lo desanimó diciéndole que mejor debería aprender un oficio porque él no era "material como para ir a la universidad".

Eso no le pareció muy bien a este hombre y encendió su motivación para probar lo contrario; por eso de ahí en adelante cada elección que hizo, la tomó pensando en objetar: "¿Quién ha dicho?" Pero comenzando en donde estaba, decidió que si le gustaba aprender, también podía inscribirse en una escuela técnica para instruirse en electricidad. Al pasar dos años estaba feliz con las habilidades que estaba desarrollando, que eran suficientes para preguntarse: "Si pude lograr un oficio fácilmente, ¿qué tan difícil puede ser una carrera universitaria?"

Con un trabajo de tiempo parcial como electricista, pudo pagar su educación en una universidad local del estado, pero no le alcazaba para comprar un carro. Para transportarse, decidió comprar una bicicleta de segunda que fuera lo más confiable posible y se puso a buscar por todas partes hasta que llego a tener dos opciones: una bicicleta roja que no tenía nada de especial pero estaba bien hecha y maciza; o una bicicleta amarilla que no se veía tan resistente ni bien hecha, pero tenía un hermoso tono de amarillo que llamaba la atención, era poco común y emocionante al mismo tiempo. ¿Que tuvo mayor sentido para él: la roja o la amarilla?

A medida que escuchaba la descripción de las dos bicicletas, yo sabía que iba a escoger la amarilla. Esa era una elección atrevida y distinta – algo que lo hiciera sonreír, que le diera felicidad cuando fuera manejando en medio de cualquier temperatura.

Para alguna gente esa era una mala elección, porque si elegía la bicicleta roja no se le rompería ni se quedaría botado al poco tiempo de comprarla, lo que le permitía cumplir su plan de vivir fuera de la universidad. Obvio que era de esperarse que la bicicleta amarilla se rompiera al corto tiempo de haberla comprado, lo cual lo obligaría a vivir cerca de la universidad; encontrar una vivienda cercana con su presupuesto era imposible en el momento, así que con una bicicleta rota él tendría que tomar el único cuarto que pudiera encontrar, que sería en la zona de estudiantes extranjeros. Si eso no hubiera ocurrido, él nunca habría descubierto su interés por convertirse en un lingüista. El desafío de lo diferente y arriesgado, al ir en búsqueda de su curso de Lingüística fue tan motivador, que llegó a tener un grado de maestría y posteriormente se inscribió y fue aceptado en el programa de doctorado el la costa oeste. La elección de la bicicleta amarilla lo interesó para siempre.

Como su elección fue trabajar para sí mismo, concluyó que también sería bueno tener una maestría en Antropología al mismo tiempo que terminaba su doctorado en Lingüística.

Encontrar un trabajo resultó ser desalentador. "Según mi entender", dijo él, "no hay ningún trabajo en el mercado que utilice esos dos títulos". Entonces, justo cuando iba a rendirse y buscar un campo de estudio más práctico, otra cadena de eventos le ayudó a aterrizar justo en un trabajo con una fundación que necesitaba alguien que conociera la mejor forma de proveer fondos a programas globales que estuvieran interesados en el crecimiento cultural, la salud y la paz alrededor del mundo. Su grado estaba mandado hacer para ejecutar ese cargo. "Y nada de eso habría pasado si no hubiera elegido la bicicleta amarilla", comentó.

Una de las cosas que me pareció más impactante en su historia, es que él permaneció conectado con la fuerza motivadora de sus sueños – su "por qué" – durante su adolescencia y su juventud, siendo este un tiempo durante el que toda clase de presiones externas pueden hacernos dudar con respecto a nuestras motivaciones y a las elecciones que hacemos.

La moraleja que podemos aprender de esta lección rotulada con la pregunta: "¿La bicicleta roja o la amarilla?" es que si miramos al pasado de nuestra vida entre la adolescencia y la juventud, con frecuencia podemos identificar cuáles eran en ese tiempo nuestros "¿por qué?" y podemos ver cómo ellos afectaron o no las elecciones que hicimos en términos de carrera, relaciones, educación, estilo de vida y otra clase de metas.

En mi caso, este proceso me llevó a recordar la decisión que tomé de buscar la puerta correcta a través de la cual algún día me convertiría en alguien de fama mundial. Mirar hacia esa época de mi pasado, también me reveló algo que jamás pensé - ¿Qué existía detrás de mi deseo de llegar tan alto? Puesto que no sabía cuál era la profesión que quería, ni en quién se suponía que debía convertirme, mi motivación primaria vino de saber en lo más profundo, que yo no quería una vida común. Yo quería viajar nacional e internacionalmente, tan lejos como mi capacidad me permitiera ir, ver, conocer, hacer y experimentar.

Repito, parte de lo que le dio forma a mis "¿por qué?" fue mi deseo de ir tras las aventuras de mis héroes de la vida real, que se negaron a lo cotidiano para ir en búsqueda de lo extraordinario. Aunque no los conocí personalmente, sus ejemplos y posibilidades fueron mi inspiración – de la forma en que héroes como Miles Davis utilizó su habilidad musical, a la forma en que Muhammad Ali desafío al mundo del boxeo para salir al frente y defender sus creencias, hasta la manera en que algunos se comprometieron con causas más grandes que ellos mismos.

Las memorias que brotaron de la pregunta: "¿La bicicleta roja o la amarilla?", además trae a la mente la realidad que existen consecuencias complicadas por enfrentar como resultado de elegir metas audaces por encima de opciones que son más seguras, más predecibles y menos emocionantes. Aún así, si no le hacemos caso a nuestra verdadera motivación – con frecuencia más evidente en los años de juventud durante los cuales estamos menos preocupados por ir a la fija – podemos perdernos de encontrar lo que nos da nuestra propia definición de felicidad. Y cuando identificamos nuestras motivaciones, si las acatamos, aunque sea haciendo elecciones que después traen complicaciones, encontramos el camino por el cual estábamos destinados a seguir a lo largo de la vida.

He aprendido que cuando dudo acerca de tomar decisiones u ofrecer consejos a otros que están tratando de hacer una elección, que puede tener ramificaciones significativas, si no hay claridad en cuanto a los pros y los contras – oriéntate de acuerdo a lo que sientes y no necesariamente de acuerdo a lo que sabes. Usualmente, eso es lo que a largo plazo va a motivarte. Si la bicicleta amarilla es distinta, más riesgosa, más interesante y menos práctica, que así sea. Si tienes un limón, no tengo que decirte lo que puedes hacer con él, ¿o sí?

Si has elegido pegarte a las rutas seguras trazadas para ti por consejeros desorientados, nunca es tarde para intentar nuevas opciones, Y mientras estás en eso, revive lo mejor de tus años de juventud y recuerda lo que te motivaba en ese tiempo. ¿Qué era lo que te producía mayor alegría? ¿Cuál es tu versión de la bicicleta roja o amarilla?

LECCIÓN # 18
A veces debes renunciar a la navidad
Palabra clave: INDEPENDENCIA

Un día muy frio de diciembre del 2006, me disponía a salir de mi oficina de Chicago, cuando de repente se me acercó una mujer muy elegante y de aspecto profesional que me reconoció por una participación que yo había tenido recientemente frente a los medios. Ella se presentó como una profesora que enseñaba en una de las universidades más prestigiosas, y continuó diciendo que aunque venía de un origen distinto – blanca, próspera, citadina – teníamos mucho en común. Una parte de mi historia en particular le ayudó a ver algo que no había visto antes.

"¿Qué fue eso?" le pregunté. "Yo siempre pensé que era la única a la que le habían robado su Navidad", me contestó.

Ella me explicó cómo las festividades siempre resultaban en lo peor en su familia. En su imaginación, todas las otras familias tenían la escena perfecta durante la época de la Navidad – los gansos rellenos con los adornos, postres y todo lo demás. Inclusive ahora, felizmente casada y con hijos, ella planeaba todo lo mejor posible y por adelantado para eliminar el tener que fingir alegría durante esta época, cuando en realidad sus recuerdos le decían otra cosa. De hecho, cuando se aproximaban los días de invierno, ella planeaba unas vacaciones familiares fuera del país – para evitar gentilmente cualquier clase de invitaciones a fiestas.

Éramos parecidos en que encontramos maneras para conservar el espíritu de la época, asistiendo a la iglesia o contribuyendo con servicios a la comunidad que le llevaran la Navidad a aquellos que se quedarían sin ella si no fuera por esa contribución. Pero en lo que se tratara de seguir la versión idealizada de Hallmark, la cual fue como una película de horror de nuestro pasado, los dos sacamos la conclusión que "a veces debes renunciar a la Navidad".

"De todas maneras, yo solo quería agradecerte", añadió concluyendo con una risa, utilizando una frase que escucho constantemente, como ella comentó: "Yo pensé que me ocurría solo a mi".

Después de agradecerle por su reconocimiento, nos fuimos por caminos separados y comencé a reflexionar sobre el recuerdo desastroso de un día de Navidad pasado, pensando si simplemente ya era tiempo de superarlo. Después de todo, ese día de mi adolescencia fue tan terrible, que me dieron ganas de escaparme de mi casa para ir en busca de mi independencia, por lo tanto, algo bueno había quedado de eso.

De todas formas, yo no sabía si quería ser tan filosófico con respecto a un momento de la Navidad que fue tan malo, doloroso, y que arruinó para mí esa época desde ese momento en adelante.

Lo que resultaba irónico para mí años después, era que el día en cuestión me había felicitado a mí mismo por decidirme a no asistir a la reunión anual de la familia porque sabía que terminaría en trago, lenguaje pesado, gritos y la pelea que no faltaba. En lugar de eso, yo iba a aprovechar que nuestra casa estaba sola, para disfrutar de un largo baño caliente de día de Navidad y finalmente ir a una cita con mi novia. "Demasiada suerte para tener tanta suerte", porque debí haber sabido que mi padrastro no me dejaría celebrar en mis propios términos. No me imaginé que Freddie volvería anticipadamente a la casa, ni que él irrumpiría en el baño con una mirada de crimen en sus ojos, ni que me sacaría de la casa apuntándome con el cañón de la escopeta. Estaba parado allí completamente desnudo, congelándome frente al pórtico de la casa, a plena luz del día, cuando pasó un niño y me miró fijamente sin saber qué decir excepto: "Feliz Navidad señor" – llegué a una encrucijada. Tiempo para rendirme y decirme a mi mismo: "Esto no me vuelve a pasar otra vez".

Muy probablemente tú también recuerdas esos momentos de tu pasado en que llegaste a una encrucijada y tomaste una decisión que cambiaría las circunstancias de tu vida – contradiciendo lo que la mayoría esperaba de ti. Lo que haya sido que apresuró tu decisión, no debió ser tan importante como el hecho que llegaste a ella por ti mismo. Si este es tu caso, vale la pena que mires atrás y recuerdes esas determinaciones que has hecho en los caminos cruzados, que de pronto puedas usar en el presente – especialmente, si cambiar tu vida para mejorar esta en tu lista actual de prioridades.

Para mí, esta lección de vida terminó en mi independencia, que vino como resultado de decidir que "demasiado es demasiado".

El camino a la independencia no está compuesto solamente de renunciar a las ilusiones que tenemos con respecto a la forma agradable en que la vida es supuestamente – aunque ese es un comienzo. A lo largo del camino, también significa que le debemos nuestras reacciones a los eventos de la vida, y no tenemos por qué culpar a otros por ello. Si queremos ser libres de figuras de autoridad abusiva o controladora que se enseñorean de nosotros, tenemos que elegir las acciones que vamos a tomar en seguida. Esto no incluye solamente las victorias y las alegrías que nos esperan, sino también errores, fracasos, desilusiones, dolor, además de los insultos que encontraremos. En general, el precio de la independencia puede ser que tengas que renunciar también a culpar.

Mientras te remontas a esa época en que por primera vez te estabas preparando para la vida adulta, es de mucho valor que recuerdes las decisiones independientes que hiciste, correctas o incorrectas, y la forma en que ellas te enseñaron lecciones en términos de lo que yo llamo las 3 As, las cuales son 3 definiciones primordiales y adicionales que van junto con independencia – Autoridad, Autenticidad y Autonomía. Estas 3 capacidades son de los recursos de empoderamiento más poderosos que puedas hallar: (1) Conocerte a ti mismo (Autoridad), (2) Ser tú mismo (Autenticidad), y (3) Escoger por ti mismo (Autonomía).

Las 3 As están ahí para validarte, por ejemplo en esos momentos en que necesitas decir que suficiente es suficiente, como fue el caso de la profesora que conocí, quien estaba en su derecho de cancelar independientemente las festividades o de celebrarlas a su manera.

En las semanas siguientes a nuestro encuentro en Chicago, recibí incontables cartas de otras personas que se sintieron igualmente reivindicadas de comprobar que no tenían que sufrir porque la Navidad se aproximaba. Muchos otros me dijeron que lo entienden porque los recuerdos de los momentos que tradicionalmente se consideran como felices por el resto del mundo, no fueron así para ellos. En todo caso, algunos no podían entenderlo y sugirieron que yo estaba actuando demasiado dramáticamente.

La revelación de esta lección para mi vida fue que, en todo caso, a veces renunciando a la Navidad – o su equivalente en tu vida – no va a complacer, impresionar o educar a otros que no entienden. No todos van a sentir tu dolor, aunque resulte que otra multitud de personas saben exactamente lo que quieres decir. Todo es parte del proceso, pero la verdad es que la totalidad de la humanidad tiene su propia versión de una miserable Navidad, celebración, cumpleaños, Valentine's, o Día de la Marmota, en alguna parte de su pasado. El regalo de independencia es que podemos cortar con ese cordón en cualquier momento. No tenemos que reinventarlo, ni para adornar su recuerdo, ni para hacerlo ver más presentable a las necesidades de otros; en lugar de eso tenemos el derecho de llamarlo "horrible", de aceptarlo por lo que fue, de abandonarlo y estar agradecidos de querer hacerlo.

También podemos despertar una mañana de diciembre y decidir que estamos listos para volver a encender las luces de la época y volver a instituir nuestro propio día de fiesta otra vez. Alguien que me encontré en un aeropuerto mientras esperaba un vuelo, me compartió esta historia. A los 15 años se fue de un hogar disfuncional, violento, y fue recibido por unos familiares lejanos que en forma lenta pero apropiada fueron adentrándolo en una atmósfera de amor, estabilidad y normalidad; aún en ese momento él contaba que se despertaba la mañana de Navidad y comenzaba a sentir alergia, siendo incapaz de recibir los regalos que le colocaban debajo del árbol destinados para él.

No fue sino hasta cuando tuvo la capacidad de desplazarse a lo largo del país para ir en busca de su carrera y vivir por su propia cuenta, como un adulto joven, que él y algunos amigos que vivían en su apartamento se reunieron y organizaron una "Navidad para huérfanos". Algunos en el grupo tenían sus familias en alguna parte, pero no tenían familiares que los invitaran a la celebración. Otros habían cortado las conexiones con su pasado y tenían experiencias que eran distintas a la suya. Cada cual llegó y trajo algo para aportar a la celebración. Él estaba sorprendido que aunque la comida no era espléndida en lo más mínimo, y que los regalos eran pequeños, sencillos y de poco valor, fue una de las experiencias más felices de su vida. Ahora era el jefe de una familia y me dijo que 30 años después ese mismo grupo, muchos con sus esposas e hijos, se habían vuelto a reunir para tener su "Fiesta de huérfanos" año tras año desde ese entonces.

Usando su ejemplo, la enseñanza que viene con esta lección es que la independencia te permite cambiar con el tiempo tu forma de pensar. Puedes rechazar una niñez miserable o un recuerdo doloroso y decidir no hacerlo parte de tu andar. También puedes reclamar tu derecho a la felicidad, a la camaradería, y a la comunidad, construyendo las celebraciones y la vida que realmente deseas. Dicho sencillamente: la independencia te da esas opciones.

LECCIÓN # 19
¡Sin prueba, no hay testimonio!
Palabra clave: CORAJE

Cada vez que me preguntan cómo fue que mi hijo y yo nos convertimos en indigentes, yo opto por la versión corta y comienzo por explicar los particulares acerca de mi rompimiento de mi relación con la madre de mi hijo, cómo fui enviado a la penitenciaría durante 10 días por infracciones de tráfico (¡Sí! Infracciones de tráfico) y cómo fui puesto en libertad para encontrar que mi familia y mis pertenencias se habían desaparecido sin dejar huellas. Fue en medio de una búsqueda desesperada tratando de localizar a mi hijo cuando me fui a vivir a una pensión de renta muy baja, que era todo lo que podía pagar en mi calidad de principiante en entrenamiento en el mercado del corretaje, antes que finalmente mi ex se apareciera con mi hijo una noche y dijera: "Aquí está". Como la pensión prohibía estrictamente niños, quedamos efectiva e inmediatamente indigentes. Desde entonces, como la situación se fue complicando, para hacer la historia más corta, simplemente sintetizo el resto diciendo: "Esa es la vida".

La mayoría de la correspondencia que recibo viene de gente de todas las edades que han tenido su propia experiencia de "Esa es la vida". Todas nuestras circunstancias varían dramáticamente, pero lo que tienen en común en nuestra terrible experiencia, es tener que pasar instantáneamente la prueba más difícil de todas – una que nos enfrenta cara a cara con nuestros temores, que nos deja saber quiénes somos y que revela si tenemos el coraje para permanecer con fe en los momentos más inciertos.

Podemos referirnos a esos capítulos de nuestra vida, como los rituales de transición que nos llevan a pasar de la incertidumbre y la inestabilidad, hacia territorios más firmes. Esta fue la experiencia de una mujer que conocí en un evento para firmar libros en la ciudad de Albuquerque en el estado de Nuevo México, quien describió su situación como esperanzadora, pero también de pruebas a todo nivel. Una madre soltera y trabajadora con dos niños que había asumido el sueño de ir a su "tierra prometida" como empresaria. Su meta actual era la de abrir un restaurante en Santa Fe. Ella resaltó que por coincidencia, un par de personajes de una musical llamada "Rent" surgieron en ese tiempo, personificando el mismo sueño que ella tenía y entonaron canciones que hacían referencia al tema de su situación personal. La ganancia para ella fue que encontró algo al respecto para cantar.

La ironía que compartí con ella fue que durante mi jornada de la indigencia hacia la tierra prometida, siempre tarareaba la tonada de "California Dreamin'".

Su observación fue que nunca se sabe lo que eres capaz de alcanzar hasta que te ves desafiado a averiguarlo. "Yo nunca hice planes para tener una carrera, solo quería estar en casa con mis hijos. Ese era mi anhelo", dijo ella. Cuando las cosas no funcionaron en su matrimonio, para ella fue como si le quitaran el piso: "Con 28 años de edad, no sabía cómo hacer algo por mí misma y me sentía perdida en la jungla". Su versión de "Esa es la vida" le enseñó de lo que ella estaba hecha, le ayudó a encontrar su fe y le mostró el coraje que ella no sabía que tenía. Ahora iba camino a abrir su restaurante en Santa Fe.

Su historia permaneció conmigo y me llevó a pensar en cómo muchos de nosotros, por distintas razones, llegamos a puntos de retorno en los cuales podemos quedarnos estancados en el mismo lugar, o buscar libertad, una salida, o un éxodo desde donde estamos hacia el destino que determinemos. Dadas las dificultades que muchos encuentran, incluyendo la crisis de la indigencia de cuello blanco que yo conocí bastante bien, perece que todos estuviéramos siendo probados, y que pudiéramos recurrir a una inyección de coraje, probablemente ahora más que nunca.

De todas maneras, como mi madre decía cuando se necesitaba coraje y la fe era probada: "Sin prueba, no hay testimonio". Esto fue sin duda inspirado bíblicamente, pero sacado de los procesos que ella misma tuvo que afrontar, pero que me enmarco en lenguaje secular para que yo pudiera entenderlo y aplicarlo; esto es, si no has sido probado y no tienes nada que decir o de valor para agregar a la conversación.

Por eso entendí cómo la jornada para empezar una nueva vida en Santa Fe, para esa mujer era una prueba de fe y coraje. Sus comentarios también me motivaron a dar un vistazo más de cerca al libro del Éxodo.

Hay muchas formas de interpretar la metáfora del exilio a la esclavitud, la liberación del pueblo de Dios del cautiverio y después la jornada del viaje a pie durante cuarenta años antes de tener la capacidad de cruzar el rio Jordán hacia Canaán, la tierra prometida. Para los afroamericanos, esa es la historia de la liberación después de cuatrocientos años de esclavitud. El paralelo incluye nuestro escape, no del faraón sino del amo, una jornada a pie para los que decidieron escapar siguiendo las estrellas del norte viajando por la ruta del "Underground Railroad" hacia la libertad. Se necesitó casi un siglo para que un Moisés moderno llamado Martin Luther King Jr., surgiera entre nosotros y nos liderara más allá del camino, hacia la igualdad económica y política.

El doctor King, desde la cima donde podía ver al otro lado y nos contó sobre su sueño – para que pudiéramos verlo y ser movidos a cumplirlo – en un discurso que pronunció para darle apoyo a unos trabajadores del campo da la salubridad que estaban en huelga, el 3 de abril de 1968 en Menfis, Tennessee. Muchos de nosotros conocemos una pequeña parte de este discurso, pero no todos conocen las circunstancias que rodeaban sus palabras. Esa mañana el doctor King había volado de Atlanta, en Georgia, después de un vuelo retrasado por la amenaza de una bomba, que hizo necesario el registro del equipaje – aunque el pequeño avión estuvo bajo vigilancia la noche anterior. Adicionalmente, el doctor King estaba preocupado por las manifestaciones de violencia ocurridas en la marcha reciente realizada en Menfis. Además estaba cansado. Por todas esas razones había decidido no ir al templo masón a llevar su discurso, pero cuando otros líderes llegaron y vieron la multitud que estaba reunida para escucharlo – muchos de lo que no cabían en el sitio y estaban amontonados afuera del edificio en medio de una tormenta – entonces convencieron al doctor King que su presencia era necesaria para ayudar a acallar el caos.

Desde el comienzo el enfoque de su discurso fue sobre la situación apremiante de los trabajadores de la salubridad, a quienes se les estaba tratando no mejor que a la basura, que estaban perdiendo sus esperanzas en la pelea por su dignidad y salario justo. El doctor King les pidió, no solo que tuvieran fe sino que actuaran en ella – que marcharan por sus derechos y no tuvieran miedo, aunque fueran atacados por los perros, mangueras, caballos, la multitud y cosas peores. Él admitió los tiempos temerosos que estaban afligiendo a cada uno:

"...el mundo está desordenado. La nación está enferma. Hay sufrimiento por toda la tierra. Hay confusión por todas partes... pero yo sé, sin embargo, que solo cuando está lo suficientemente oscuro puedes ver las estrellas. Y veo a Dios trabajando en este tiempo... de una manera en que los hombres, están respondiendo extrañamente – algo está pasando en nuestro mundo. Las multitudes de la gente se están levantando".

Hemos continuado, apoyándonos en pasajes bíblicos, juntando los espíritus en las marchas colectivas por la justicia y el respeto humano, recordándoles a todos qué tan lejos los ha traído Dios, e inculcándoles a todos en el presente la certeza que el Señor no los ha traído tan lejos para abandonarlos. Y solo al final del discurso, el doctor King se refirió a sí mismo diciendo lo agradecido que se sentía de haber sobrevivido a un apuñalamiento casi fatal unos años atrás, y la forma en que, a diferencia de otros atentados sobre su vida y de las crecientes advertencias, él decidió rechazar el miedo. El discurso termina:

"Bueno, yo no sé lo que pasará ahora; tenemos unos días difíciles en frente, pero realmente no es importante para mí en estos momentos, porque he llegado a la cima y no me importa. Como cualquier persona, me gustaría vivir una vida larga – ¡Bienvenida sea la longevidad! Pero no estoy interesado en eso ahora. Yo solo quiero hacer la voluntad de Dios. Y Él me ha permitido ir a la cima de la montaña, he mirado hacia abajo y he visto la tierra prometida. Puedo no llegar allá con ustedes, pero quiero que sepan esta noche, que nosotros, como un pueblo, llegaremos a la tierra prometida, Y por eso estoy feliz esta noche; no estoy preocupado por nada; no le temo al hombre. Mis ojos han visto la Gloria de la venida del Señor".

Al siguiente día, como él lo presagiara, el doctor King fue asesinado en Menfis, Tennessee. Pero él nos dijo lo que Moisés le dijo a sus seguidores, en esencia – "Yo no puedo cruzar a la tierra de leche y miel con ustedes, pero ustedes llegarán allá porque yo la he visto, y ustedes serán enviados allá si van hacia adelante con fe, no con miedo".

Con el paso de los años, he pensado en por qué el doctor King se comparó tan cercanamente con Moisés, quien en el libro de Deuteronomio subió a la montaña para morir en ella. Pero también me pregunto por qué a Moisés no le fue permitido cruzar el rio Jordán con sus seguidores. Después de buscar, encontré que la explicación tuvo que ver con una situación anterior en el éxodo, cuando Moisés perdió su fe. La gente estaba murmurando, molesta, con hambre y sed, y frustrada. Moisés se arrepintió de haber confiado en la provisión de Dios durante todo el camino. Cuando el Señor le dijo que le daría agua de una roca del desierto y él desobedeció la instrucción que recibió de Dios, la cual consistía en tocar la roca con su vara y hablarle. Moisés decidió que era una locura y justificó su ira, diciéndose a sí mismo que había hecho todo lo que se le había pedido y más; y ahora que veía que este viaje iba a tomar mucho más tiempo de lo que había previsto, se rindió ante su ira y su miedo pegándole a la roca. Bueno, de todas formas de la roca brotó agua para la gente.

Pero debido a ese incidente, Moisés tuvo que afrontar las consecuencias – que Dios continuaría con él en el camino a lo largo de la jornada, pero no se le permitiría cruzar hacia la tierra prometida. Moisés no estaba contento al respecto pero continuó de todas formas.

Para el tiempo en que llegó a la cima de la montaña, antes de cruzar el Jordán, algunos de sus compañeros desde el principio del viaje lo lograron, pues la mayoría de sus seguidores eran de nuevas generaciones que nacieron a lo largo del camino, no siendo esclavos sino caminantes sin hogar. Cuando Moisés les dijo que él no podía seguir y ellos entendieron que iba a subir a la montaña para buscar su paz y morir, ellos estaban llenos de tristeza y miedo. Pero él les recordó de las pruebas que habían pasado, de lo que les había enseñado y de cómo Dios nunca los abandonó y cómo les dio los recursos de sabiduría y fortaleza para construir las vidas que ellos soñaron durante todas las dificultades. Moisés los llenó de coraje para continuar.

Similarmente, el doctor King entendió el arco de su jornada y el papel que desempeñó, y siendo su último acto amonestó a todos lo que lo acompañaron, blancos y negros, gente de todas las religiones y orígenes, para que continuáramos adelante valientemente y con fe. Eso fue hace cuarenta años y aunque hemos dado enormes pasos, hay más trabajo por hacer para que el sueño del doctor King se realice aquí en América y alrededor del mundo.

Pero todavía podemos permanecer en hombros de la fe que nos ha traído hasta tan lejos y confiando en que si Dios no nos ha abandonado,

¿cómo podemos abandonarnos a nosotros mismos? Esa es la otra lección del Éxodo que he tratado de incorporar en la búsqueda de la luz aún en la oscuridad, la búsqueda esencial de la felicidad.

Si, un año de indigencia con un bebé a mis espaldas me permite testificar eso. La bondad y Dios se aparecieron en forma amplia y sutil. Fuimos bendecidos por cada persona de la iglesia de Glade Memorial con alimento espiritual y comida verdadera para el alma cuando tuvimos hambre, otorgada sin ninguna clase de juicio. Existía la oportunidad de esta carrera que yo estaba buscando y la fe en que yo estaba caminando en la dirección correcta. Hubo gente que silenciosamente nos sostuvo sin mirar si a cambio venía un cheque, al estilo de "Underground Railroad". Y hubo hasta un baño en una estación de transito, en donde pudimos dormir y estar seguros.

Hacia el final, cuando comenzó a ponerse oscuro dentro de mí, cuando la fe que me había guiado y dado fuerzas estaba siendo severamente probada, encontré recursos que no sabía que tenía, las cuales todavía hoy utilizo en el diario vivir.

En este período, corriendo del pilar al poste, hasta cuando llegué más cerca de la meta de establecerme en mi propio hogar, encontré coraje viendo los ejemplos de otros seres humanos, en las tiendas de abarrotes o en la calle; me sentía abrumado de tener todas esas dificultades con un niño de dos años y en crecimiento, mi maletín, la ropa, una bolsa con comida, y preguntándome cómo iba a lograrlo. Entonces vi a una mujer con una maleta del tamaño de un bolso, la ropa, una bolsa de comida, y dos niños. ¡Eso es coraje! Todo lo que pude decirme a mi mismo fue: "Si ella puede, yo también puedo".

La lucha está en nuestros genes. Estamos aquí en esta tierra para decidir la jornada de un lugar a otro mejor. La Biblia no nos dice eso, pero nos muestra que todo ha sido hecho antes por otros. La lucha no fue inventada para mí, para ti o para alguien en particular. Y podemos, ya sea seguir adelante en ella o dejar que el miedo nos controle.

Con coraje podemos pasar la prueba de nuestro éxodo y encontrar la fe que sobrepasa al miedo y nos empodera para dar testimonio de eso. A propósito, no existe un requisito religioso para lo que inspira o quien inspira tu fe, inclusive de acuerdo a la porción de la escritura que dice: "Ahora pues, la fe es la certeza de lo que se espera, la convicción de lo que no vemos". (Hebreos 11:1). Tú no tienes que creer en la versión de Dios de otras personas, sino en la tuya.

Como dice la canción: "lo que te ayude a atravesar la noche, está bien", lo importante es que superes es temor y encuentres lo que necesitas para seguir avanzando. En un nivel fundamental, a lo mejor es posible que tu fe venga de algo tan milagroso como la fuerza de tus pies, que son los que te llevan a la tierra prometida.

A medida que recuerdas cual puede ser tu éxodo, mira todo lo que has logrado avanzar y lo lejos que has llegado y llénate de coraje. Ahora permite que tú seas tu propio Moisés y sigue adelante.

MÓDULO TRES

· ·

MARTILLANDO SOBRE EL YUNQUE

"Aprendí el valor del trabajo duro, trabajando
duro".
Margaret Mead
Antropóloga, escritora, conferencista

INTRODUCCIÓN A LAS LECCIONES #20 A #29 LECCIONES PRÁCTICAS PARA TRIUNFAR

Mucho tiempo antes que la gente me preguntara cuáles fueron "mis secretos para el éxito", yo ya había llegado a la conclusión concreta que no existían tales secretos. Primero que todo, si el conocimiento, las herramientas y las técnicas para conseguir el éxito fueran tan secretos, ¿no significaría eso que solo unos pocos de entre nosotros podrían triunfar, mientras que los demás estarían destinados al fracaso? Y ese no es el caso. O por el contrario, dado que a la gente le encanta contar secretos, ¿no estaría ya todo el mundo enterado de esas fórmulas?

Bueno, todo esto es para decir que cuando vamos en busca de las formas para alcanzar el éxito, nos avergonzamos porque no sabemos ni dónde empezar. Podríamos apoyarnos en lo que ya se sabe acerca de los métodos que otras personas utilizaron para lograr sus metas – información que se consigue gratuitamente y por todas partes que miremos. También podemos utilizar lo que hemos aprendido como resultado de nuestra experiencia propia y con las lecciones de vida que nos han quedado a medida que hemos tenido que "martillar sobre el yunque" para lograr las metas, no solo en el pasado sino además las del presente.

Esto es lo que yo creo – que todo lo que necesitaremos saber para alcanzar nuestros mayores triunfos puede aprenderse con el sudor de nuestra frente y a través del conocimiento adquirido en el mundo del mercadeo. Esto es, por el sentido común más que por otra cosa, ya que la mayoría de nosotros primero interactuamos con la ley de oferta y demanda, vendiendo y comprando, y otras formas de mercadeo, mucho antes de independizarnos del hogar. Más que eso, muchos de nosotros comenzamos a buscar diferentes maneras de empleo desde la adolescencia y eventualmente continuaremos invirtiendo la mayor parte de nuestra vida despertando para ir a trabajar. Es obvio que en parte es para obtener un ingreso con el que nos pagan (o nos pagamos a nosotros mismos) por lo que hacemos. Pero en el amplio y maravilloso mundo laborar también continuamos con nuestro proceso formativo – a través del entrenamiento de LPL o La Práctica Laboral – y las lecciones que van evolucionando con nueva relevancia a medida que crecemos.

Mi fe en el valor del entrenamiento de LPL comenzó a surgir tiempo atrás, inspirado en una imagen que se quedo conmigo desde mi niñez, de un herrero sabio que trabajaba a la antigua, un comerciante en busca de la excelencia, trabajando afuera de su herrería, aprendiendo siempre, adaptando y dominando su arte, martillando sobre su yunque cuanto fuera necesario. Irónicamente, nunca conocí a alguien más que todavía siguiera desempeñando ese oficio para sostenerse, hasta que escuché acerca de Ralph Figlow de Pensilvania, quien primeramente llamó mi atención porque cría y entrena caballos campeones de raza Standarbred y tiene un bullicioso almacén que fabrica herraduras y otros productos ecuestres. Como herrero, Ralph ha llevado sus habilidades al siguiente nivel creando estatuas de hombres de metal, que son unas obras de arte, junto con piezas filosóficas y poemas que él compone para acompañar sus obras. Durante todos los años que yo admiré la imagen de aquel herrero noble y trabajador, Ralph Figlow resultó ser la personificación real – y el mejor ser humano.

La imagen del clásico herrero me ayudó a inspirarme en el concepto de las 5 Cs - claro, conciso, convincente, comprometido, y consistente – el cual nos recuerda que solo con compromiso y consistencia, se puede alcanzar el éxito. Nuevamente, no es un misterio que el éxito surge de martillar sobre el yunque sin parar, no hasta que hayas terminado, sino hasta cuando hayas dado lo mejor de ti. En el proceso encontrarás, como yo lo he hecho, que la felicidad no llega solamente por tener la admiración de los demás, ni por llevar al mercado lo que produjiste para recibir una recompensa, sino además en el acto del trabajo. El hecho de saber que estás dando tu todo, que estás dejando todo lo que tienes en el yunque, dándole con todo lo que tienes y un poco más, puede ser el más puro e inalterable sentimiento de gozo.

Ahora, es posible que te sientas desconcertado por esta verdad. Si podemos ubicar todo el conocimiento que necesitamos para lograr el éxito, tomándolo de nuestra experiencia propia y de los miles de años de lecciones en el mercado para alcanzarlo, entonces ¿por qué un gran porcentaje de nosotros cree que no es así de simple? Sospecho que una razón es que una parte del mercado dominante del último milenio se ha encargado de crear esa mentalidad. Mientras caigamos en el juego de pensar que no podemos mejorarnos a nosotros mismos, entonces esos que dicen tener un conocimiento privilegiado, se mantendrán en la cima.

Mi otra teoría acerca de por qué tenemos tanta dificultad para creer que todos tenemos el conocimiento necesario para ir en busca de la felicidad y lograr el éxito, se debe a que no hemos hecho el trabajo de definir esos términos por sí mismos, y esa no es tarea fácil. Miremos la Historia. Hace 235 años Thomas Jefferson y sus colaboradores escribieron el preámbulo de la Declaración de Independencia y sostuvieron ciertas verdades evidentes: "...que todos fuimos creados iguales y dotados por nuestro Creador con ciertos 'derechos inalienables' que entre otros son la vida, la libertad y..." obviamente, la búsqueda de la felicidad. Se deduce que vida y libertad no necesitan definición. Pero ese tercer concepto, sobre qué es exactamente lo que se persigue, ha sido motivo serio y hasta legal de discusión.

¿Es la búsqueda de la felicidad definida como la tarea de conseguir propiedades, posición y bienestar, como algunos dicen? ¿O es la protección de los derechos de los ciudadanos para trabajar tan fuerte o recursivamente como ellos elijan, para obtener cualquiera que sean los frutos de su trabajo, como ellos los determinen – en términos económicos, emocionales y/o intelectuales?

En mi lectura y compresión del sueño americano - el cual realmente ha sido adoptado por todo el mundo y ahora es el sueóo global - el derecho inalienable de ir en la búsqueda de la felicidad nos da la opción de hacer de nosotros y de nuestras vidas, lo que podemos, queremos y hacemos. También nos da el derecho de elegir lo que no haremos. En 1776 era intolerable y radical proponer que cualquiera que viniera de un origen particular de alguna forma pudiera pensar en el éxito. Actualmente, la sola palabra "éxito" parece casi pintoresca.

A lo mejor la razón por la cual la gente no quiere adoptar la palabra o lo que representa, es porque no quieren sentir envidia o inseguridad. O de pronto algo del resplandor asociado con la parafernalia que supone el éxito es rechazado. También es posible que nos hayamos vuelto cínicos con el énfasis materialista, prefiriéndolo por encima del aspecto emocional, por el cual esforzarnos principalmente. A lo mejor eso nos indica que cualquier definición de éxito no debería seguir implicando una referencia económica. ¿Qué pasaría si en lugar de eso, definiéramos el éxito como la cantidad de paz que generamos en una transacción o situación? Podríamos medir el éxito en unidades de buena reputación o en resultados que nos enriquezcan a nosotros y a los demás en forma no material.

Aunque voy a dejar a tu discreción la definición de éxito y de su verdadero significado para ti, voy a decirte francamente que en mi experiencia, las luces del éxito, no son el éxito. En lugar de eso, de pronto quieras tener en cuenta la definición trabajadora que me ayudó. Dicho sencillamente, éxito es el resultado que obtienes cuando aplicas lo que has aprendido en forma productiva y práctica. Explicado más potencialmente, creo que el éxito es el resultado de aplicaciones tácticas y estratégicas del conocimiento adquirido, en beneficio de las metas que se persiguen con pasión. Eso para mí no puede ser más real que en el mundo del mercadeo – uno de los salones de clase más importantes en el cual hemos aprendido las lecciones de vida que le han dado forma a nuestra vida. Puedes encontrar algunas definiciones interesantes haciendo preguntas acerca de aquellos que conoces y que parecen tener éxito. Hasta puedes preguntarles: "¿Qué haces? Y ¿Cómo lo haces?", dos preguntas que me iniciaron en mi jornada y que muchas veces me hacen.

Cuando he ido en busca de cómo otros explican su definición de éxito bajo sus propios términos, la diversidad de respuestas ha sido asombrosa. Tomé este correo electrónico que recibí de Alex, un caballero que llegó a este país como emigrante buscando una mejor forma de vida para sí mismo y para su familia:

"Cuando tuve la fortuna de venir a este país desde el este de Europa, trabajaba 24 horas diarias como aseador, taxista y lavaplatos; nunca pasé hambre pero si eso significaba comida para mis hijas, podía dejar de comer. Después de un tiempo me di cuenta que muchos de los negocios en los que trabajaba tenían poco mantenimiento en contabilidad y me ofrecí a ayudar. Antes de nada, estaba tan ocupado que tuve que contratar un asistente y mi compañía comenzó a crecer desde ese momento. Luego hice sociedad con una firma de tecnología para desarrollar software acorde a varias necesidades de los negocios".

¿Su secreto? "Trabajo duro". Él además definió su éxito como tener la habilidad de abrir puertas para los que estaban comenzando desde abajo.

También recibí una carta de Madison, de 24 años y graduada de la escuela de Leyes de la rural Arkansas. Fue la primera en ir a la universidad en la familia; ella siempre se consideró a sí misma como una persona con aspiraciones y tenacidad, pero había llegado a aprender que únicamente enfrentando sus retos ella descubrió su temple, y la profundidad de su deseo de convertirse en "una abogada de fama mundial" y no conformarse simplemente con un trabajo:

"Yo sé que probablemente no necesito escribirte para contar sobre lo difícil que es conseguir trabajos con el estado de esta economía, pero lo que he aprendido en mi 'búsqueda de la felicidad', es que si defino mis metas y soy fiel a ellas, me mantengo en marcha. Después de dos años de buscar trabajo, encontré uno de tiempo parcial temporal, el cual decidí adoptar como si fuera mi sueño hecho realidad. No sorprendentemente, me dieron más horas y una oportunidad mejor. Ahora parece que me han dado un tiempo completo y un contrato semi-permanente. Las condiciones no son las mejores, pero honestamente, ¡nunca había estado tan orgullosa de mi misma! De aquí en adelante, siento que no existen límites"'.

Para Madison, el secreto hasta el momento ha sido mantenerse en su yunque. Ella también estaba motivada por la oportunidad de inspirar a otras jóvenes de su familia a ampliar sus perspectivas. Su evidente entusiasmo iba a ser una fortaleza para ella en el mercado, sin importar qué habría de pasar.

Una definición inspiradora de éxito fue enviada por Darrell – de 34 años, padre de dos hijos, trabajando para el ministerio de educación de su ciudad en las áreas de ausentismo escolar y prevención de pandillas. Él hizo la descripción de sus metas, sin tener en cuenta lo que realiza en su trabajo:

"Puedes decir que soy un quebrantador de reglas porque rompería la regla en beneficio del mejoramiento de un ser humano. Hasta el año pasado no sabía exactamente lo que quería hacer. Ahora lo sé, trabajando con adolescentes de correccionales para jóvenes, hogares adoptivos, muchachos que han sido molestados sexualmente, violentados y abusados verbalmente, que tienen miedo de regresar a casa, sin hogar, con hambre o cosas peores... Trabajando con dos socios, tuvimos la idea de crear una línea de ropa que se financiara por sí misma para que podamos brindarles gratuitamente la mayor parte de orientación a los chicos. Desarrollamos un movimiento de jóvenes que comenzamos sin proponérnoslo, brindando consejería y ayuda, basados más que nada en el instinto y la buena fe, que a su vez, han producido en nosotros un sentido de dirección y propósito. No estamos en esto para hacer dinero sino pensando en salvar vidas, y si podemos hacer las dos cosas al mismo tiempo, ¡eso también haremos!"

Puede que Darrell y sus socios no hayan ubicado su empresa todavía en el mapa, pero ellos ya están contribuyendo a elevar el nivel dentro de su comunidad – y de la nuestra. Eso es éxito.

Alex, Madison y Darrell, no comparten las mismas metas ni vienen del mismo origen, pero cada uno ha encontrado su forma personal de poner en práctica en la mejor forma, la combinación de las enseñanzas sobre mercadeo que están propuestas de la lección #20 a la #29:

#20: Cada uno de ellos entiende la regla del trabajo arduo y valora el poder de la iniciativa.

#21: Como ellos tres, todos tenemos al poder de la confianza cuando apreciamos las fortalezas esenciales que son aprendidas o forman parte de quien somos.

#22: Para todo el que se atreve a retarse a si mismo, como Alex, Madison y Darrell lo están haciendo, el uso exitoso de las habilidades transferibles puede ser transformador.

#23: Como todos hemos aprendido acerca de las subidas y bajadas del mercado, la resiliencia es un ingrediente de vida o muerte. Esta lección es sobre cómo conectarnos a este recurso; ponerlo en uso requiere que entendamos lo que es.

#24: La educación continua sobre cómo conectarse al poder del mercadeo beneficia a todo el mundo, sin importar cuáles sean las metas o qué tan lejos estamos.

#25: El frecuentemente ignorado recurso de la autenticidad es el tema de esta lección para ellos tres y para todos los que estamos buscando un margen competitivo.

#26: Alex, Madison y Darrell dieron ejemplos excelentes de la disciplina y carácter que surgen del trabajo duro – una lección que siempre vale la pena revisar.

#27: En la misma forma en que ellos están expandiendo los usos de networking, todos debemos tener en cuenta por qué este es un recurso fructífero de mercadeo.

#28: Es refrescante recordar la importancia del enfoque, como lo veremos en esta lección.

#29: Como muchos de nosotros, Alex, Madison y Darrell trabajan con el deseo de utilizar el éxito para contribuir en beneficio de la comunidad.

Las siguientes lecciones enfatizarán que el único éxito que importa es el que elijas para ti mismo. Muy probablemente ya sabes lo que esto significa y a lo mejor ya has hecho tu jornada martillando sobre el yunque. En ese caso, las enseñanzas que siguen pueden ser algo que ya sabias desde hace tiempo. Aún así, nunca es muy tarde para volver a la base. De hecho, nunca es muy pronto.

LECCIÓN # 20
La ley del trabajo arduo no es un secreto
Palabra clave: INICIATIVA

Hubo un tiempo a comienzos de los años de 1980 en el que yo estaba convencido que en alguna parte del mundo existía alguien que tenía guardada una información privada que me daría la llave al éxito en Wall Street y yo estaba buscando ese secreto.

Dos años más tarde yo estaba sosteniendo esa llave en mi mano – literalmente. El proceso de llegar a ese pináculo incluía tener dos trabajos simultáneamente – uno como vendedor de suplementos médicos con el cual pagaba mis recibos; el otro empleo consistía en buscar la posibilidad de trabajar en corretaje, y me dio la oportunidad de hacer un curso acelerado de llamadas en frio, escabullírmele a los porteros, y analizar el juego de los números y las posibilidades mientras golpeaba a la puerta de cada oficina sucursal de todas las agencias de corretaje del área de Bay. Escuché negativas - que después valieron la pena - durante más de un año, antes de encontrar mi primera oportunidad, pero una vez que puse mis pies en la puerta como aprendiz en Dean Witter & Company, tan pronto como mi día de entrenamiento terminó, estudié ferozmente para lograr pasar el examen y obtener mi licencia de corretaje – una hazaña que coincidió con el hecho de convertirme en padre solitario y posteriormente indigente. Sin ningún margen para el fracaso, me puse la tarea de no hacer menos de 200 llamadas al día. Al mismo tiempo, otra parte del entrenamiento durante la práctica laboral, era deducir en dónde iba a dormir, cómo iba a pagar para que el cuidado de mi hijo fuera de calidad, y cómo alimentar y vestir a mi hijo pequeño y a mí mismo, dejando lo suficiente para proveer un techo debajo de nuestras cabezas.

Muchos, e inclusive todos estos esfuerzos, pueden parecerse a los que has hecho en tu vida o a los que harás en el futuro. En tal caso, todos sabemos que no estamos solos al tener que hacer malabares con muchos esfuerzos – ya sea que esto incluya ser principiante en un trabajo o buscar uno nuevo, buscar sitios donde pasar la noche, al mismo tiempo que buscar maneras de transportarte, y presupuestar las necesidades de subsistencia de tus seres amados y las tuyas. No altera tus circunstancias recordar que otros han pasado por cosas similares, aunque a veces eso puede ayudarte a continuar en la lucha. Y si te has olvidado del recurso más esencial, de la iniciativa, déjame recordarte que tiene que ser una de las primeras en tu caja de herramientas, porque si no, puede que ni siquiera puedas abrirla.

La iniciativa está disponible para todos, sin importar si fuimos a la escuela, ni las conexiones que tenemos o no tenemos cuando comenzamos a hacer cualquier intento.

Aunque tomó un año encontrar un trabajo y otro año de darle al yunque, con iniciativa y persistencia yo lograba sobrevivir a los errores de un principiante y conquistar lo básico. Fue entonces cuando finalmente alcé la vista y vi que había construido mi "libro" de clientes. Ese no fue un éxito que solamente validó mis esfuerzos, sino que en términos de dinero contante y sonante, por fin pude darme el gusto de volver a tener un lugar propio donde pudiéramos estar. Nuestro primer lugar de residencia, después de un año sin ninguno, fue el sótano de una casa en Oakland que yo había visto cuando pasábamos y encontrábamos las rosas que estaban creciendo en el frente de la casa. ¡Rosas en la vecindad! Estábamos en casa.

No fue el final de la jornada, solo el comienzo. Pero debo decir que después de nuestra primera noche de dormir allí, cuando Christopher Jr. y yo nos fuimos esa mañana, la pequeña llavecita de metal que me dio el dueño de la casa me hizo sentir como si yo fuera el hombre más rico del planeta, y que había cumplido la hazaña más grande de todas. Nada se compara a esa ocasión. Por primera vez en un año podíamos dejar nuestras pertenencias en casa, seguros que estarían allí cuando yo terminara de trabajar y recogiera a mi hijo en la guardería.

El solo sentimiento del peso de la llave en mi mano es algo que nunca olvidaré. Eso definió para mí la prueba innegable de una lección de vida que he conocido todo este tiempo – la primera y última del mercado – que la ley del trabajo arduo no es un secreto.

Puedes escribirla en tu brazo con tinta indeleble y en el interior de tu calavera. No te fallará. No importa cuál es tu meta presente o futura, cada vez que tomes la iniciativa de hacer de ti y de tu vida lo que quieras, y lo respaldes, estás en posesión de un conocimiento importante acerca de cómo triunfar en el mercado.

Existen otras reglas y requerimientos que aprender sobre cómo acaparar, comandar y asegurar tu mercado. Pero esta lección de vida ha sido la más crucial para mí a lo largo del juego, confirmando que Thomas Edison estaba en lo correcto – no existe substituto para el trabajo duro.

Si te parece que estoy insistiendo demasiado sobre lo que debería ser obvio, acerca de la importancia de esta primera regla de mercadeo, se debe a las muchas preguntas que escucho de la gente buscando un ángulo, cualquiera que sea para esquivar el hecho de levantar la dura carga que se necesita para cavar unas bases – y llegar al éxito rápidamente. Nuevamente, eso solo puede llevarnos de regreso a la tierra de la magia o de creer que alguien más tiene una formula especial que nos hace falta. Lógicamente que es un aliciente analizar las estrategias que han funcionado para otras personas – siempre y cuando no se conviertan en distractores que nos impidan hacer nuestro propio trabajo.

La mejor forma para optimizar la oportunidad para cada uno de nosotros, en mi opinión, no está en el repertorio de nadie más, sino en nuestro interior, y a veces requiere de repetición de memoria, prueba y ensayo, esfuerzo en las trochas, antes de darnos cuenta que, bueno, lo que sea que funciona, es específico para cada uno de nosotros.

Insisto, me gustaría ser un genio, crujir mis dedos y darle a cada uno su estrategia. ¡Yo la quería para mí! Y resultó ser la aplicación de esta lección. El trabajo esforzado fue necesario para comenzar, igual como fue necesario para forzarme a subir al siguiente nivel y fue similarmente aplicable posteriormente cuando fue el tiempo de reinventarme a mí mismo, y de la misma forma fue significativo cuando me forcé a buscar nuevas fronteras. En ninguna parte de mi desarrollo profesional el trabajo duro no ha sido esencial.

Durante una sesión de preguntas y respuestas en una reunión anual de una agencia de finca raíz, cuando las crisis hipotecarias estaban comenzando, un hombre muy bien parecido y bien vestido, en la edad de los 50s, se levantó y me preguntó: "Si usted estuviera pensando en cambiar de profesión en esta pesada economía, ¿cómo pensaría en atraer buenas posibilidades para lograrlo?" Francamente, tuve que sonreír. La realidad es que así sea que "buscar por todas partes" suena como una frase desgastada – ¡todavía funciona! No es que yo esté en desacuerdo con el uso positivo de la fuerza de la atracción. Pero sin una búsqueda activa de posibilidades, ese enfoque puede perfectamente funcionar lentamente. El mejor consejo que pude ofrecer fue uno que él ya había aprendido anteriormente en su carrera de la finca raíz – hacer el trabajo, dar el paso extra, y tener constancia. Mejor que atraer oportunidades, si él continuaba pensando así, pronto podría estar en el asiento del conductor y manejando el carro. ¡Iniciativa!

Toma un poco de ella y ponla encima de todo el menú. La iniciativa es prima hermana de la búsqueda. Es la que se sirve al desayuno, al almuerzo y a la comida también. La iniciativa te lleva a la cocina y a la mesa. O sea que si no tienes algo de reserva, ¡ve y consíguela ya mismo! Porque no va a haber nada más que cuentas, recibos, impuestos, muerte y problemas. Entonces debes decidir cómo quieres servir tu iniciativa.

Cuando piensas en tus esfuerzos en tu lugar de trabajo, así como en otras áreas de tu vida, puedes sorprenderte del papel que la iniciativa ha desempeñado en algunos de tus logros y que no te habías dado cuenta. ¿Qué me dices de esa actividad para recoger fondos de la escuela, que tú bondadosamente organizaste y que fue todo un éxito? ¿Alguna vez fuiste el abanderado de alguna causa en tu trabajo, y tuviste muy buena acogida para llevarla a cabo? ¿O qué tal el éxito de las manualidades que inventaste como regalos para otras personas? Lo curioso que ocurre cuando estamos comprometidos con algo en lo que hemos decidido hacer por nuestra cuenta, es que ni siquiera nos parece trabajo pesado. ¿No sería grandioso si pudiéramos utilizar esa misma naturaleza y capacidad para iniciar y tomar acción cuando estemos afrontando las enormes dificultades de entrar o reentrar al mundo laboral? Bueno, yo creo que podemos; los más exitosos lo hacen. Aún así, algunas veces dudamos para tomar la iniciativa.

Parte del problema se debe al miedo. ¿Quién se deleita en llamar gente potencialmente malhumorada? ¿Quién insiste ante una serie de negativas cuando te dicen que no hay vacantes en el momento? Y también está la resistencia que todos podemos sentir ante un producto para vender o la ansiedad que muchos experimentan acerca del mercadeo en general. Yo he escuchado que se dice que la búsqueda de un empleo es una de las mayores causas de estrés – a la par con tener un hijo, perder un ser amado, matrimonio, divorcio, enfermedad y cambio de residencia. Puede ser aún más estresante para individuos que, por varias razones, están regresando al trabajo después de haber pasado tiempo en otras áreas, o para quienes están cambiando de carrera en la mediana edad (aunque tendríamos que definir eso en estos tiempos). Comprensiblemente, ellos están preocupados por no poder sostener el estándar de vida que podían, y adicionalmente están compitiendo por posiciones más escasas con candidatos más jóvenes – que están dispuestos a trabajar por menos o que han tenido entrenamiento más reciente.

El miedo a lo desconocido es común a todos nosotros cuando nos exponemos a nosotros mismos al mundo exterior, en el mundo real, fuera de nuestra zona de comodidad, en situaciones donde de pronto sentimos que vamos a ser juzgados, criticados, posiblemente rechazados, y en las que no podemos controlas muchas variables que afectarían el resultado final. Saber eso me ha ayudado a entender mejor por qué uno de los desordenes de pánico más severos, es la agorafobia, literalmente traducida como "temor al mercado". Temor a no tener el control, a no tener la capacidad de escapar a la adversidad y a los eventos imprevistos, puede ser algo difícil para algunas personas – quienes procuran no abandonar sus casas y mantenerse retiradas de lugares públicos muy frecuentados.

Hasta para aquellos que no sufren de esas aversiones extremas a los lugares públicos, puede llegar a ser desgastante el hecho de salir a buscar trabajo, con sombrero en mano –preguntando si hay algo disponible para trabajar. Puede ser menos intimidante si sabes que te has preparado, asegurándote que todo lo que necesitas está a disposición – esto es, una hoja de vida actualizada y fácilmente accesible, tus páginas web y tus materiales de mercadeo al corriente – y asegúrate que en todo momento tienes disponible una tarjeta de negocio y algo con qué escribir, listos. Puedes encontrarme desnudo en una isla en el desierto, pero siempre tendré disponible una tarjeta de presentación y algo con que escribir ¡en alguna parte! Debes estar preparado.

Todas esas herramientas que te acabo de mencionar son para mantener tu trabajo en orden. De la forma en que respetas todos estos elementos industriales, en esa misma forma te respetas a ti mismo. El mundo laboral responde bien cuando mantienes tus materiales en buena forma y tus métodos bien ajustados.

La escueta y fría realidad es que el mercado no es tu amigo, ni está diseñado para ser amoroso, ni es una entidad para dar bienvenidas. No se interesa en ti y puedes anotarlo como otra regla. Cada vez que tomes el amplio paso de ponerte en línea de espera – con tus creaciones, ideas, tarifas, sueños y deseos – rara vez un vagón de bienvenida saldrá a recibirte con flores y chocolates. Tú puedes ser la estrella sin descubrir más increíble, pero no eres atrayente. De pronto eres el ser humano más merecedor y corajudo listo para ser la sensación, pero eso generalmente no es suficiente. Lo que sea que estás esperando conseguir o dar – amor, trabajo, contribución a una buena causa – el mercado no está interesado. Eso es a menos que tengas algo de interés o valor para ofrecer.

El trabajo duro y la iniciativa con seguridad te hacen destacarte. Cuando una recepcionista observa que ya has estado allí tres veces para cruzar unas palabras con la persona encargada de contratar, tus continuas apariciones pueden ser, por lo menos motivo de conversación. Similarmente, esos valores pueden ayudarte a calmar los nervios, y eventualmente logras tomar desprevenidos a los porteros para lograr entrar a uno que otro sitio de difícil acceso. La experiencia que viene de martillar sobre el yunque del esfuerzo, también puede conectarte con el conocimiento que puede ser de interés para los posibles empleadores.

Cuando yo era nuevo en mi trabajo con Dean Witter, la iniciativa y las formas creativas de martillar sobre mi yunque fueron lo que valió la pena. Eso significó en mi caso comenzar desde abajo – "sonriendo y al mismo tiempo contactando gente vía telefónica" – a medida que me refería al extenuante juego de la cantidad de llamadas en frio que me había propuesto hacer diariamente. Le di tan duro al yunque que mi dedo índice permanece doblado hasta el día de hoy.

En un viaje reciente a San Francisco, estaba en el distrito financiero cruzando una calle cuando una mujer joven me llamó por mi nombre. Ella me explicó que estaba apenas comenzando en el mundo del corretaje y solo quería saber algo: "¿Por qué doscientos?"

Yo sabía exactamente a lo que ella se estaba refiriendo. ¿Por qué yo me propuse ese número tan ridículo de llamadas mínimas diariamente antes que el reloj marcara las 5:30 P.M.? La razón verdadera, le expliqué, era porque "tenía hambre". Ese era el número más alto que podía imponerme para aumentar mis probabilidades. Requería que yo tuviera disciplina, economía en el lenguaje, movimiento continuo y afinar mis herramientas con las 5-Cs (Revisa la lección #1 para recordar). Acortando mi tiempo para el café, no tomando largo rato para ir al baño, abreviando las conversaciones innecesarias, yo fui el que mejor hacía el trabajo ubicado en el último peldaño de la escalera.

Esa es mi interpretación de trabajo esforzado – dar lo mejor en lo que sea que haces. Nuevamente, parece tan básico que suena como si estuviera recalcando lo obvio. Pero si realmente quieres destacarte en un ambiente locamente competitivo, en el cual eres parte de una estampida de miles o más personas interesadas en conseguir lo mismo que tú quieres, tus atributos más evidentes serán lo que te ayuden a destacarte.

La iniciativa fue lo que llamó la atención de Gary Shemano, un mentor importante durante mis primeros años en Wall Street. Un gurú de los negocios y el golf, gerente ejecutivo del grupo Shemano, Gary era un socio principal y gerente directivo de Bear Sterns & Company en San Francisico cuando lo conocí a mediados de la década de 1980. Con frecuencia lo vería en la oficina de Dean Witter visitando una de las mujeres de nuestro rango, quien yo asumía que era su agente de corretaje pero realmente en ese momento era su novia. Un día Gary se presentó y me dio su tarjeta de negocios. Cuando le hice seguimiento, lo primero que me dijo fue lo impresionado que estaba con mi iniciativa. Se decía que yo era el primero en llegar a trabajar y el último en salir de la oficina, y que yo observaba a los inversionistas más destacados para aprender cómo era que ellos manejaban todo lo que hacían. Se estaba refiriendo, obviamente, a mi seguimiento a Will Rogers, a quien le gustaba decir que él había ido a la escuela con cada hombre que en algún momento hablara con él.

Gary no solamente había notado la ética de mi trabajo, sino que la valoró lo suficiente como para ofrecerme trabajar con su firma. Con total franqueza expresó su sentir acerca del hecho que yo necesitaba ser dirigido en una forma que mis jefes actuales desconocían. Tan pronto como acepté su oferta, Gary inició su trabajo como mi mentor desde el principio, diciendo que había visto en mí mayor potencial pero que yo también tenía que verlo, y que había mucho trabajo por delante para mí. Aún así, me convenció que yo podía escalar a las alturas diciendo: "Este es tu tiempo para brillar, Chris Gardner, tu tiempo bajo el sol".

Como él hubiera dicho, la venta más fácil se le hace a otro vendedor. Cuando él me hizo seguimiento preguntándome cuánto me proponía ganar inicialmente, yo pensé en la cantidad mensual más alta que en ese momento se me podía ocurrir – cinco mil dólares. Él estuvo de acuerdo tan rápidamente que me quedó claro que podría haberle pedido una cantidad mayor, pero aún así, yo me sentía en la luna. Chris Jr. y yo nos mudamos a un apartamento muy pintoresco en San Francisco, cerca a una guardería espectacular y a una estación de bus justo frente a la puerta del apartamento.

Más tarde Gary admitió que tuvo que hacer mucho trabajo de persuasión para convencer a otro de los directivos de Bear Sterns - llamado Marshall Geller – sobre su apreciación, pues para él yo era una inversión sabia. Pero una vez que Marshall firmó, él también se convirtió en mentor. Los dos, Marshall y Gary, con estilos completamente diferentes, fueron integrales en mi desarrollo durante aquel tiempo y todavía continúan guiándome hasta el día de hoy.

Espero que tú también tengas tu propio recuerdo de un tiempo en el que el trabajo esforzado y la iniciativa te ayudaron a ganar alguna oportunidad que no estabas esperando específicamente. En situaciones así, debes haber aprendido algo parecido a lo que yo aprendí – que de vez en cuando, en lugar de ir tras de una oportunidad, esta viene detrás de ti a buscarte. Obviamente que eso ocurro solo cuando has estado preparándote bien. Y a veces, cuando has estado pegándole al yunque hasta el punto de sentir que todo es inútil y que es posible que tengas que cambiar tu estilo. En todo caso, todos adaptamos lo que sabemos hasta hacerlo más efectivo.

Lo primero que me retó en mi nuevo trabajo fue su enfoque para aumentar las posibilidades en el juego de los números, todavía con iniciativa pero añadiendo componentes de la eficiencia, B&D, networking e innovación. El mantra de Bear Sterns era "No trabajes más fuertemente, trabaja más sabiamente".

Cuando dejé Dean Witter, la compañía que me dio mi primera oportunidad y en la que aprendí las bases en una atmosfera de negocios tradicional y honesta, el movimiento a Bear Sterns fue un salto a una estructura de poder diferente, donde parecía que todos estaban trabajando en el máximo de sus habilidades. Gary Shemano me dijo desde el primer día que yo tendría que hacer también eso. Esto no es una "democracia", es una "meritocracia". Y luego agregó: "Estás en la NFL antes de tiempo. Agárrate fuerte".

Si encuentras que esta lección y sus variaciones son convincentes, toma la iniciativa de darte una oportunidad para brillar. Y luego, tú también puedes y debes agarrarte fuerte y empujarte hacia la excelencia.

Lección # 21
Enfoca tus fuerzas apoyado en el yunque
Palabra clave: CONFIANZA

Después de la iniciativa, la siguiente herramienta que tienes que estar preparado para sacar de la caja, afilada y lista para usar en cualquier situación, es la confianza. Para navegar efectivamente el mercado, la confianza es y debería ser el recurso para ponerte en marcha.

No hay duda que la confianza es uno de esos intangibles que puede llevar a la gente más allá de lo que las habilidades o la experiencia que se muestra en las hojas de vida indican que irían. Cada vez que escucho a individuos altamente exitosos describiendo la forma en que convencieron a alguien para que les diera la primera oportunidad de trabajo, con frecuencia ellos admiten que dañaron la entrevista o la audición pero que a pesar de eso despegaron porque existía algo especial en ellos – una fortaleza distinta que compensaba las debilidades – que los demás identificaron.

En cada circunstancia de la vida veo una confianza similar en cierta gente que todavía lucha para lograr sus aspiraciones, pero aún así irradian una seguridad que viene de adentro. Es un brillo en sus ojos, una expresión de curiosidad para aprender más, una disposición para hacer preguntas y escuchar, un nivel de compostura que está más allá de sus años y de su mundo de experiencia.

En contraste, también escucho de individuos que se sienten mortificados porque no logran concretar un buen trato y fácilmente harían una lista de las muchas veces en que su falta de confianza sabotea esas oportunidades, describiendo que lo que hicieron y dijeron fue equivocado, a mismo tiempo que se les olvidó decir y hacer lo correcto para causar una impresión positiva. Cuando viene una próxima ocasión y existe cierta incertidumbre – ya sea que se trate de una entrevista de trabajo, una cita ciega, una presentación a clientes potenciales, inclusive hasta un evento social que los saca de su zona de comodidad – ellos complican más las cosas preocupándose por su inseguridad.

Entonces, ¿de dónde viene esta cualidad intangible conocida como confianza? Esta es una pregunta que ha sido de gran interés para mí durante los años, a medida que observo individuos que son reconocidos con fama mundial en lo que hacen – cirujanos cardiólogos, maestros de Música y financistas internacionales que mueven y le dan forma a economías globales en solo un día de trabajo.

Cuando observas a esos individuos, notas que exhiben un nivel de confianza enorme, que pareciera más grande que la vida. Parecen tener un nivel de enfoque tan intenso que nadie más lo podría tener. Tienen presencia y control no solamente en su ambiente, sino en los escenarios cotidianos – caminando por una calle, haciendo una compra o parando un taxi. Cuando entran a un lugar, notas que se deslizan como tigres, como si estuvieran listos para saltar. Puede que no digan una palabra pero parecen dominar el espacio.

Tuve un tiempo en el que asumía que estos individuos súper-confiados eran de esa manera porque nacieron con una dosis extra de auto-confianza. Pero en mis conversaciones con muchos individuos que han mostrado niveles de expertos, esa presunción ha resultado equivocada y lo que he llegado a descubrir a través de esta lección específica, que propone que la fuerza puede ser apoyada en yunques cotidianos de todas clases, es que la confianza es definitivamente un recurso adquirido.

Entonces, ¿cómo se adquiere? Del sentido común básico y prestando atención, yo diría que viene de la práctica, de entrenamiento en tu campo de experiencia, y si, de darle al viejo y buen yunque del trabajo arduo en cualquier aspecto en el que quieras tener confianza. Cuando te sales de tu ambiente, un buen elemento de construcción para desarrollar tu confianza viene del derecho que te des para hacerlo. Cuando vas de puerta en puerta, por ejemplo, depende de ti el derecho para hacerlo. Como debes saber muy bien por tu experiencia, el negocio del mercadeo no se especializa en tender alfombras rojas de bienvenida a la gente, entonces tú debes creer que tienes algo especial para ofrecer, que te da la misma oportunidad de aceptación que tienen los demás, si no mayor.

La necesidad de empoderarte a ti mismo, debo agregar, fue primero hecha evidente para mí por mi madre – quien categóricamente insistió en que mi valor no estaba atado a pedigrís, títulos ni registros, sino que estaba arraigado en el centro de lo que yo era como persona. Por su ejemplo una vez más, yo vi que lo que ella traía consigo misma, junto con su sentido tranquilo de fortaleza y el poder de su presencia, eran mucho más impactantes que cualquier credencial. Alguien que también personificaba esa clase de confianza era mi amado tío Henry Gardner – el más joven de los hermanos de mi madre – quien murió en un accidente de un bote cuando yo tenía 8 años de edad.

El tío Henry no solo tenía autoridad. ¡Tenía el mando! No solamente era fuerte sino audaz, y hasta donde yo podía adivinar, me parecía que no tenía una sola célula normal. Como todo niño que se entristece por la ausencia de su padre, yo veía a mi tío Henry como la figura paterna más cercana en mi vida y me sentía inspirado por todas las fortalezas que admiraba en él – desde su presentación impecable y sobresaliente estilo personal, hasta el sentido aventurero que lo llevaba a ver paisajes y horizontes diferentes en sus viajes alrededor del mundo. Además del hecho que las mujeres se enloquecían por él, quien fue la persona que me introdujo en el mundo de Miles Davis. Henry Gardner era el rey del estilo.

Cuando él murió a tan corta edad, yo decidí continuar con la tradición familiar y desarrollar mi propio sentido de estilo tan lejos como pude. Con ocho años, la muerte era algo muy ajeno a mis preocupaciones. ¡Obviamente, yo iba a tener que buscar un medio de subsistencia lo suficientemente bueno como para sostener los gustos tan costosos que había desarrollado! No porque todos los que vayan en busca de una meta tengan que vestirse bien. Pero para mí se convirtió en un deber el hecho de mantenerme con la filosofía de otro héroe, el presidente John F. Kennedy, quien utilizó las palabras que dicen que no solamente es importante que hagas las cosas bien, sino que también tú debes lucir bien.

En el escenario mundial, lucir bien puede ayudarte a atraer la atención sobre la visión que tienes y sobre los negocios que haces. En el mercado, verse bien es una forma de proyectar confianza, si ese es tu interés.

Otra forma efectiva en la que puedes apreciar las fortalezas que no ves como tal, viene del uso de las tres As – Autoridad, Autenticidad y Autonomía – conociéndote a ti mismo, siendo tu mismo y eligiendo por ti mismo. En todo momento de mi crecimiento profesional, cada vez que estaba buscando oportunidades que me llevaban fuera de áreas de experiencia conocidas, las tres As me ayudaron a encontrar una medida de confianza que me ayudaba a relacionarme fácilmente con los posibles jefes, empleadores y clientes. En pocas ocasiones recuerdo que tratara de actuar como si supiera más acerca de algún tema de lo que realmente sabía, intensiones en los que no era muy bueno. Con el paso del tiempo he aprendido que decir: "No tengo una respuesta en el momento pero una de mis fortalezas es investigar y encontrar la gente más apropiada para proveer respuestas solidas a preguntas importantes".

Como novato en cualquier campo, obviamente, es típico creer que tienes que hacer maravillas para justificar tu día. Ahora, eso puede ser efectivo si realmente eres espectacular y puedes respaldar tu espectáculo con habilidad. Pero también puede ocurrir que exageres y además, en tu esfuerzo por demostrar que tienes las cualidades que crees que se necesitan, a cambio puedes estar dejando al descubierto tus debilidades. Como te diría un jugador de cartas experto, cuando dudes es mejor que administres tu juego con la mejor apariencia – o con las mejores cartas que tengas en tu mano para jugar.

Las tres As son útiles para evaluar tus cartas. Con el conocimiento que tienes de ti mismo, la facilidad de ser tu mismo y las elecciones que hagas para revelar tus asuntos, intereses y hasta pasatiempos favoritos, que no te han preguntado, tienes que hacerte responsable de cualquier situación desventajosa que resulte de eso. Esas habilidades únicas de pronto no están en la lista de la ayuda que están necesitando, ni en la descripción de las responsabilidades del ascenso que esperas obtener, pero cuando te presentas con confianza en otras capacidades, las personas pueden cambiar de opinión.

Recibí un largo correo de una joven mamá que estuvo retirada de su campo laboral por diez años. Ella me describió una serie de entrevistas de trabajo para una posición como secretaria en las que no le fue muy bien. Cada vez que le preguntaron si ella sabía cómo utilizar una clase particular de software o tenía experiencia relevante en el trabajo para el cual se le requería, ella trataba de explicar cómo sus habilidades como madre de dos adolescentes y un bebecito se podían aplicar. Nadie parecía estar escuchando. En su última entrevista en una firma de abogados, ella le dijo al director de recursos humanos que aunque ella parecía no tener experiencia previa o las habilidades deseadas para el cargo, "Yo sinceramente quiero este trabajo y sé que usted no va a encontrar a nadie que trabaje más duro, con mayor atención en los detalles, ni el deseo de hacer las cosas bien, mejor que yo". La confianza y sinceridad con las que ella hizo su enunciado se volvió dos veces más significativa que las cualidades que le hacían falta.

No estoy sugiriendo que vayas a cada entrevista laboral, reunión de negocios, o lugar de trabajo únicamente con la intención de promocionarte a ti mismo. Ni tampoco estoy diciendo que mostrar confianza significa ser fastidioso y prepotente. Literalmente, significa que actúes "con fe" – en ti mismo y en que los demás reconozcan que pueden contar contigo para hacer el trabajo, cualquiera que este sea.

Para aplicar esta lección y que puedas apoyar tus fortalezas en toda clase de yunques, tú tampoco quieres olvidar sobre esas metas que te producen ánimo. Piensa por un momento en algún pasatiempo o actividad que te apasionen y que generalmente anhelas. Puede no tener nada que ver con lo que haces para mantenerte – como mi amor por la moda – pero que activa tu nivel de confianza. ¿Lees vorazmente? ¿Te gusta escribir cartas? Puede ser tu sentido del buen humor, tu orden, tu amor por el postre de manzana que hace tu mamá, o el conocimiento que tienes de los oscuros episodios de "Star Treck".

Los constructores de confianza frente al mercado, viene de un remanente de cosas que sencillamente no hacen sentir bien. El viaje al gimnasio es una forma frecuente de activar las endorfinas y el bienestar. El yoga, he escuchado que es sorprendente para generar una sensación de compostura y confianza. De pronto salir a pescar en lancha o ir de caza al bosque te empoderan y animan. De pronto te sientes como multimillonario después de mandar lavar y brillar tu carro para salir a dar un paseo. ¿Bailas tango? ¿Eres fanático del tenis o del golf? ¿Te sientes en tu propio cielo durante el fin de semana cuando haces jardinería? Salir de compras me ayuda mucho, en mi caso personal.

Algunos pueden ver todas estas actividades como pasatiempos, pero que no nos digan a aquellos de nosotros que nos sentimos apasionados con estas cosas, cómo pasar nuestro tiempo libre ni cómo obtener confianza de esas actividades, las cuales nos son solamente una forma de pasar el tiempo después de un día pesado, sino formas de meditación para mucha gente que conozco, formas de ser creativos en sus propios espacios y con sus propios yunques. Muchos de mis colegas más ocupados, que trabajan en altos niveles de empresas, del gobierno, Medicina, Derecho, y en otros campos, no necesariamente el artístico, ¡se divierten cocinando! Podrían hacer festivales de comida para competir con los mejores chefs. La mayoría de ellos aprendieron lo básico en sus hogares, junto con lavar loza y restregar grasa de las parrillas de la estufa.

Yo una vez tuve el placer de ver a Quincy Jones – el legendario músico, compositor y director – cocinar una hamburguesa de pavo y lo hacía con la misma flama con la que desempeña su musicalidad – mezclando hierbas, condimentos, textura y color, con una precisión metódica en el detalle. Fue como ver a Picasso pintar.

¿Qué tal aquellos de ustedes que le dan al yunque decorando y diseñando el hogar? Cuando puedes convertir un lugar aburrido en un hermoso y acogedor ambiente, también es envidiable. ¿O que tal las personas que son muy buenas cuando se trata de arreglar cosas por toda la casa? He visto el trabajo del pórtico de la casa que algunos de mis amigos, que parecen hechos de fábrica. La felicidad que se encuentra en hacer algo que incrementa la energía y el bienestar es una área relacionada con aceptar retos en otros campos diferentes a lo que hacemos generalmente.

Moraleja de esta historia: la confianza es una fortaleza transferible. Cuando te sientes como un multimillonario, cualquier cosa que hagas para sentirte de esa forma, el mercado responde positivamente. Algo que comencé a hacer hace años – cuando me trasladé a vivir en la ciudad de Nueva York a mediados de la década de los 80s – es invitarme a mí mismo a que me lustren los zapatos cuando voy camino a hacer un negocio. Para mí, el sentimiento de brillar desde los pies hasta la cabeza genera una descarga de confianza. Se lo recomiendo a cualquiera que quiera acompañarme a seguirle las huellas a mi tío Henry – todavía el indiscutible rey de la moda en mis records. Puedes quedarte sin este serio problema que he desarrollado con respecto a lustrarme mis zapatos. Tampoco tienes que insistir, como yo lo hago, en que solo puedes usar zapatos que hayan sido lustrados el mismo día.

No mucho después que me fui a vivir a Nueva York y adquirí este hábito, fui en busca de un lustrabotas excelente y encontré el mejor en la calle 55 con avenida séptima. Por muchos años pensé que era mi secreto mejor ocultado, hasta que en el bello otoño del 2002, la persona que llegó y se sentó en la banca enseguida de la mía, era el tipo más increíble del planeta – el emperador de la diversión, Tony Bennet.

En la mitad de su séptima década de edad en ese momento, no había perdido ni un ápice de su buena apariencia personal, ni del carisma y talento que lo convirtieron en el rompecorazones entre los años de 1950 y comienzos de 1960. Mucha gente del público supo que él había como desaparecido dejando atrás sus éxitos de antaño casi al final de la década de los 60s. Lo que no todos saben es que en esos años, después de problemas maritales y financieros, Tony Bennet entró en un espiral decadente y casi muere en 1979 de una sobredosis de cocaína. Posteriormente, él mismo dirigió su increíble regreso, volviendo a apoyarse en sus fortalezas para pegarle al yunque – su pasión, estilo y musicalidad que le permitieron cantar lo que quisiera, darle su estilo y volverlo suyo. Con la ayuda de la producción y dirección de sus dos hijos, él regresó a la cima de las carteleras, conquistando premios musicales y brillando como la estrella que realmente él es.

No pude resistirme para iniciar una conversación con él sobre cualquier tema, ningún tema y todos los temas. Zapatos listos, brillando casi como el momento, antes de despedirme me di la vuelta y le pregunté a Tony: "Hombre, ¿cuándo vas a bajar el ritmo?". Sin perder un segundo me contestó: "¿Por qué tendría que hacerlo?"

¡Confianza, amigos!

LECCIÓN # 22
Los magos comienzan como herreros
Palabras clave:
HABILIDADES TRANSFERIBLES

¿Yunques? ¿Herreros? Debes haber pensado a lo largo de estas líneas algo parecido a lo que me han preguntado algunos de mis amigos y familiares: "Bueno Chris, ¿qué es toda esa conversación acerca de martillar sobre un yunque? ¿Cuál es tu fascinación con los herreros?"

Generalmente explico que ese hecho no es tan inusual que alguien que creció como yo, en una ciudad de acero como Milwaukee, en medio del zumbido de la industria por todas partes, con suficientes corrientes fluviales como para darle energía a los molinos, las fabricas de fundición y otros trabajos metálicos y de herrería. En mi mente, el herrero siempre ha sido todo hombre o mujer que representa la ética del trabajo fuerte que yo vi en la gente alrededor mío – ya fuera que trabajaran en la industria del acero o no. La actitud no era simplemente hacer el trabajo, ¡sino preferiblemente hacerlo, disfrutarlo y volverse un experto en el asunto!

Fuera de esa atmosfera, crecí con aprecio hacia los comerciantes y por los diferentes niveles de habilidades para trabajar. Esto era evidente no solo en los molinos sino en las industrias locales – como ladrilleras, cervecerías, acuñadoras, plantas de embutidos de carnes, y fabricas de automóviles. Cada lugar tenía su propia estructura y formas de producción, pero en general yo entendí que sin importar la habilidad en la que te especializaras, todo mundo tenía que comenzar desde abajo, familiarizándose con los tornillos y tuercas más básicos – para lograr convertir la materia prima en productos ensamblados. En ese medio de trabajo, podías mostrar eficiencia, ya fuera quedándote en un mismo puesto, o desarrollando una especialidad, ya que además ese podía ser tu mayor nivel de maestría alcanzado, aunque también podías avanzar diversificando y encontrando métodos de innovación, y eventualmente llegar a ser un experto.

Mucho antes que supiera lo que hace un herrero, varias de estas industrias me permitieron conocer los pasos necesarios para alcanzar la maestría que podía lograrse, independientemente de los esfuerzos. Eventualmente, también descubrí el medio por el cual es posible llegar a dominar un arte: las habilidades transferibles. Antes que yo conociera esa expresión, esa era la capacidad que ya estaba usando para alcanzar mis metas diarias.

A medida que comencé a ver que el conocimiento y las habilidades se pueden transferir, no solo en el mundo laboral sino en las etapas del crecimiento en general, finalmente decidí que era tiempo de hacer un sondeo sobre las pautas que se deben conseguir para obtener la maestría en el arte de la herrería. Para ser principiante, aprendí que se requiere adquirir eficiencia en el uso de tres herramientas necesarias en el oficio: 1) el horno o caldera en el cual se funde el hierro o metal para darle forma. 2) el yunque sobre el cual martillar el hierro o cualquier otro metal para darle la forma o las dimensiones deseadas. 3) algo para martillar y darle al metal. Se quieren otros pasos: aprender dónde y cómo obtener el metal; saber sobre metalurgia y aleaciones; analizar la composición de los elementos; estudiar la química de los cambios de temperatura que se necesitan para cambiar la estructura molecular del metal; calcular el impacto físico del golpe del martillo de acuerdo con su tamaño, la fuerza y la velocidad. Todo esto es antes que e herrero pueda poner sus productos al mercado y promocionar su excelencia.

Aprendí otro aspecto que fue todavía más interesante para mí, en el interés por conocer sobre el tema. Parece ser que excepto el siglo pasado, el herrero era considerado como el artesano más importante de la ciudad, y el más integral en el mercado que todos los otros comerciantes. Sin los productos fabricados con el metal que el forjaba en su yunque, todas las formas de transporte, construcción y comercio se detenían. Ni siquiera los caballos podían caminar sin sus herraduras "de buena suerte" bien montadas por el herrero. No era una casualidad que en la mayoría de las plazas de la ciudad el taller del herrero ocupara el centro del mercado. Todos los vendedores, compradores, viajeros, comerciantes, mercaderes, gente de la alta sociedad y también plebeyos, se detenían donde el herrero para solicitar sus servicios, para actualizarse en los rumores, actualidad, y la temperatura. El herrero se prestaba para el mismo servicio que el barbero de la esquina, el cantinero, el cual consistía en dar consejos.

Todo eso elevó mi simpatía por el herrero y su yunque. Haciendo una reflexión más profunda, resultó ser que esa imagen que guardé también pudo ser inspirada primeramente por los libros de mitología griega y romana que devoré cuando era niño. De algún lugar que conservo en mi memoria, recuerdo que en los mitos el herrero era el comerciante principal de los dioses y el que les daba mantenimiento a sus caballos, siendo dotado con poderes mágicos. Resultó que en "The Sword in the Stone" y otras historias del rey Arturo y los caballeros de la mesa redonda, Merlín era un herrero y al mismo tiempo un mago. Moraleja de la historia: quienes aspiraban a ser magos que querían transformar el metal en espadas poderosas, tenían que trabajar largo tiempo y bastante como aprendices. No avanzaban para alcanzar la maestría sin primero pasar largo tiempo aprendiendo lo fundamental, martillando sobre sus yunques.

Aunque yo sabía esto intuitivamente, realmente no reconocí la importancia o el valor de la lección sobre las habilidades transferibles, hasta que fui un aprendiz bajo la enseñanza de los magos de Wall Street (los "Maestros del Universo", como eran conocidos durante los años 80s) que fueron mis mentores. Verdaderos maestros como Gary Shemano, ocasionalmente me hacía tomar un inventario más cercano, acerca de lo que ya había aprendido, antes de abordar algo nuevo. Por ejemplo, si yo iba a ocuparme de clientes con estrategias de inversión a largo plazo relacionadas con planes de retiro, Gary se aseguraba que yo tuviera todo el marco de referencia necesario para hacerlo. Bueno, en ese caso me acuerdo de un trabajo en un hogar de ancianos y estudié de cerca los intereses de sus familias. De hecho, mientras revisaba mi historia laboral, por primera vez estaba agradecido por la variedad de experiencia que podía ser aplicada a mis esfuerzos de tener éxito en Wall Street.

Esta revelación me inspiró para inventarme una forma distinta de presentar mi hoja de vida, la cual generalmente solo lista los nombres de los empleadores, el cargo desempeñado y la descripción de las responsabilidades relacionadas con el trabajo específico. Mi idea era presentar más como una hoja de trabajo que pudiera resaltar el conocimiento obtenido, las habilidades en el mercado, y las lecciones de vida que pudieran ser útiles en otras áreas y cargos. Es una idea que he estado utilizando para mí y que recomiendo para alguien que está enfrentando una curva de aprendizaje muy aguda en un campo de acción nuevo. Como herramienta para una entrevista de trabajo – esta no es algo que le entregues a un prospecto de empleador – ya sea que estés haciendo la contratación o estés esperando ser contratado; esta hoja de vida con tus habilidades transferibles es buena para resaltar las habilidades que podrían ser inadvertidas.

Observa mi versión de una hoja de vida que puedes utilizar cuando necesites o quieras resaltar tus habilidades transferibles, He incluido mi historia laboral hasta antes de ir a Wall Street y puedo asegurarte que cada parte de ella ha sido validada a medida que he ido ascendiendo en mi campo de trabajo – del estatus de herrero aprendiz de lo básico, hasta recorrer todo el camino que me llevó a ser un experto.

Campo y cargo	Responsabilidades y Sueldo	Lecciones de vida	Habilidades transferibles
Negocio de Restaurante Lavaplatos	Recoger los desperdicios. Salario mínimo.	Es necesario empezar en alguna parte. Si renuncias, debes ser diplomático o no recibirás tu último cheque.	Respetar siempre el trabajo de personas que ocupan las posiciones menos agradecidas.
Hogar de cuidado de ancianos Camillero	Desocupar los utensilios con desechos y cuidar a los ancianos. Salario mínimo.	La gente siempre está en necesidad de respeto, cuidado y amabilidad.	Si aprendes de los mejores, te volverás de los mejores. Funcionamiento y procedimiento clínicos.
Siderúrgica Trabajador siderúrgico	Cargando el puerto, mantenimiento. Con sindicato y con beneficios.	Las mejores prácticas significan que todos ganan, cuando realmente todos ganan.	Martillar sobre el yunque. Relaciones laborales y administrativas.
Armada de los Estados Unidos Campo médico	Entrenamiento naval y clínico, servicios hospitalarios, cuidado de heridas, transporte de pacientes, asistente de cirugía, vigilancia. Sueldo militar con beneficios.	La iniciativa y la excelencia aumentan la demanda de tu trabajo. Además: "Alístate en la Armada y conoce el mundo" puede significar que conozcas solo Carolina del Norte.	Organización del tiempo, respeto por la jerarquía, las reglas y los superiores. Protocolos médicos y científicos. Cómo usar el sentido del humor en casos de vida o muerte.
Industria de transporte Vigilante nocturno	Seguridad de barco naval retirado. Pago por hora bien remunerado. Tiempo parcial en VA.	Cuando hay ratas no negocies con queso.	Cómo conocer tus límites.

Campo y cargo	Responsabilidades y Sueldo	Lecciones de vida	Habilidades transferibles
VA Hospital Director de laboratorio de investigación.	B&D en laboratorio, en la supervisión de pruebas científicas; coordinación de personal; anotar datos y resultados de los análisis en los reportes científicos. Pago por subvención de resultados.	Toda la confianza que necesites viene con el conocimiento de lo que haces. Este mercado pagará excelentemente por eso.	Cómo ser líder y seguidor al mismo tiempo. Trabajos internos en los campos institucional, médico, y científico.
Distribución de suplementos médico/ científicos Representante de Ventas.	Ventas externas. Salario más comisión.	Ama lo que haces o encuentra otra cosa que ames hacer.	La importancia sobre las herramientas del comercio y bases en la oferta y la demanda.

Cuando haces esta clase de inventario, no solo para obtener un trabajo en un nuevo campo, sino además cuando estás tratando de ascender en él, este tipo de documento te ubica en el lugar que te encuentras con respecto a tus metas. ¿Necesitas forzarte a subir al siguiente nivel? ¿Necesitas mejorar para lograr más eficiencia? ¿Vas demasiado rápido? Esta última pregunta es importante para que analices el ritmo que llevas, porque si estás demasiado apurado o de afán, eso puede significar que tengas que repetir o re-aprender alguna lección más adelante, lo cual llegaría a ser muy costoso en términos de oportunidad, de dinero, y principalmente de tiempo. Después de todo, siempre es factible ganar dinero, pero no siempre se puede ganar más tiempo; en cuanto a las oportunidades, no siempre se repiten.

Cuando seriamente decides que estás listo para subir al siguiente nivel pero te sientes intimidado o inseguro por las habilidades que te faltan, considera esto que aprendí de Gary Shemano no mucho después que comencé a trabajar con Bear Sterns. Gary me enseñó muchas cosas pero ninguna fue tan transferible como su observación sobre cómo sobreponerme al sentirme intimidado cuando contactaba gente poderosa e importante. La clave, me dijo, está en nunca sentir miedo de llamar a alguien a quien consideres más grande que tú – siempre que tengas algo que pueda interesarles.

Me dio este consejo por la época en que yo estaba tratando de contactar a Nelson Hunt por teléfono a Texas. Mi meta era establecer un dialogo que resultara en una relación de negocios. Los Hunt supuestamente estaban intentando posesionarse del mercado de la plata, y mi meta era competir por una porción de la transacción de corretaje que prometía ser inmensa.

Yo lo sabía junto con los demás en el mercado, ya que no era un secreto que los Hunt estaban comprando. Y en la misma búsqueda, todos llegamos al mismo lugar: ninguno.

Entonces un día, por ninguna razón en particular, lo llamé y le dejé un mensaje relacionado con una compañía llamada Holly Sugar sin esperar que algo distinto pasara. Más tarde durante ese mismo día, mi asistente interrumpió una reunión de ventas para decirme que el señor Hunt estaba en la línea telefónica ¡esperando por mí!

Después que corrí para atender la llamada, la primera cosa que me dijo con su grueso y marcado acento texano fue: "¿Es usted Chris Gardner? ¿Me llamo para algo relacionado con azúcar?"

Establecimos un dialogo y aunque no llegué a hacer negocios con él, puse el consejo de Gary en práctica y funcionó, porque yo tenía algo que era de interés para él y que nadie más le ofrecía. Valió la pena porque de ahí en adelante, cada vez que me sentía inseguro de ir tras los individuos más importantes, detrás los cuales están todo mundo, yo hacía mi búsqueda para encontrar algo de interés que ojalá nadie hubiera propuesto todavía. De este modo, la habilidad para conectar con individuos considerados como imposibles de contactar por teléfono, se convirtió en la mayor habilidad transferible que utilizo hasta el día de hoy. De hecho, poco tiempo después que tuve éxito para contactar al señor Hunt por teléfono, pude contactar a J.R., otro petrolero de Texas que recibió mi llamada por accidente – pensando que yo era alguien diferente. En esa misma conversación telefónica, él terminó comprándome cincuenta mil acciones de "cualquier cosa que me hayas llamado a ofrecerme", sin verlas. A cincuenta centavos de comisión por unidad, fue una ganancia de $25.000 dólares para mí. Esa fue la transacción más grande que hice hasta ese día, para no mencionar el significante impulso que eso significó para mi clasificación en la cartelera general de la empresa.

La lección "Los magos comienzan como herreros", puede aplicarse no solamente para empujarte a ti mismo cuando estás listo para ir al siguiente nivel ascendente, sino también para que analices cuándo necesitas disminuir el ritmo. Eso fue lo que aprendí a través de uno o dos despertares rudos, recién llegado a vivir en la ciudad de Nueva York, lleno de mí mismo y listo para triunfar al máximo, pero resultó ser que todavía tenía cosas fundamentales por conquistar antes de estar listo para el éxito.

En la medida en que apliques esta lección y utilices tus habilidades transferibles, no dudes en preguntarte en los diferentes puntos, ¿donde realmente te encuentras en el camino a seguir para lograr ser un experto? Si estás comenzando, tienes que saber que el tiempo que inviertes como el herrero, valdrá la pena pronto y posteriormente, a lo largo del camino. Y si has alcanzado el estatus de un mago, en lo que sea que haces, no te olvides de mantenerte unido a las bases que aprendiste en el comienzo, porque de pronto ese puede ser el secreto, después de todo.

Lección # 23
¿Eres lo suficientemente audaz como para devolverte a lo básico?
Palabra clave: RESILIENCIA

En medio de todas las angustias financieras y económicas que hemos presenciado en tiempos recientes, soy un firme creyente en la resiliencia del mercado. Lo que es más importante, creo igualmente en la capacidad de resiliencia que yace en cada uno de nosotros – como esta lección lo enfatiza.

No hace mucho estuve en un evento social organizado por algunos colegas y amigos del sector financiero, muchos de los cuales enfrentaban crisis personales y financieras que no habían experimentado antes. Fue fascinante escuchar cómo para algunos era la mejor época, pero sin embargo para otros, la peor. Algunos brindaban por nuevos proyectos y otros ahogaban las penas.

Ahora, yo debería resaltar que no soy un hombre bebedor. Esa fue una decisión que tomé a corta edad porque a medida que crecía, presenciaba la influencia destructiva que tenía el alcohol sobre mi padrastro, lo mismo que en otras personas de mi comunidad. La elección de abstenerme del alcohol – no como un abstemio sino como parte de quien decidí ser – ha tenido sus retos, pero principalmente me ha dejado unos dividendos positivos. En el mundo de los negocios, en el cual las reuniones y las celebraciones de tratos con frecuencia se realizan con bebida, me ha puesto en ventaja varias veces por ser la única persona en la mesa que está sobria al final de la noche. También me ha ayudado a agudizar mi habilidad para escuchar – lo cual nunca es una mala cosa.

Entonces allí estaba yo en aquella fiesta de coctel, posiblemente la única persona sin beber, cuando escuché una voz de molestia de alguien totalmente desconocido para mí, que estaba expresándome su enfado conmigo por haberle causado renunciar a su trabajo ¡para ir en búsqueda de su felicidad!

En lugar de quedarse en el campo financiero, cuando la industria estaba comenzando a cambiar, este sujeto decidió reinventarse a sí mismo y hacer algo como lo que dijo: "trabajar en un mejor campo". El problema era que se le había hecho más complicado que cualquier otra cosa que él hubiera afrontado anteriormente. Por allá en los antiguos buenos tiempos, durante la rebelión de las ratas, él tenía un cargo administrativo y gerencial en una firma nacional de contaduría, ganando mucho dinero. Ahora se había colgado su propia soga al cuello ayudando organizaciones sin ánimo de lucro en el mantenimiento de sus libros, y había comenzado a hacer sus propios esfuerzos para recolectar dinero para un programa de entrenamiento, trabajando con individuos afectados por la pobreza y los bajos niveles educativos. Él no podía creer la cantidad de obstáculos que le aparecían por el camino. "¿Y sabes que es lo difícil?" preguntaba. Y antes que yo pudiera decir una palabra este hombre comenzó a decir que había leído en alguna parte que si comenzaba a dar de sí mismo a los demás, sería más feliz. Hasta el momento, decía él, se le había vuelto más difícil que lidiar con los más extenuantes auditores de impuestos del gobierno.

"¿Quieres volver a ser un gerente administrativo?", le pregunté, no estando seguro si él realmente quería que yo dijera algo o si solo quería renegar. "¿Qué? ¿Y dejar abandonado mi sueño?" Me contestó con risa. ¡Y después con un ademanes de borracho, me abrazó y me dio las gracias!

Resultó que por duro que él estaba trabajando, con menos dinero y tiempo del que había trabajado jamás, la autonomía de dirigir su propio espectáculo era más satisfactoria que todo lo que había hecho previamente. Su queja, y era válida, era que, en muchos aspectos, cuando él decidió convertirse en un empresario e intentarlo por su cuenta, fue forzado a regresar al paso uno, y comenzar por lo básico por lo cual ya él había pasado desde hacía años atrás.

Entonces fue mi turno para agradecerle. Su historia me capacitaba para reconocer uno de las lecciones más críticas de mi carrera en el mercado. Viene con la siempre útil pregunta que puedes hacerte, cada vez que estés viendo cambios o un camino para crecer en distinta forma - ¿Eres lo suficientemente audaz como para devolverte a lo básico?

No pasa un día en que no escuche de distintas clases de personas que intentan buscar un consejo sabio para emprender su propio negocio o responsabilidades mayores. Las tres preguntas más frecuentes que escucho relacionadas con esto son: 1) ¿Qué lo hizo pensar en comenzar su propia firma? 2) ¿Qué fue aquello que lo ayudó a construir una empresa multimillonaria habiendo comenzado en su apartamento y con una inversión de tan solo diez mil dólares? 3) ¿Cuánto tiempo le tomó antes que se diera cuenta que iba a lograrlo?

Mi respuesta a la primera pregunta me lleva de regreso al momento en que dejé San Francisco y me fui a la ciudad de Nueva York – y tenía la misma explosión mental, y esa ráfaga espacial de energía para despegar igual a la que sentí la primera vez que entré a Wall Street. Ya no se trataba de pensar: ¡oh este es el lugar donde quiero estar! Ahora mi enfoque era aprender de los Maestros del Universo que gobernaban Wall Street con fuerzas flameantes en la década de los 80s, y entonces eventualmente yo podría aprender de su conocimiento para trabajar y hacer lo mío. En alguna parte de mis ensueños estaba la visión de tener mi propia firma – con mi nombre en la puerta y todo – debió cultivarse previamente. Pero por toda razón práctica, sabía que una meta de ese tamaño tendría que esperar hasta más adelante.

Mientras tanto, comencé a ver esta inmensa galaxia de oportunidades que solo pocos innovadores intrépidos estaban persiguiendo. Ahí era donde realmente quería estar. Además vi posibilidades para avanzar en la curva financiera y para perseguir metas y mayores fuentes de inversión que se habían intentado pero no a la escala en que yo las preví.

¿Estaba yo listo para intentarlo y probar? ¡Claro que no! Eso fue, hasta ese día, el impacto con el cual me había motivado.

Aunque debí verlo venir, no lo vi. Ahí estaba yo, una estrella naciente, trabajando para escalar en Bear Sterns, pero en lugar de seguir las instrucciones de la compañía promoviendo los paquetes que estaba encargado de vender, tenía ideas más grandes. Administradores de dinero independientes, hombres y mujeres intermediarios, estaban dominando en el campo de la inversión institucional y de las estrategias del manejo de capitales para los fondos de pensiones y similares. No había razón para que yo, como corredor de bolsa, no pudiera competir con los administradores de capitales y trabajara directamente con clientes institucionales. O eso pensé. Además del hecho, me había dado cuenta que mi empleador no se complacería con mi sueño de reinventar Wall Street, ni con el viraje del programa de la compañía. Entonces cuando mi supervisor me despidió por no ceñirme a la política, yo le contesté: "Puedes despedirme. Voy a ir a ver a Ace".

Ir a ver a Ace Greenberg, el presidente de la legendaria Bear Sterns & Company, la que en esos días era la sociedad privada más rentable de Wall Street, era el equivalente de ir a ver a Dios. Como Dios no estaba allí ese día, el gran y majestuoso Ace estaba encargado. Lo encontré en el lugar favorito de su empresa, de donde apareció y me invitó hasta su oficina, donde me escuchó. Estuvo de acuerdo con mi visión – y pasión – pero al final tuvo que respaldar a su gente en los mandos medios. "No puedes servir a dos señores", fue su conclusión fundamental. Ese fue el trato. Pero cuando me mostró la puerta, no la cerró completamente, diciéndome: "El camino es largo".

En el momento, sentí como si hubiera sido exiliado del único hogar que tenía. Solo posteriormente entendí el regalo que eso significó. Hoy pienso en Ace Greenberg como el primer ejemplo de alguien que es, tanto un herrero esforzado que nunca ha dejado de martillar sobre el yunque, como también es un verdadero mago. Es más, es bien sabido que en su tiempo libre Ace se entretiene martillando su yunque, trabajando en sus talentos como mago amateur. De lo que puedo decir, la palabra amateur es un término equivocado.

Para no quitarle importancia a la realidad, déjame referirme esa vez en 1987– ¡o en algún momento! – en que me despidieron. Ser despedido molesta. Pero a la misma vez puede ser una bendición. En mi caso, no solamente fue la forma en que tuve que dejar de posponer (lección #6) cuando se trató de abrir mi propio negocio, sino que también fue el momento de mi vida para proveerme con una lección necesaria y adicional sobre la resiliencia.

De pronto has tenido la oportunidad de tener acceso a este recurso por ti mismo. A lo mejor recuerdas cuando te quedaste sorprendido de qué tan resiliente realmente eres. O qué tan dispuesto has estado a regresar a lecciones que hayas aprendido anteriormente. En el otro lado del aspecto de la resiliencia, a lo mejor te hayas sentido derrotado al tener que comenzar otra vez, de reinventarte nuevamente, o de cambiar tu forma de vida. En cada uno de esos escenarios, muy posiblemente te viste forzado de tener que elegir en qué dirección dirigirte. Pudiste optar por salirte, despabilarte, y retornar al camino por el que ibas. O pudiste retarte a ti mismo a ir en la dirección de James Brown, de "Papa Got a Brand New Bag".

Después de una memorable búsqueda espiritual, yo elegí la ruta más audaz e incierta para hacer el cambio. Yo podía haber escogido trabajar en otra compañía y ajustarme a sus políticas, pero en lugar de eso decidí lanzarme por mi propia cuenta.

Esto me trae a la segunda pregunta que me hacen con mayor frecuencia, relacionado con la forma en que fue posible comenzar un negocio en Chicago en el ambiente de negocios tan competitivo de Wall Street, con solo una inversión de diez mil dólares. Por un lado, yo no sabía que eso no se podía hacer. Ignorar es una dicha. Adicionalmente, yo traía conmigo la recursividad que surge después de casi un año de indigencia, siendo padre soltero y empezando mi carrera a la vez. Si algo me preparó para soportar los días que venían por delante, fue esa experiencia y muchas de las lecciones de vida aprendidas durante el proceso, que se volvieron esenciales en el inicio y la supervivencia para sostener mi firma.

No obstante, necesito hacer una claridad para los empresarios que están pensando lanzarse solos – como el tipo que embriagado se quejaba acerca de los obstáculos no advertidos – que es decirles que después de todo el entrenamiento recibido, escogí el peor día en la historia, para abrir mi negocio. Mi primer día en el mercado no fue otro que el 19 de octubre de 1987, alias "el lunes negro", exactamente el mismo día que hubo una baja de 508 puntos, en forma tan devastadora que el mercado se tambaleó mundialmente.

Puedes decir todo lo que quieras con respecto a que la adversidad construye el carácter, pero esa no era mi idea de un buen comienzo, pero ahí estaba yo. Entonces, martillando sobre el yunque, con el arrume de tarjetas de negocios y un teléfono, me recordaba a mi mismo las viejas lecciones, que la caballería todavía no ha llegado (Lección #3), y que los pasos de bebe cuentan (Lección #5). Tan escaso como yo estaba con mi capital de inicio, que me había sido dado por uno de mis mentores más generosos, muy pronto me estaba quedando casi sin nada. Era tiempo de contactar a otro inversionista en potencia. En el día de nuestra cita, por razones que no recuerdo, se me olvidó una de las reglas de mercadeo más importantes: ser puntual. Irónicamente, desde hacía años tenía por costumbre llegar antes de la cita, al punto que a veces exageraba.

Para mi propio disgusto, y el de mi prospecto de inversionista, llegué a su oficina veinte minutos tarde. Él hizo lo que yo hubiera hecho en su situación: no me atendió. Me dijo: "Hijo, si no puedo confiar en que llegues a tiempo, tampoco puedo confiar en que hagas decisiones a tiempo con mi dinero". Desde ese día en adelante, he usado un reloj de pulsera en cada mano para asegurarme que nunca se me olvide la importancia del tiempo, ni las bases que son tan importantes ahora como lo fueron cuando comencé.

No solamente eso, ahora es un hábito estar extremadamente temprano – quince minutos como mínimo – a las citas. He descubierto que la gente en lo posible prefiere verte más temprano de lo planeado y como veo que funciona muy bien, ahora me adelanto treinta minutos cuando sé que tengo una cita, porque todo ese tiempo extra me da más opciones para conectarme con las personas, ya que a veces quieren contarme acerca de sus aspiraciones, sin afanes ni ansiedad – simplemente poniendo en práctica otra lección que nos enseña a hacer amigos antes de necesitarlos.

Pero como nada de eso era así para mí en la época de aquella famosa cita, entonces llegué muy tarde a la reunión. A ese punto, yo estaba muy desesperado. Como mi hijo de cinco años y mi bebecita estaba con unos familiares mientras yo arreglaba el lugar para poder vivir y establecer mi negocio en un solo sitio, tenía todo el incentivo del mundo para organizar todo y que pudiéramos estar nuevamente juntos. El fracaso no era una opción. Si significaba que tenía que administrar y ahorrar bien el dinero, lo haría sin problema. Si significaba que me mantendría comiendo avena, estaba dispuesto. Además, ¿quién necesita comida cuando puedes hervir agua y hojuelas de avena? Pero luego, cuando las cosas comenzaron a complicarse, llegué a mi casa y encontré en la puerta una orden que dejaba en claro que si en el transcurso de cinco días no pagaba, me echarían a la calle.

Bueno, ya había manejado situaciones difíciles en las que el dinero en efectivo era bien escaso, entonces no estaba preocupado. Pero antes que pudiera llamar a alguien para hacer algunos movimientos y compras, mi línea telefónica fue desconectada. Solo quiero recapitular - hay una orden de cinco días para pagar o salir de mi casa, no hay comida real, ni sueño, la cantidad de avena está disminuyendo, ¡y me acaban de desconectar el teléfono!

Este era el mejor momento, como yo le llamo, para "pensar rápido". ¿Un corredor de bolsa sin teléfono? ¿Cómo funciona eso? ¡No funciona! Para pensar rápido, tuve que ir a mi biblioteca mental de recursos, mirar ampliamente todos los recuerdos y ver algo que hubiera aprendido antes, o algo que hubiera escuchado que alguien hizo en una situación similar.

En ese proceso, me acordé de haber escuchado una historia por allá cuando estaba en Dean Witter y uno de los más respetados corredores de bolsa que se llamaba Gary Abrahams me dio unas pautas fantásticas. Como él era la personificación de la audacia, me motivaba a comenzar mi propia carrera con el solo hecho de verlo entrar por la puerta, con su actitud de mando y llamando la atención sin ni siquiera decir una palabra – simplemente con un una sonrisa desarmadora, su contacto de ojos, su perfecta afeitada y su excelente presentación y arreglo personal.

Habiendo hecho muy buen trabajo con Dean Witter, Gary fue enviado a finales de la década de 1970 a comenzar el negocio en el área de Las Vegas. En lugar de colgar un aviso en la puerta de su oficina y esperar a que los clientes vinieran a él, o de ir detrás de clientes que ya estaban trabajando con otros agentes, Gary hizo algo mucho más audaz. Para un agente de su experiencia calificada altamente y para la mayoría de agentes, era algo que ni se había visto hacer. Él notó que en los suburbios de Las Vegas estaban construyendo casas de un millón de dólares, que en ese tiempo era una fortuna. Entonces él decidió ir a conocer a los dueños de esas casas de puerta en puerta. Nadie al nivel de la experiencia y antigüedad de los corredores de bolsa iba de puerta en puerta, pero Gary Abrahams lo hizo.

En lugar de ver eso como algo que solo un principiante haría, o como algo que lo degradaría, Gary se puso su mejor vestido azul, con su aspecto como si fuera un multimillonario, y se fue a martillar sobre el yunque golpeando en las puertas para presentarse a los dueños que acababan de mudarse a sus nuevos hogares. Nunca me olvidé de aquella historia y de cómo Gary les estrechaba las manos y les daba su tarjeta de negocios explicándoles: "Yo soy nuevo en esta ciudad con Dean Witter y no sé si en algún momento pueda servirle, pero conserve mi tarjeta por si es el caso, y si puedo asistirlo en cualquier forma, me encantaría hablar con usted". Eso, eventualmente lo llevó a obtener una cantidad masiva de negocios en Nevada.

Mientras recordaba esta experiencia años después de haberla escuchado, no había duda en mi mente que tenía que afrontar el problema de no tener mi línea telefónica, de la forma más audaz posible, siguiendo el ejemplo de Gary Abrahams. Primero, me puse mi mejor y único vestido azul, y luego me fui a golpear de puerta en puerta. En Chicago, en época de invierno y sin citas previas. Fui y me aparecí en las oficinas de todo contacto posible que tenía en mi lista y todos escasamente me daban la bienvenida. Finalmente conseguí un plan de retiro en la oficina de un director de fondos, luego revisé las opciones de crecimiento con los administradores de fondos de pensiones en un par de presidencias y hacia el final de ese episodio, fui a ver algunos de los principales en la ciudad de Chicago, que estaban abiertos para lo que mi nivel de experiencia podía ofrecerles. Cada reunión fue productiva y concluyó con negativas y requerimientos para que hiciera seguimiento dentro de algún tiempo, más adelante. En lugar de avergonzarme por tener que explicarles a algunas personas que me llamaron, que me habían cortado la línea telefónica, había mejorado mis posibilidades visitando personalmente a mis clientes potenciales. Nadie pareció pensar menos o distinto acerca de mí por aparecerme y golpear a sus puertas, nadie más en Wall Street estaba haciendo eso, entonces yo iba adelante en el juego.

En el transcurso de un día, la astucia y la aplicación de lo básico valieron la pena, dándome tiempo en los intermedios para hacer lo posible para recuperar la línea del teléfono. El negocio comenzó a construirse lentamente y pronto estaba afuera y marchando. La resiliencia ganó ese día.

Regreso de aquel día al presente por un momento. Imaginas mi reacción cuando voy caminando a dar unas firmas después de terminar un discurso, cuando de repente veo a Gary Abrahams. Un poquito mayor, mas canoso, aunque ya estaba retirado pero era inconfundible, excepto que esta era la primera vez que lo veía sin su traje, aún así se veía igualmente majestuoso. Como la gente se amontonó, finalmente tuve la oportunidad de expresar mi gratitud públicamente por lo que él me inspiró veintitantos años atrás – no sin derramar una o dos lagrimas de gozo – como también Gary.

La moraleja de esta historia y de estas lecciones de volver a lo básico, es que el mercado rara vez es indiferente a la audacia. Además me recuerda que los éxitos más apreciados son aquellos que demandaron más de nosotros de lo que pensamos que teníamos para dar. Y en ese punto, debería finalmente contestar la tercer pregunta con la que inició esta lección - ¿Cuándo pude respirar más fácilmente y creer que este comienzo mío iba a tener éxito a final de cuentas?

Bueno, tengo que decir que decir que el hito más interesante para mí fue como después de dos años de estar intentando construir mi negocio, cuando compré mi primer fax. En esos días, ese artefacto se estaba convirtiendo en una de las herramientas del comercio tan importantes, que todo mundo la convirtió en un verbo. (En inglés) Más y más yo escuchaba cosas como: "¿Me puedes enviar el fax del contrato?" o "Te envió mi información vía fax" y yo también caí en el uso del fax para siempre.

Una vez que traje ese juguete a mi oficina, cada vez que escuchaba ese sonido electrónico, celebraba. De hecho, a medida que mi equipo crecía, celebrábamos y yo era el que más alboroto hacía. Ese ha sido uno de los pilares de mi negocio a medida que ha ido floreciendo – que celebramos juntos las victorias grandes y pequeñas.

¿Cuál es tu versión del fax? ¿Qué hito te hace saber que estás progresando? Si no viene a tu mente fácilmente, recuerda otros hitos que hayas celebrado anteriormente. Para mi deleite me acordé del poder del fax, la vez que recibí una carta no hace mucho tiempo, de un hombre que me conocía desde cuando él trabajaba conmigo en "The National Association of Securities Dealers". Él había estado colaborando en una de mis primeras auditorias – otro de los hitos de mi naciente empresa – y se acordaba de "los libros y los records amontonados contra la pared", y de cómo cada vez que el fax sonaba, yo me dirigía a él y a sus compañeros señalándoles que había entrado otro fax, diciéndoles: "¿Escucharon eso? ¡Ese es el sonido de dinero entrando!" Lo que me dio la sonrisa más amplia y la mayor carcajada de risa fue que él regresó a casa esa misma noche y le dijo a su esposa que él tenía que venir a trabajar para mí, porque indudablemente el negocio me estaba funcionando muy bien.

Ese es el poder de un hito que marca el éxito, no solamente para ti sino para otros. Es cualquier cosa que te permita tener tu versión de Kool Moe Dee y preguntarle a todos: "¿Cómo les parezco ahora?" Es cualquier cosa que te haga cantar "Halelujah" y "Gloria a Dios" en tu propio estilo.

Hasta el día de hoy, me rehúso a renunciar al fax de mi oficina. A veces, cuando logro grandes metas y tratos que se cierran, me conocen por tirar hasta confetis y bailar en los andenes.

Tú también puedes. ¡Y no te olvides de hacer una procesión! ¿Por qué no? Oh, y hay una asesoría que debería añadir acerca de cómo conectarte con el poder de la resiliencia, usando una de las tres As – Autonomía. La capacidad de decidir por ti mismo. Mi objetivo en ese caso fue sencillo: Ser mi propio jefe en un negocio que amo. Fue algo que me gusta tanto hacer, que lo haría gratuitamente (y que hice por un tiempo). Y debería decir que estoy de acuerdo con quien haya dicho: "No eres un empresario hasta que no tengas que pagar la nómina de tu propio bolsillo".

Donde sea que te encuentres, si eres lo suficientemente audaz y resiliente para devolverte a lo básico, probablemente estés listo para intentar dirigirte hacia donde nunca has llegado antes. Si estás considerando la posibilidad de hacer un viraje en la dirección menos difícil para ti, mi consejo adicional es que, para hacerlo a tu manera, en tus términos, requiere que reconozcas que tienes que involucrarte; no solo estoy hablando de involucrar tu dinero, sino tu energía, pasión, gozo, sueños y deseos. ¿Estás dispuesto a hacerlo a largo plazo, entendiendo que el éxito va y viene, que estarás arriba y abajo, animado y desanimado? Con el vaivén de la marea, ¿estás preparado para ser constante a tu propia persistencia oceánica, listo para ser tu propia marea que baja y sube, viene y se va, moviéndose hacia adelante, devolviéndose solo para volverlo a intentar, una y otra vez, y otra vez, y otra vez? ¿Así de audaz eres?

LECCIÓN # 24
La oferta y la demanda no son nada del otro mundo
Palabra clave: MERCADEO

Todo mundo está vendiendo algo. Esa es otra regla frívola del mercadeo que existe desde que se inventó el lenguaje. Probablemente tú eres bien consciente de esa verdad, pero es importante analizarla nuevamente, aún más si te diriges a enfrentar una nueva meta o inclusive, una nueva actitud. Si no lo aprendiste cuando estabas creciendo, ni has estado en contacto con los mensajes de mercadeo en los medios de comunicación, o decidiste quedarte fuera del caldero, puede que haya llegado a ti de todas formas. De pronto fue un despertar rudo o como algo que habías escuchado pero que te parecía difícil de creer. O pudo llegar como la reconfirmación de algo que ya sabia. Cualquiera que haya conseguido parte de su educación en las calles, sabe la regla al derecho y al revés. Desde los altillos de la vecindad donde yo crecí hasta los andenes más peligrosos de las grandes ciudades, en Wall Streeet, hacia arriba y hasta debajo de la Quinta Avenida y en los Campos Elíseos, las leyes de la oferta y la demanda no son nada distintas – todos tienen su negocio. Cuando digo "negocio", no estoy refiriéndome a cualquier acto ilegitimo para despojar a alguien de algo, o para tratar de venderle cosas obligadamente a otra gente; me estoy refiriendo a trabajar duro para proveer lo que sea que has conseguido legítimamente para ofrecer lo que cada uno tiene– bienes, servicios, simpatía, intimidación, religión, política, información, esperanza, motivación, retos y así sucesivamente.

Permíteme repetirlo, y esta vez tenlo por seguro: "Todos tenemos algo que vender". Esa es la esencia de esta lección: "La oferta y la demanda no son cosa del otro mundo". Eso tiene implicaciones desde la cuna hasta la tumba y contesta muchas preguntas acerca de cómo comportarte con respecto al mercado – ya sea que estés comenzando o que ya pertenezcas al grupo de Forbes 400.

Lo que vendes puede ser, con frecuencia es, interesante, revolucionario y único – una idea, visión, sueño, o la solución práctica y transformadora de algún problema urgente. Hasta la santa Madre Teresa, quien dedicó su vida para sanar y levantar al necesitado, al enfermo sin hogar, tuvo que convertirse en una excelente vendedora para conseguir fondos y despertar consciencia por una causa que era mucho más grande que ella. La Madre Teresa tuvo que ponerse su mejor vestido azul e ir a golpear puertas para decirle a otros por qué era necesario e importante contribuir con su causa.

Su historia comenzó a interesarme cuando me enteré que su camino a convertirse en beatificada por la iglesia Católica – como santa Madre Teresa después de su muerte – comenzó durante sus primeros años de vida en Albania, cuando hizo la elección de servirle a Dios como misionera. Para encontrar lo que ella llamó "el llamado dentro del llamado", ella viajó miles de millas con varias paradas antes que llegara a Calcuta y pasando por un año de indigencia. A través de ese proceso recibió un permiso del Vaticano para establecer su propia misión. Desde esos comienzos la Madre Teresa comenzó con trece miembros de su propia orden en India. Establecida en 1950, se convirtió en una obra de caridad mundial con más de seiscientas misiones que hoy son escuelas, hogares, orfanatos y hospicios, que les sirven a los ciudadanos más necesitados del mundo. Para hacer de eso una realidad, ella también tuvo que ser una mujer de negocios.

Como recolectora de fondos, la Madre Teresa tuvo que saber exactamente lo que estaba vendiendo para llamar la atención de los prospectos de contribuyentes – clara y concisamente – pero principalmente, tuvo que encontrar algo asombroso que motivara a la gente acerca de su causa. Ella supo cómo trabajar a favor de los pobres y necesitados. Pero también supo explicar por qué valía la pena que sus contribuyentes le ayudaran en su causa. Pero para hacer eso, como en todos lo relacionado con el mercado, ella tenía que conocer su público, así como todos tenemos que aprender a hacerlo, independientemente de nuestras metas.

La Madre Teresa lograba su trabajo hablando con frecuencia acerca de la historia sobre cómo el presidente de una compañía multinacional vino a decirle que estaba interesado en comprar una propiedad en Bombay para ella. Pero primero le preguntó: "¿Madre, como consigue usted su presupuesto?" Su respuesta fue preguntarle quién lo había enviado a hablar con ella.

Él admitió: "Sentí una urgencia dentro de mí". La Madre Teresa le contestó: "Si, ya otra gente como usted ha venido a verme y me ha dicho lo mismo. Es claro que Dios lo envió en la misma forma en que envió a los otros y ellos han provisto los medios materiales que necesitamos para hacer nuestro trabajo. La Gracia de Dios es lo que lo ha movido. Usted es mi presupuesto".

Este ejemplo es un recordatorio, que te muestra que aún si tú no estás vinculado con ninguna clase de ventas o mercadeo especifico, tú estás vendiendo algo. Y si tienes el titulo de vendedor o vendedora, no deberías pedir disculpas por lo que haces. Toda meta necesita mercadearse, así sea a ti mismo. Esa regla ha sido impuesta en la fábrica de la sociedad. Todos estamos vendiendo algo. Tú vendes, yo vendo, o como mi mentor, Marshall Geler dijo una vez – "Si no estás vendiendo algo, ¡entonces no estás en el juego!"

Déjame agregar rápidamente que por las leyes de oferta y demanda, si todo mundo está vendiendo algo, entonces también todo mundo está comprando algo. Si no, como todos sabemos, la vida llegaría a su fin y el mundo dejaría de girar sobre su eje. La aplicación es que entre más practiques tanto la compra como la venta, mejor vendedor te vuelves. Viceversa. Entre más reconozcas lo que te agrada como comprador, mejor sabrás lo que tienes para ofrecer como vendedor, es decir, qué tienes para tus clientes.

Retrocediendo a mis días de llamadas en frio, una de las cosas que aprendí fue a no tratar de convencer a alguien para que compre algo que no quiere tener. En lugar de eso, mi B&D consistía en saber lo que mi cliente potencial ya estaba comprando. Por las normas de la oferta y la demanda, pude incrementar la posibilidad de hacer una venta siguiendo el simple adagio – "Véndeles lo que ya están comprando".

Puedes hacer toda clase de piruetas para darles a conocer a tus clientes de la calidad de tu producto, pero si estás vendiendo naranjas y ellos están comprando manzanas, tú estás en desventaja, así que consigues unas manzanas y así si tendrás la opción de negociar. Pero espera, ellos están comprando productos de alguien más, ¿por qué tendrían que comprar tus manzanas y no las de tus competidores? Entonces vas al pozo de tus recursos y valores para ver qué más puedes ofrecer como suplemento y esperas que puedas obtener una parte de su compra de manzanas para ti. Mi tío Joe iba un paso adelante, enseñándome que si hacia amigos antes de necesitar amigos, ellos serian los primeros en probar tus manzanas.

Hay una segunda parte de esta lección, que es lo que aprendemos sobre oferta y demanda, sobre qué hacer con todas esas manzanas que tienes para vender. La pregunta que quieres hacer es: ¿Quién ya está comprándolas? Una vez hayas contestado eso, necesitas averiguar dónde están los compradores de esas manzanas. Esa es la otra clave de oferta y demanda – tú debes ir a donde están los compradores. Te levantas y vas donde están comprando lo que tienes a la venta.

Entonces, como puedes ver, la oferta y la demanda no son un asunto complicado. Excepto que ahora sigue la aplicación de esta lección al mundo real. En los primeros días de haber iniciado mi negocio propio, estas leyes no eran tan específicas. De una parte, era solamente yo compitiendo contra otros nombres establecidos y conocidos, entonces, ¿qué tenía yo para ofrecer a individuos que nunca habían escuchado mi nombre? Comenzaba con lo que tenía en mi mano – mi nombre – y después le agregaba otro nombre ficticio que tenía su apariencia propia, de hecho, tomé prestado el apellido de uno de mis héroes en el negocio, Mark Rich. Sin conexión alguna con él, el resultado era ¡Gardner Rich & Company! Para mí, esa combinación daba el aspecto de ser una compañía establecida y clásica, pero alegre. Afortunadamente, nunca alguien pidió hablar con mi socio.

El reto más grande en términos de oferta y demanda fue que Gardner Rich & Company (yo) tuvo la loca idea de mejorar el bienestar de individuos y comunidades desatendidas – que incluían inversionistas afroamericanos, propietarios y administradores de negocios pequeños, educadores, miembros de sindicatos, y empleados del gobierno. El propósito de eso era cultivar un mercado que crearía demanda. Todo se reducía a educar a los encargados de tomar decisiones a nivel institucional sobre la razón por la cual ellos me necesitaban más que a los vendedores y las firmas de quienes estaban comprando. En esos tiempos, los individuos con el poder de cartera que supervisaban los fondos de pensiones pasaron a manos de los administradores financieros - los intermediarios – quienes a su vez lidiaban con los corredores de bolsa y los analistas de inversión. Yo pensé que era beneficioso para los compradores eliminar los intermediarios y comprar directamente de nosotros los corredores de bolsa que estábamos comerciando directamente, por un par de razones. Mi experiencia era una razón, pero la que era mi razón todavía más importante, era porque me importaba. Mi conexión personal con maestros, trabajadores de sindicatos, minorías y organizadores de comunidades, tenía que ver directamente con mi origen. Por mis acciones y por la forma de comunicarme, ellos entendieron que su negocio era importante para mí.

De pronto has enfrentado una situación similar en la que tus productos son muy similares a los de la competencia y alguien de otra compañía está rivalizando a la par contigo para obtener el mismo cliente, trabajo u oportunidad. ¿Qué te da el margen para ganar cuando cada uno es bueno con lo que ofrece y hace? A ciertos niveles de diferentes industrias, con frecuencia ocurre que cada una es calificada y goza de buena reputación. La mayoría del tiempo, aunque no siempre, el margen de victoria es para quien más muestre que le importa su cliente potencial o el negocio en cuestión. ¿Pero cómo sabe el cliente a quién le importa más? ¡Mercadeo! Para abrir puertas en Chicago es necesario sobreponerse a la actitud de "No me traigas a nadie que no haya sido enviado por alguien".

Afortunadamente, la idea de no hacer el proceso a través de los intermediarios, les agradó a mis clientes, pero en la práctica, eso significaría ir en contra de la corriente de forma sustancial. Y como yo no tenía un modelo o un mapa para guiarme, solo tuve una opción: dar la pelea sin dejar mis propias huellas y sin mirar atrás. Sabía que lo lograría si subía la primera cuesta lo suficientemente rápido, porque tan pronto como se supiera, más gente iba a venir detrás de mí a querer hacer lo mismo. Por su naturaleza, los imitadores van simplemente a donde están los compradores y hacen lo que ven que está funcionando. Entonces el truco era haber cambiado el juego para cuando los imitadores llegaran.

Para cuando la gente se dio cuenta lo que nosotros estábamos haciendo, yo ya había conseguido mis dos primeros clientes institucionales – la asociación de educación nacional y sus más de tres millones de miembros y un millón y medio de miembros de miembros del sistema de pensiones de los empleados públicos de California.

Nadie podía creerlo. ¿Cómo se podía creer algo así? Bueno, te lo voy a explicar: No fue nada del otro mundo. Mercadeo 101: conocer tu público.

Aunque tú eliges aplicar tus propias lecciones acerca de cómo puedes usar las leyes de oferta y demanda en tu beneficio en el mercado, no olvides que la mejor persona para revisar tu mercancía eres tú. Si tú fueras una mercancía almacenada, ¿qué clase de inversión estarías dispuesto a hacer en ti mismo? Si tú fueras un futuro empleador, ¿qué pondrías sobre la mesa que fuera de interés para ti?

Si sientes que el mercado simplemente no entiende lo que tu estas tratando de vender, ponte en su lugar y vete de compras. No tienes que comprar nada, pero en el proceso de ver lo que hay afuera en el mercado, puedes inspirarte viendo lo qué se está vendiendo y dónde. Y esa es la belleza de esta lección, que el mercado nunca es estático. ¡Y tú tampoco deberías serlo!

LECCIÓN #25
¡La verdad se impone!
Palabra clave: AUTENTICIDAD

De vez en cuando surge una lección que desafía la sabiduría convencional y nos revuelve todas las reglas que tenemos en mente. Esa fue mi experiencia cuando comencé a hacer mis primeras intervenciones de discurso en público. Al comienzo, basado en lo que yo sé, acerca de oferta y demanda, me hacía pensar que el mercado estaba saturado y que nadie estaba afuera en las calles gritando por la falta de suficientes conferencistas. Encima de eso, muchos expertos en las asociaciones de conferencistas me aconsejaron que antes de comenzar en esa práctica, debería consultar con asesores de actuación, escritores de discursos, y hasta expertos es guardarropas. ¿Expertos en guardarropas? ¿Yo?

Ninguna de estas cosas me interesó en lo más mínimo, sin mencionar el hecho que amo mi actual trabajo y planeo conservarlo. Pero haciendo mi B&D, decidí escuchar lo que los expertos opinan. El aporte fue válido, pero entre más lo pensaba en las sugerencias ofrecidas, más incómodo me sentía. La sola idea de aparecer como si fuera un programa enlatado, ensayado o un paquete, me hacía sentir miserable. Entonces me acordé de una frase que leí de George Wallace, el antiguo gobernador de Alabama, la cual me ubicó. Sí, yo se que los dos nunca tuvimos mucho en común, pero eso no significaba que no podía aprender de él. Recuerdo que él estaba dando su punto de vista acerca de tener una comunicación efectiva y dijo que el mensaje debe ser tan sencillo que hasta una cabra lo entienda. Buscar el más bajo común denominador.

También recibí un consejo fenomenal del talentoso Bebe Winans, un cantante de música góspel, actor y ministro, quien insistió en que la única cosa que contaba en una presentación pública era hablar desde el corazón y solo de lo que realmente te apasiona. Algo más para tener en cuenta, según él, era que el público recibiera el mensaje por primera vez. "Solo recuerda", dijo Babe, "que sea novedoso y cierto".

En medio de la diferencia de esos dos individuos, y de su sabiduría, yo también use otra de las 3 As – Autenticidad – y decidí simplemente ser yo mismo, descartando la necesidad de depender de la imagen de mercadeo artificial de lo que un aspirante a conferencista debe ser. Tres años más tarde, estoy feliz de compartir los resultados de esa lección: ¡La verdad impacta!

El maestro original de esa lección y la fuente de esas palabras es el legendario Berry Gordy, fundador de Motown Records. Cuando yo comencé el negocio por mi propia cuenta, él fue uno de los únicos modelos que pude encontrar, que había probado que cuando se trata de vender al mercado general, no se trata de blanco y negro sino de verde. Desde sus primeros años en el negocio de la música, Berry Gordy fue la primera persona en desafiar a aquellos que creían que la oferta y demanda no permitiría que el mercado blanco comprara música de artistas negros.

Cuando Berry publicó su memorable libro "To Be Loved: The Music, the Memories and the Magic of Mowtown", yo me subí a un avión y volé a Detroit para el lanzamiento de sus memorias. Para mí fue importante esperar en la fila tantas horas como fuera necesario para obtener su firma en mi libro, simplemente para decirle "gracias".

El negocio independiente de la música estaba en su infancia en 1959, cuando Berry Gordy pidió prestados $800 dólares al club de inversiones de los ahorradores de su familia para producir su primer disco. En el corto espacio de tres años, él y su pujante empresa comenzaron a producir estrellas y sin precedencia ninguna, consistentemente aparecían en los primeros lugares de las carteleras de éxitos – con todos desde Smoky Robinson, Steve Wonder, Marvin Gaye, y The Temptations, hasta Diana Ross and The Supremes – hasta que Motown llegó a dominar la cultura de de la música de todos los tiempos. Y para muchos americanos, la música se convirtió en la banda sonora de nuestras vidas.

Desde el punto de vista del mercadeo, ¿cómo funcionó eso? ¿Cómo hicieron? Una de las formas en que ellos desafiaron las probabilidades, escribió Berry Gordy, fue con un equipo hecho con lo mejor de lo mejor de todas las divisiones en la industria de la música y de todos los orígenes étnicos, unidos por la pasión que surgió de vivir con "ratas, cucarachas, alma, cojones y amor". Ellos también surgieron gracias al principio fundamental de Gordy, que la autenticidad – todo lo que hace que tú seas tú – es algo que el público escucha y adopta porque "la verdad se impone".

Él creía eso en muchos niveles. Esa fue en parte su versión de "contarlo tal como es". Cuando Motown estaba comenzando y luchando, por ejemplo,

Gordy se quejó diciendo que todo el mundo estaba escribiendo las mismas canciones con la vieja temática del amor. ¿Por qué no hacer algo distinto? Entonces decidió comenzar con la verdad acerca de lo que más lo preocupaba – la necesidad de dinero flotante y éxitos para sostener su compañía creciente y a su familia. Fue tal su pensamiento, que eso lo llevó a aparecer en las carteleras de éxitos en 1960, con su disco sencillo titulado "Money (That's What I Want"), grabado por Barret Strong.

Era vergonzoso en aquella época ser tan abierto al declarar que querías más dinero que amor, pero surgió de un momento de humor y verdad y se convirtió en un éxito transformador.

Berry Gordy también fue enfático sobre el papel de la creatividad en la autenticidad, insistiendo que si algo real y verdadero estaba ocurriendo en los surcos de sus discos, la gente al final adoptaría y recibiría esa verdad. "Los éxitos están en los surcos", era el lema de A&R. Pero aún antes de grabar las canciones, Gordy les recordaba a sus compositores que escribieran canciones sobre hechos verdaderos de sus vidas. Ya se tratara de Smokey Robinson con "Tears of a Clown", Norman Withfield con "Papa was a Rollin'Stone", (grabado por "The Temptations"), o del tema de Steve Wonder "Living for the City", la verdad de esas emociones que vienen de la vida real servían para causar súper éxitos – alrededor del mundo.

Gordy era tan meticuloso con el manejo de la autenticidad que cuando recibió una llamada telefónica de Marvin Gaye a comienzo de la década de 1970 y supo que Marvin quería hacer un álbum de protesta en su próximo proyecto, Gordy estaba seguro que era un gran error y trató de persuadirlo para que se quedara con las canciones románticas y la música soul que le habían dado éxito – "Stuburn Kind of Fellow", "How Sweet It Is" y "If I Could Build My World Around You". Marvin se negó a escucharlo insistiendo que a Gordy no le importaba si su nuevo y más serio trabajo no se vendía. Si, era diferente pero no menos auténtico. Gordy dijo posteriormente que Marvin le enseñó una nueva versión de su propia lección cuando salió al aire 'What's Going On" y se convirtió en un himno nacional en esa generación y un álbum con canciones como "Mercy, Mercy Me" y "Save the Children", que vinieron a definir a Marvin Gaye más que ningún otro trabajo que él hizo anteriormente.

Berry Gordy también demostró el principio que la verdad en términos de honestidad e integridad, tenía buen sentido comercial – una máxima que me ha demostrado ser correcta una y otra vez. Lo más diciente de sus memorias, fue que el título que él escogió viene de uno de sus primeros éxitos como compositor, antes de formar Motown. La canción "To Be Loved", grabada por Jackie Wilson en 1958, revelaba la esencia de Berry Gordy antes de obtener su mayor éxito, y le dio su más auténtica, la razón para su motivación de hacer música: "To be loved, to be loved, oh what a feeling to be loved".

Siguiendo el ejemplo de Gordy, todos nosotros podemos ser inspirados viendo que todo es ganancia cuando se trata de hacerle honor a la verdad de tu razón para escoger las metas particulares, por las cuales vas en busca de tu felicidad. Eso es lo que descubrió un capellán militar cuyo trabajo llamó mi atención. Después de dejar la milicia, decidió continuar el llamado de Dios ministrando a los moribundos y sus familias en los hogares de hospicio. Cuando él escribió su libro para compartir acerca de su enfoque espiritual y práctico, tuvo que enfrentar muchos rechazos de parte de agentes y editores. Sin importar cuantas veces cambiara los manuscritos para producir un libro como los que había en el mercado – siguiendo todos los pasos recomendados en seminarios editoriales – no pudo encontrar una oportunidad abierta para lo que él tenía para ofrecer. Al final se dio cuenta que se había alejado del propósito de hablar desde su corazón y de su experiencia, y brindar consuelo y guía durante los pasajes más difíciles de la vida. Entonces volvió a escribir el libro conservando su enfoque autentico y su verdad. ¿El truco? El capellán encontró un agente que le vendió su libro a una editorial mediana y firmó un contrato por la cantidad de libros vendidos. Al mismo tiempo me pidió consejo acerca de ser conferencista, con respecto a eso, le aseguré que él ya tenía todo lo que se necesitaba.

Esta es una de esas lecciones que muchos individuos encuentran obvia, de alguna manera. Ciertamente te han aconsejado en diferentes épocas de tu vida, sobre la importancia de ser tú mismo. A lo mejor lo tienes en cuenta en forma superficial. Si es así, merece un segundo vistazo. ¿Qué tal esas ocasiones en que has tenido que ponerte de pie y hacer una presentación en el trabajo o en otros escenarios conocidos, que simplemente te hacen altar y sentir comezón? Te sorprenderá saber que la mayoría de los más famosos actores se angustian frente a la idea de hablar en público. Si lograras recordarte a ti mismo, que vas a actuar de corazón, con tu alma y tu verdad, no solo te pasarían los nervios sino que además tendrías éxito.

Si la idea de ser auténtico todavía suena simplista o saturada, tengo que mencionar que muchos de los que nos hemos visto en contextos desconocidos, hacemos lo mejor que podemos para tratar de coordinar con el ambiente – actuando casi en la versión de dibujos animados como pensamos que debemos ser. Existen desconocidos filipichines que no tienen ni un hueso de urbanidad en el cuerpo pero tratan de actuar como estrellas del rap. Hay unos amateur de magnates que de repente quieren hablar como Nietzsche. También hay mujeres que son dos veces más inteligentes que todos los hombres alrededor de ellas pero que se quitan sus méritos. Eso no tiene sentido. Las mujeres son tan naturalmente poderosas con sus dones de intuición, paciencia y persistencia, que me ha sorprendido cómo a veces se demeritan a sí mismas pretendiendo no ser tan brillantes, pero después ponen sobre el juego su sexapil o su fragilidad femenina. Además, cuando es auténtica, ¡la inteligencia es el concepto renovado de sexy!

Me preguntan con frecuencia sobre lo que se debe hacer cuando parece no haber absoluta demanda de lo que tienes para ofrecer, por auténtico y sincero que sea. ¿En qué punto deberías tirar la toalla y admitir que lo que vendes no es lo que el mercado quiere o necesita?

Mi respuesta es que el mercado no sabe ni un rábano. ¿Ejemplo? Tengo dos palabras: "Pet Rock". ¿Quién necesitaba una piedra mascota? Sin embargo el inventor y mercadeista de estas piedras mascota, el ejecutivo publicista Gary Dahl, tuvo la autenticidad y originalidad de salir con ese invento y se convirtió en millonario de la noche a la mañana con un producto que fue el furor durante un semestre de temporada de ventas navideñas.

¿Y qué decir del Cubo de Rubik? Claro que yo tengo un gran afecto personal a y por las maquinaciones y desafíos de dicho cubo, pero hace 32 años nadie en el planeta estaba clamando ni haciendo filas para comprar un cubo que te retorcía la mente y te hacia agonizar frente a sus billones de combinaciones (un cuarto de trillón, de acuerdo a mi B&D). Eso no detuvo a Erno Rubik, un escultor nacido en Hungría, arquitecto, profesor universitario, quien lo inventó en aquella época.

En una década, la autenticidad había sido tanta, que se vendieron por encima de 100 millones de cubos, y muchos más desde ese tiempo.

Erno Rubik ciertamente no se dispuso a inventar algo que la gente no necesitaba, ni un producto que se vendiera por cientos de millones. Lo que lo guió fue su fascinación por el uso del espacio, un diseño multidimensional con partes movibles y la forma en que esas dos dinámicas impactan al ser humano. Nadie necesitaba un rompecabezas hasta que él vino y le agregó su versión a la mezcla.

Desafortunadamente Rubik no cubrió sus gastos y jamás cogió un solo centavo de su invento. Obviamente que esa es otra lección. En ese sentido, cuando inventas algo que es la esencia tuya y de tu marca, me vas a excusar por mi francés, pero si no orinas encima y lo marcas alrededor como los perros, te compadezco. Rubik perdió sus ganancias porque él no hizo los trámites para obtener los derechos de autor para su invención.

Aún así, la aplicación de esta lección de mercadeo, todavía funciona: ¡la verdad se impone!

LECCIÓN # 26
Primero, aprende reconocer los nudos y después, conquista a Roma
Palabras clave: DISCIPLINA Y CARÁCTER

¿Qué están buscando los empleadores? Este es un tema que aparece en mis escenarios con mucha frecuencia.

El principal atributo que buscan los empleadores es la pasión. Esta es clave del asunto. Ellos saben si la tienes o no porque nace contigo, con quien tú eres, no puede comprarse, venderse, enseñarse o adquirirse. Es como el color de tus ojos, pero después de la pasión, existen otros valores que los empleadores también consideran imprescindibles. En mi lista después de la pasión, más que todo aparecen cualidades relacionadas como la disciplina y el carácter. Aunque las recomendaciones y la educación recibida son indicadores del potencial para esos atributos, para una imagen más verídica, cuando entrevisto candidatos, presto mucha atención a la clase de preguntas que el posible empleado me hace porque eso me dice mucho acerca del nivel de curiosidad de las personas, como también de su potencial para sacar el mayor provecho de un entrenamiento laboral, y de su disposición para aprender todos los pormenores.

Permíteme dar un ejemplo. En el año 2004, tuve la oportunidad de entrevistar a tres candidatos para dos posiciones laborales disponibles en Gardner Rich & Company. El primer candidato causaba muy buena impresión – Con un titulo en Ivy League, calificaciones y records excelentes, sin experiencia directa en inversiones pero recomendaciones importantes en campos relacionados. El segundo candidato no tenia grado universitario ni experiencia pero fue criado trabajando en el negocio de ventas al retal con su familia y de hecho había invertido algún dinero en la bolsa de valores para comenzar a ahorrar para sus estudios universitarios. El tercer candidato era ideal en el papel. Estudió en una de las mejores escuelas de negocios y tenía una experiencia de trabajo muy versátil, incluyendo un período en una prestigiosa firma de corretaje y además era el hijo de un socio.

Durante el proceso de la entrevista, el primer candidato me preguntó cuánto trabajo telefónico estaba incluido en el cargo. Claramente, él no estaba feliz con la idea de hacer llamadas. Esa debió ser mi primera clave, pero a pesar de todo lo contraté con base en sus recomendaciones, solo para darme cuenta que no pudo sobreponerse a su temor de hacer llamadas telefónicas ni de recibirlas. Me ofrecí a enseñarle los tejemanejes, pero él no pudo manejar sus nervios. Él tenía futuro en investigaciones, pero no en el área en que estábamos interesados. Finalmente renunció antes que los despidiéramos.

El tercer candidato no era tímido ni en lo más mínimo. No importaba lo que yo le preguntara, él tenía todas las respuestas. Luego comenzó a ser evidente que todas sus preguntas eran formas para él mostrar que conocía a todos los nombres importantes en el mundo del que él venía. Cuando yo le pregunté sobre eso, su respuesta era: "Si, yo conozco a tales y a tales", pero después resultó que no conocía a ninguno de ellos. Él estaba más interesado en los beneficios, las posibilidades de viaje dentro de la compañía, y básicamente en el día en que pudiera acaparar la oficina principal.

El segundo candidato, el más joven de los tres, se ganó mi voluntad durante la entrevista preguntando si yo había escuchado acerca de unas nuevas tecnologías en el mercado, acerca de la cual él estaba leyendo. De las preguntas que le hice, si no tenía la respuesta me lo decía pidiendo que le clarificara lo que yo quería decir. Lo contraté de inmediato. Ese es Sal (Salvador Guerrero), quien ha estado con la compañía desde ese entonces; no solamente tuvo la disciplina para aprender todos los manejos desde el comienzo, sino que más me demoraba yo en explicarle algo, que él en ir corriendo a poner su nuevo conocimiento en acción, antes que yo tuviera que decirle algo más. He visto la fortaleza de su carácter a través de la disciplina una y otra vez. Cuando le propusimos hacer sus estudios universitarios e ir a la escuela de negocios, él lo analizó seriamente y después llegó a la conclusión que podía aprender lo mismo donde estaba.

La lección para mí, en la cual puedo reconocer claramente cuánto valoro el carácter y la disciplina actualmente, es recordando mi propia vida en las etapas del comienzo, cuando esos asuntos no siempre eran la prioridad para mí. Como todos lo demás, cuando estaba comenzando tenía mis ojos puestos en las estrellas de la industria y mi intención era estar donde ellos estaban lo más pronto posible. Afortunadamente la estructura del mercado no me lo permitió sin primero adquirir el conocimiento necesario para ascender al siguiente nivel. Como suele ocurrir, esa estructura es antigua y está relacionada con los tiempos marineros, en que los comandantes de los barcos tenían que asegurarse que los reclutas nuevos fueran entrenados correctamente para saber cómo hacer las distintas clases de nudos y distinguir cuáles lazos sostenían cuáles embarcaciones. Existía un orden preciso para reconocer los lazos, de tal manera que si no se seguía la secuencia, el barco no zarpaba.

Siguiendo ese procedimiento, cuando se analiza qué es lo que causa que unas carreras salgan a flote y otras fracasen, con frecuencia puedes ver cuáles pasos importantes se dieron y cuales se ignoraron. En retrospectiva, estoy agradecido de haber tenido mentores dispuestos a decirme que debía ir a mi ritmo y no ser tan tranquilo como para quedarme solo aprendiendo ni tan veloz como para meterme por los atajos y saltarme los procedimientos necesarios para llegar más rápido a la oficina principal pero en mal estado. Además, tuve el beneficio de observar cómo la mentalidad de escalar rápidamente hundió a muchos individuos talentosos y con futuro prometedor. Pienso en los excesos de la década de los 80s en particular, cuando muchas personas definitivamente se extralimitaron. Y aquellos que se mantuvieron, porque tuvieron disciplina o fueron afortunados.

Me atrevo a decir que en muchos accidentes industriales en los que el error humano ha tenido que ver, algún individuo o grupo de personas han tratado de tomar los atajos. En el mundo financiero, muchos de los estruendos que se convirtieron en bancarrotas, fueron el resultado de los esquemas de hacer fortuna rápidamente, que se saltaron pasos en el procedimiento que eran obvios para gente más experta. Puedes ver que en la caída a finales de los 80s, la debacle de Enron, de las compañías de informática, y también en la dinámica con el fiasco de los créditos hipotecarios que contribuyó (entre otros factores) en la caída de la economía global en los últimos tiempos. Con el desconocimiento licencioso de las consecuencias, Wall Street perpetuó el "VIH de las finanzas" que tiene infectado en la actualidad al sistema nervioso de la economía global.

No todo el mundo se vio afectado en esa caída libre que se esperaba. Hubo muchas cabezas más frías, como las de nosotros los que estábamos en las compañías de servicios financieros más pequeñas, bancos comunitarios, y algunas otras entidades de negocios independientes que permanecieron fuera de las malas apuestas, concentrándonos en nuestros asuntos. Nos quedamos martillando sobre el yunque del negocio que conocíamos y tuvimos la disciplina de evitar la tentación de enriquecernos rápidamente. No así cono los colegas alrededor de los supermercados de las instituciones financieras de Wall Street, donde la avaricia y el exceso causaron la intervención fiscal. Para decirlo sin rodeos, actuaron como cerdos. ¿Cómo? ¿Por qué? Bueno, es tan simple como observar que tu competidor está negociando con productos de alto riesgo, obteniendo posiciones en el mercado y ganando enormes cantidades de dinero, y decidir que quieres participar en el mismo juego. La razón que servía como excusa era que, si no les ofrecías a tus clientes los mismos o hasta "mejores" productos, estarías en una desventaja estratégica. Se necesita carácter y disciplina para decir: "No gracias, prefiero limitarme a martillar sobre el yunque" y lidiar con las consecuencias si perdías algunos de tus clientes que querían entrar en acción. Cuando has aprendido a "reconocer los nudos" y has llegado a la parte difícil del camino, es más fácil reconocer las trampas de lo que puede pasar – y de hecho, pasó – cuando llegue la cuenta de cobro y sea un infierno pagar.

Obviamente que existen personas ambiciosas que abrevian el camino, en todos los campos empresariales – aquellos que no quieren pararse y esperar a hacer la fila, pagar sus deudas, y trabajar ascendentemente y que piensan que tienen derecho a los atajos.

Aunque es cierto que el nepotismo no se ha desarraigado ni exterminado del mercado, también he visto la caída de aquellos que han llegado arriba para administrar el negocio de la familia pero que no quisieron aprender a hacer los nudos. De pronto tú conoces a ese tipo de persona que quiere los laureles pero no quiere la responsabilidad de estar a cargo; esta es gente que nació entre cucharitas de plata y que asumen que porque han estado en el ambiente y aprendido la jerga, tanto como las políticas, ya saben todo lo que necesitan saber. Barcos del estado se han hundido y negocios se han arruinado cuando los capitanes se han probado a sí mismos que no están en condiciones de navegar.

Sin lugar a dudas que todos hemos conocido a estos rastreadores veloces y personajes que vuelan alto en los rangos de lo que persiguen con manejo, carisma e incontrolable deseo de ganar. Ellos son impresionantes, atractivos y peligrosos, cuando no han invertido tiempo aprendiendo, no solo como llevar la delantera, sino cuáles son sus valores y sus creencias. El talento es deslumbrante, pero si los individuos no están basados en el sentido de disciplina y carácter, su andar está destinado a ser de corta duración. Todos hemos visto casos extremos de gente desgastada cuando la industria del deporte les da contratos enormes a principiantes, sin darles tiempo para aprender todo lo que necesitan para madurar, para prestar atención a los consejos de otros. La presión de tener toda la atención, libertad, dinero y fama – a veces escasamente después de haber pisado el campo de juego – puede ser aplastante.

Michael Bick, el anterior número 7 de los Atlanta Falcons, quien decidió usar un numero distinto, como el de un preso de una cárcel, es un caso muy desafortunado de no aprender a "identificar los nudos" y aplicación de la disciplina que necesita un atleta de talla mundial para convertirse en una persona de fama. Lo hubiera logrado si él hubiera está dispuesto a aprender de sus propios juicios y errores. Habría ayudado si él se hubiera entregado a la guía y consejos de los expertos que le habrían enseñado que las habilidades atléticas, sin cualidades como decencia, integridad y carácter, no hacen la vida feliz. Yo creo que se hubiera evitado su fracaso si hubiera aprendido que las decisiones en la vida deben perseguirse con la misma disciplina y carácter que se necesitan para apartarse de las amistades, no importa quién, cuando es evidente que no van a llegar a ningún lado de la manera como van por sí mismos. Quizás su carrera hubiera seguido progresando si él hubiera roto esos lazos tóxicos que atan. Fin de esa historia.

Aunque tú también puedes encontrar, probablemente tantos ejemplos externos como los que te he dado, sobre por qué es importante primero aprender a identificar los nudos y después ir a conquistar Roma, espero que te apliques esta lección en ti mismo. Frecuentemente escuchamos que no es que se trata de qué tanto te caigas sino qué tan rápido te levantas. Yo agregaría que no se trata de qué tan rápido llegas a la cima sino cuánta sabiduría aprendiste en el camino. Con disciplina y carácter, puedes saborear los frutos del éxito.

Como empresario encargado de dirigir hacia donde va mi barco, me gusta esta lección en particular porque es un recordatorio que nuestras victorias, grandes y pequeñas, pertenecen a todos lo que están abordo – como Sal. Los errores y fracasos me perteneces a mí y solo a mí. Yo soy e dueño de eso. Yo los acepto, los uso y aprendo de ellos. Y luego los dejo ir y los dejo ir libremente, para poder navegar más lejos, más alto y más rápido.

En palabras de la doctora Maya Angelou: "Y todavía me levanto".

Lección # 27
¿Quién es quién en tu trabajo y en tus esferas de influencia?
Palabra clave: NETWORKING

Además de ser hostil y desinteresado con la gente, el mundo del mercadeo no tiene sentido. Convertiría cualquier actividad bajo el sol, en un juego de dinero, y no en cualquier clase de juego, sino en uno como esos que jugábamos cuando éramos niños – ya sabes, como jugar a pegarle al tarro o a las escondidas – cualquiera de ellos puede ser una buena forma de entrenamiento o para predecir cómo será tu juego en el mundo laboral.

Resulta que una de las lecciones anteriores que se llama "¿Quién es quién en tu vecindario?", que se enfoca en cuestiones relacionadas con la confianza (Lección #16), me dio razones importantes para creer en el poder de las relaciones en la mayoría de los ambientes laborales y sociales en los que me he encontrado. De hecho, la confianza, la buena fe, y en general todo lo relacionado con las habilidades de la gente, son esenciales en el desarrollo de los negocios, en las transacciones y especialmente para jugar este vitalmente servicial juego del mercado llamado networking. Lo interesante es que cuando te has tomado el tiempo para identificar a los jugadores clave en la historia temprana de las lecciones de tu vida, puede ser más fácil para ti observar que también puedes identificar quién juega papeles importantes en la versión expandida de lo que yo llamo "¿Quien es quien en tu trabajo y en tus esferas de influencia?"

Donde quiera que la compra y la venta estén involucradas, he aprendido de este proceso, que es bueno saber "¿quién es quién?" en la otra parte o partes, en términos de la cadena de mando. Es valioso saber quién tiene el poder de compra pero además, quién es el segundo en esa posición. Frecuentemente, esa segunda persona puede llagar a ser tu mejor aliada. El ambiente de trabajo es algo que con frecuencia dice mucho acerca del personal. De la misma manera en que recibes una vibración cuando entras a la casa de alguien, ya sea que la familia es funcional o disfuncional, lo mismo se detecta en un lugar de trabajo. Hasta algunas veces existen roles parecidos a los que encuentras en la familia, como por ejemplo el padre cabeza del hogar que solo se aparece para actuar como el jefe, o la madre de la oficina que realmente ejerce el poder y toma las decisiones. Claro que el género también puede variar. En el ambiente laboral igualmente se identifican algunos de los personajes como los que veías en tu vecindad – el matón, el intelectual, el engreído, el chismoso, el villano y el consejero sabio.

Te apuesto que si piensas en tu ambiente de trabajo actual, sabes exactamente a lo que me estoy refiriendo. Hasta llagas a pensar que de la misma manera en que en tu vida personal hay gente que está allí por una razón, también muchos individuos con quienes principalmente tienes conexiones profesionales o laborares, están en tu jornada para ofrecerte lecciones importantes. Por eso esta es una versión simple de juagar a "¿Quién es quién?"

Mi tío Joe Cook, quien se fue caminando desde Misisipi hasta Wisconsin, fue el primero en enseñarme acerca de "networking" - es decir, hacer conexiones - con su frecuente dicho filosófico de "es mejor hacer amigos antes de necesitarlos". De pequeño, yo tomé eso de corazón y comencé a aplicarlo desde temprana edad. Afortunadamente, este no era un reto porque realmente me gusta la gente – y no solo una clase de gente. Me gusta la gente. Punto.

Todo el que me conoce puede testificar eso, como también pueden decirte que soy especial para recordar nombres, aunque esa no es una capacidad innata sino mejor, un interés específico que he desarrollado porque creo que los nombres son hermosos, especiales y personales. Por eso aprendí muy temprano que recordar el nombre de alguien es una forma de mostrar respeto al ser humano. Si puedo aprenderme el nombre de tu mamá, bebé y perro, ¡también lo haré! En mercadeo, ya sea que estés comprando o vendiendo, usar el nombre de alguien ayuda a nivelar el campo de juego. Muchas veces la gente que trabaja en el área de servicios me pregunta "¿Cómo supo mi nombre?" ¡Y después caen en cuenta que tienen puesta una escarapela con él escrito! A nadie le gusta que lo traten como a alguien sin identidad o como si fuera un extra en una película que está actuando como "mujer en la multitud" o "policía #2". Todas las personas tienen un nombre.

Si tú sientes que te hacen falta agilidad para relacionarte con la gente o que no sabes dónde comenzar a practicar el arte de hacer conexiones – networking – comienza con el asunto de los nombres. Pregunta a la gente su nombre, haciendo contacto visual, estrechando las manos y diciendo tu nombre. Esta es una de las reglas de mercadeo más antiguas en el mundo y funciona.

El otro beneficio de jugar a "¿Quién es quién?", aún para el más experto de nosotros en esto, según he aprendido, es que si mantengo mis oídos atentos, y presto atención a mis instintos, es posible que descubra algo valioso como por ejemplo, quien será un amigo, un socio, el presentador de un asunto o persona interesante, un asociado, un empleado, un maestro. O de pronto esa persona está conectada de alguna manera con alguien que desempeñe todos los roles anteriores y que hasta sea el pilar de una vecindad completa – o lo que mi mentor Marshall Geller llamó "una esfera de influencia".

Cuando Marshall me relacionó por primera vez con esa expresión, fue mucho antes que tal estrategia de mercado conocida como networking se popularizara y que el networking social como Facebook y My Space existiera. Marshall me dio un ejemplo de quién en nuestra oficina ya estaba en el asunto de la esfera de influencias – incluyendo un vicepresidente de los Estados Unidos, el presidente de un fondo de pensiones del estado, más otros individuos con una estatura y conexiones en otras esferas. ¿Cómo podía yo también lograr eso? No había pasos específicos por seguir, sino que simplemente, Marshall me llevó en esa dirección sugiriéndome que prestara mucha atención.

Cuando se están aprendiendo los fundamentos de mercadeo, muchos individuos se quedan atascados hasta cuando están haciendo contactos en su círculo familiar, con un celular lleno de números telefónicos o una caja de zapatos llenas de tarjetas de negocios pero no saben qué más hacer a partir de ahí.

Entonces, ¿cómo aumentas tu éxito con contactos iniciales? Insistiendo. Todo esto nos lleva de regreso a la lección de trabajo duro. Tienes que martillar sobre el yunque, hacer seguimiento, enviar tarjetas de agradecimiento, recordar los detalles y aprenderte los nombres. Permíteme repetir: Insistiendo. Si tienes algo para la venta y quieres ganarle a la competencia o presentar un producto con el cual estás entusiasmado, esa amabilidad, interés y cuidado extras que muestres, posiblemente sean la diferencia.

Escuché la historia acerca de Donald, un agente de finca raíz en California que fue el único que permaneció en su área mientras los demás se fueron, cuando el mercado comenzó a disminuir. Él construyó su red de contactos y clientes, haciendo primero amigos, después cultivando las relaciones, presentándose de vez en cuando, atendiendo a las actividades de sus iglesias, a los partidos de las ligas de sus niños, y siendo condescendiente con sus negocios. Cuando llegó el momento para que estas personas vendieran o compararan una casa, él fue la persona a la cual recurrir. Donald entendió que cuando todo mundo ofrece básicamente la misma experiencia, esa cantidad de interés que se muestra es la encargada de hacer que se puedan cerrar los tratos. Y esos clientes les cuentan a un amigo y ese amigo a otro amigo. Y así sucesivamente.

Un contador con dificultades en la época de 1980 en Nueva York, hizo algo parecido cuando se fue por todos los clubes de comedias y escogió a los cómicos que él creyó que iban a ser estrellas y les hizo un trato: les hizo la declaración de impuestos gratuitamente, pero cuando ellos triunfaran y recibieran buen dinero, ellos lo llamarían para que él se los administrara. Actualmente es uno de los managers mas apetecidos en la industria del entretenimiento.

Siempre que estés jugando el juego de "¿Quién es quién?", recuerda hacer más que desarrollar relaciones de mercadeo que en algún momento resulten beneficiosas mutuamente. Claro que en general, esa es la base fundamental para hacer contactos y hacer negocios. Pero el siguiente paso, el más importante de todos, es saber quiénes son esos individuos y entidades de negocios. Si estás pensando en convertirlos en compañeros de transacciones – ya sea vender o comprar, representar o consultar, colaborar o competir – entras mas conozcas acerca de la historia de tu cliente potencial, mejor será el acuerdo que hagan. La habilidad de confiar y que confíen en ti es definitiva en el desarrollo de los negocios como lo es en las relaciones personales.

Networking enseña muchas lecciones en diferentes etapas. Ciertamente, yo he aprendido de algunos errores que he cometido cuando no he seguido mis pálpitos o cuando no estaba seguro de "¿quién era quién?" en algún asunto en particular. Una experiencia singular me enseñó sobre un componente de las relaciones de mercadeo y networking que deberían dirigirse a cualquiera que quiera jugar para ganar. Me estoy refiriendo a la expectativa que cuando alguien te rasca la espalda, también te va a llamar para que le rasques la suya.

Para decirlo más correctamente, cuando tú le pides a alguien un favor – una introducción, un obsequio de promoción, un contacto que te ayude – vas a tener que devolver el favor y es posible que sea en el lugar y momento no muy convenientes. Eso fue algo que me quedó claro hace algunos años, cuando una institución bien establecida estaba obstaculizando el pago a mi compañía – por servicios y ganancias prestados – y yo decidí solicitar la ayuda de un individuo para que ejerciera más presión que la que nosotros ya habíamos hecho hasta ese momento.

Aunque mis instintos me decían que debía dar mi propia batalla, no hice ningún progreso cuando me dirigí al presidente de la junta de la entidad que tenía la deuda con mi compañía. Él hizo caso omiso. Entonces yo decidí mostrarle que tenía conexiones y que las iba a utilizar a través de mi red de contactos para saber quién era quién y en la reunión que tuvimos, con toda actitud desafiante que pude mostrarle, le dije: "¿Conoces a Johnnie Cochran?" Él me dijo que no. "¿Te gustaría?" le dije fulminantemente.

Déjame decirte rápidamente que yo tampoco lo conocía ni tenía ningún contacto poderoso en el ambiente legal a quien acudir en ese caso; entonces le pedí a un líder comunitario influyente a quien conocí a través de otros activistas, que si me podía ayudar a hacer justicia y venía conmigo para tener un enfrentamiento con los que me estaban maltratando. Cuando llegamos, yo estaba listo para hacer un escándalo, pero el tomó el liderazgo en mi defensa, controló la situación y suavizó todo. Salimos de allí acordando que yo recibiría el 60% o algo así, de lo que me debían.

No se me ocurrió que ese favor me iba a costar tanto, aunque realmente me sentía en deuda con él. Sin embargo, no mucho tiempo después me llegó su factura de cobro cuando me pidió que si podía proveerlo con unas cuotas favorables respaldándolo en los medios de comunicación, en relación con una aventura financiera que él estaba encabezando. Yo estaba feliz de ayudarlo, pero cuando salieron los artículos en los que nos relacionaban, yo quedé estupefacto con la reacción de algunos de mis clientes que pensaron que yo me estaba asociando con él y decidieron llevarse su negocio a otro lado. Sorprendido me di cuenta que había perdido más del 50% de mis clientes y tuve que analizar muy de cerca lo que acababa de ocurrir y si el beneficio de su ayuda valió la pena cuando fue el momento de devolver el favor. O como me refiero a este descubrimiento: "A veces es necesario preguntarse si el jugo que se obtuvo representa toda la fruta que se exprimió".

La analogía de esta lección sobre las redes de contactos consiste en pensar si la naranja que conoces va a producirte jugo, pero ¿a qué costo o esfuerzo para exprimirla? Entonces, si alguien representa el jugo – la persona que trae interés, celebridad y energía a tu causa, o puede abrir puertas, mover los contactos y proveer la palanca que necesitas – debes preguntarte qué tanto te va a representar la exprimida.

Definitivamente, a veces la calidad el jugo vale la pena la exprimida.

He sido tremendamente bendecido por aquellos que me han servido con los mejores regalos de sus consejos sabios y claros, y con su apoyo enorme. Aunque ellos no operan bajo el sistema de "favor con favor se paga", saben que cuando y siempre que yo pueda ofrecerles lo mismo, lo hago y lo haré inmediatamente – haciendo todo el esfuerzo que se requiera.

La última asesoría que ofrezco con estas lecciones que he aprendido respecto a esto de las redes de contacto y las relaciones empresariales, tiene que ver con la lealtad. Me estoy refiriendo al equipo que trabaja conmigo diariamente, por encima y más allá de la llamada del deber. En términos de ganar posiciones en el mercado, los individuos en ese equipo son los jugadores más valiosos en mi "¿quién es quién?" en mi lugar de trabajo y en mi esfera de influencias. La confianza y lealtad entre unos y otros, que hemos cultivado a lo largo de los años, ha sido una parte fundamental en nuestro crecimiento, la cual nos ha sostenido hasta en los momentos más pesados de la economía.

Posiblemente tienes un equipo hacia el cual sientes lo mismo. Si no, la totalidad de esta lección puede ser el estimulo que necesitas para comenzar a analizar "¿Quién es quién?" en el grupo que te sostiene. De pronto hasta consideres a estos individuos como los accionistas principales – desde tus seres queridos hasta los aliados o asociados que se benefician de tu éxito directa o indirectamente. Puede parecer anticuado que te preguntes qué tan bueno es el éxito sin alguien con quien puedas saborearlo, pero yo creo que esa es parte de la ecuación de la felicidad. Si diriges tu pensamiento y tu vocabulario de palabras como yo y mío, hacia nosotros y nuestro, el juego que saques del esfuerzo hará que valga la pena la exprimida.

Lección # 28
Se requiere la misma energía para empacar tanto un elefante como un ratón
Palabra clave: ENFOQUE

La esencia de esta lección es muy sencilla. En pocas palabras, enseña que no tienes que un empresario para pensar como uno. Ese mensaje tuvo particular resonancia sobre mí cuando alguien me preguntó durante una sesión de preguntas y respuestas en una conferencia para los trabajadores de una cafetería en mis primeros años del discurso público. Muchas de las pregunta tuvieron que ver más con la curva de mi vida personal que con lo que hago en mi profesión, por eso me sorprendí cuando una mujer que probablemente estaba en los comienzos de sus 60 años de edad pidió el micrófono y me preguntó: "¿Cómo describiría su estilo de gerencia?"

Bueno, ese era un tema que ya había discutido anteriormente pero no lo esperaba en ese escenario. Mi presunción fue que seguramente ella era una supervisora y estaba pidiendo un consejo para usarlo en su sitio de trabajo. Resultó que no, que ella era una trabajadora en línea encargada de clasificar y archivar, pero a pesar de eso estaba interesada en saber qué podía aprender de mí para aplicarlo a su trabajo y a otras áreas de su vida. Como ella ya había leído muchos libros sobre gerencia administrativa y estrategias de liderazgo efectivo, tenía curiosidad sobre qué principios, guías o filosofías yo usaba para motivar e inspirar empleados.

A medida que daba la respuesta a esta pregunta, me di cuenta que me estaba sintiendo motivado e inspirado. Qué regalo para cada adolescente o joven que deslizaba las bandejas a través de la línea de la cafetería teniendo la posibilidad de ser observado por alguien como ella.

Mi trabajo como jefe de mi equipo, le expliqué, es mantener el enfoque. Sin lugar a duda, el poder del enfoque es uno de los recursos naturales más subutilizados, que cuando se aprovecha, produce la fuerza para mover montañas. Entonces, otro de mis trabajos como jefe es ayudarles a los miembros de mi equipo a identificar sus fortalezas y a enfocarse en ellas y con una base fundamental, aspiro a que todos nos mantengamos enfocados. ¿En qué? En las oportunidades, más que en los desafíos, en los propósitos más que en las ventajas, en las metas más que en el ritmo. Mantener el enfoque y reunir todas nuestras fuerzas para adoptar una mentalidad de juego en conjunto, la filosofía y la frase que desarrollé fue: "Se requiere la misma energía para empacar tanto un elefante como un ratón".

En términos de mercadeo, eso nos recuerda no desgastarnos por las cosas pequeñas sino establecer prioridades. Este es un indicador para saber cómo utilizar el tiempo sabiamente, porque después de todo, si las metas grandes requieren el mismo tiempo que las pequeñas, ¿por qué no preocuparse por las grandes? Enfocarse también tiene que ver con concentrar la energía individual y colectivamente; el enfoque está relacionado con intensificar el esfuerzo en todo lo que haces y en la forma rugiente en que te desempeñas en tu campo de acción con fuerza y manejo. Creo que todos esos aspectos del enfoque, fueron cruciales en el crecimiento de Gardner Rich & Company hasta lograr el éxito. Y a medida que hemos crecido, con cantidad de trabajo desarrollándose en las múltiples oficinas, este enfoque nos ha ayudado a unificar esfuerzos, que de otra manera nos desgastarían o nos llevarían en diferentes direcciones.

La lección continúa poniéndose en práctica a si misma a medida en que hemos ido creciendo y estableciendo un ritmo y un nivel de energía en nuestras operaciones, que hacen que la atmósfera sea más emotiva. Con el fin de aplicar el lema de todas las oficinas aún más allá, decidí a colocar unos recordatorios con imágenes grandes de elefantes, alrededor de la oficina – del tamaño de un mural con la fotografía de un majestuoso elefante africano, pequeñas estatuas y hasta protectores de pantallas.

Cuando yo le revelé todos estos detalles en la conferencia para los trabajadores de esa cafetería, a esta mujer tan enfocada que me hizo la pregunta, pude ver por la forma en que estaba moviendo su cabeza que ella entendió este principio como un estilo de gerencia y como algo que podía aplicar para sí misma. Al mismo tiempo pude observar que no todos los que estaban en el público tuvieron la misma reacción. Y eso también está bien. Deseé que, de la misma forma en que entiendes un chiste hasta cuando vas en la mitad del camino a casa, esta fuera una lección que hiciera reflexionar posteriormente a algunos de los individuos que estuvieron en aquella cafetería.

El poder del enfoque es algo que me ha interesado no solamente ahora como gerente de una compañía, sino como gerente personal de mi búsqueda de la felicidad. Pienso que es justo decir puede haber un inconveniente con respecto a ese híper enfoque que muchos de nosotros, los individuos que estamos en las grandes jugadas, tenemos con relación a los asuntos relacionados con el trabajo. Yo soy el primero en admitir, no orgullosamente, que más allá de mi compromiso personal con mis hijos, he sacrificado el tiempo y la energía que se requieren para sostener relaciones personales a largo plazo. Estoy trabajando en eso pero no quiero dorar la píldora sobre el inconveniente de permanecer enfocado, ni pretender que tengo mucha sabiduría para ofrecer sobre el tema de balancear las necesidades del trabajo con las del hogar. De hecho, con mi agenda de viajes, cuando alguien me pregunta donde es mi hogar, he tenido que contestar: "United Airlines".

Para cualquiera que esté buscando desarrollar un papel de responsabilidad y poder, habrá momentos en que un cargo de mucha responsabilidad le lleve a analizar la pregunta proverbial: "¿Qué es preferible: ser amado o ser temido?" Luego de mucha deliberación, finalmente aprendí que mi propia respuesta es: "Es mejor ser amado, porque si eres temido, nunca serás amado, pero si eres amado, ¡no tienes nada que temer!" Ese es mi enfoque.

Sin embargo, tú eres quien eliges la forma en que vas a aplicar tu energía en lo que sea más importante para ti – elefantes mejor que ratones – en tu carrera, tu salud, tu tranquilidad de consciencia, tus relaciones y cualquier otro asunto en el que quieras obtener lo mejor de ti, tengo un consejo para darte. En medio de mucho dolor y discusión, he aprendido que cuando enfocas cada una de tus moléculas en perseguir tus sueños, tienes que hacer sacrificios en alguna parte. Con toda la demanda de tiempo que requieren muchos asuntos igualmente importantes, los relacionados con la familia están por encima. Todo lo demás se puede sacrificar, pero lo familiar es innegociable, especialmente los hijos. Lo básico para mi es, que todo lo demás es negociable, menos mi hijo ni mi hija, quienes se fueron a Chicago a estar conmigo, no mucho después que mi empresa estaba establecida y rodando.

Fuera del hecho que Chris Jr. y Jacintha me ayudan a mantener el enfoque en las prioridades de mi vida, también me mantienen con los pies sobre la tierra y en humidad ante mi papel como padre. Siendo digno hijo de mi madre, pongo mi mayor interés en su educación y hago mis mejores esfuerzos para participar tanto como me es posible, en sus actividades escolares – comunicándome con los profesores, personal docente, y si, totalmente con el amable, emprendedor y amoroso personal de los queridos trabajadores de la cafetería que son parte del lugar proverbial que nos ayuda a educar a nuestros hijos. También he tratado de incluir a mis hijos en la familia extendida de mi compañía y de compartir mis lecciones de mercadeo con ellos. ¿Problemas con sus notas? La clave para hacer un buen trabajo escolar, como le dije a los dos durante un año en que no estuve muy contento con sus boletines de notas, es "enfocarse". ¡Ah! Y no fallé en decirles que se requiere la misma energía en obtener una A, como para obtener una nota distinta de ahí hacia abajo.

Permíteme agregar una nota más sobre esta lección referente a lo paternal. En mi opinión, no existe ninguna meta que sea tan humilde, retadora, gratificante y frustrante, como esa de convertirse en un padre exitoso.

Muchos años atrás, recibí un consejo de una profesora que estaba haciendo sugerencias acerca de las mejores formas para responder a los disgustos que vienen unidos al hecho de tener hijos adolescentes. Ella dijo: "Elige tus batallas". Ese también ha sido un giro en esta lección, y me ha ayudado a enfocarme en amar a mis hijos y en estar ahí para ellos. A veces, enfocarse es así de sencillo.

LECCIÓN # 29
comparte tu bienestar
Palabra clave: COMUNIDAD

No mucho tiempo después que inicie mi negocio en Chicago, aprendí sobre cómo dar de mí a otros y hacer una contribución en grande a la comunidad. Hasta ese momento, yo asumía erróneamente que solamente la gente muy fuerte financieramente podía adquirir el estatus de un verdadero filántropo.

Mi descubrimiento se produjo después de una serie de intentos fracasados por conseguir entrevistas con algunos de los más importantes hombres de negocios de Chicago. Hoy entiendo que, bueno, yo era el chico principiante en la ciudad y estos individuos ya tenían sus inversionistas profesionales más calificados, con quienes estaban felices de negociar. Sin embargo, en ese momento mi agenda consistía no tanto en venderles mis servicios, sino mayormente en pedirles diez minutos de su tiempo para que yo pudiera aprender de su vasta experiencia. Mi interés no solamente estaba en aprender cómo navegar en el mundo de los negocios de Chicago, sino que también quería ver en qué forma Gardner Rich & Company podía ayudar a enriquecer la comunidad. Después de todo, si yo iba a cosechar ganancias del suelo local, quería reponerle de alguna forma a la tierra que iba a hacer mi crecimiento posible. En mi lógica, ya que muchos de esos individuos se habían forjado a sí mismos, y probablemente habían estado en mis zapatos cuando iban tras de sus metas, ellos solo podrían sentirse muy contentos de compartir el tesoro de lo que aprendieron.

Infortunadamente, yo estaba pensando ingenuamente. Muchos de estos altamente poderosos, ocupados y auto-forjados individuos, no me conocían desde el principio y no contaban con esos diez minutos disponibles. Sin dejarme intimidar, yo me aparecía en muchas de sus oficinas y hacía mi presentación personalmente, recibiendo abundantes consejos que valoro hasta el día de hoy. Pero hubo un caballero que fue especial, y no solo eso, sino que tenía un equipo de personas que lo cuidaban, cuyo único propósito parecía ser decirme que no.

Siguiendo mis mejores procedimientos, después de semanas de llamadas telefónicas, decidí ir personalmente pero al llegar me detuvo el guardia de seguridad del edificio. Nadie estaba autorizado para entrar en el ascensor e ir a la oficina ejecutiva sin ser anunciado previamente. Claro que tenía sentido y por eso yo le pedí al guardia que me anunciara. La respuesta vino directamente del gerente mismo: "No disponible".

Sintiéndome defraudado, para no decir lo peor, decidí liberar un poco del sofoco que sentía y me fui a dar un paseo por la vecindad del distrito financiero de Chicago, con su alta y resplandeciente fortaleza de poder y éxito. Caminé y caminé, pensando en cómo podía responder positivamente al rechazo que acababa de experimentar. Entre más caminaba reflexionando sobre la situación, mas notaba que el escenario estaba comenzando a cambiar a medida que deambulaba por entre las vecindades olvidadas y necesitadas, ahí entre las sombras formadas por las torres de la industria. En esas calles vi recuerdos de mí mismo – padres solteros pasando trabajos. Algunos de entre los cuales posiblemente formaban parte de la gente de collar blanco o azul que son indigentes con empleo o que pasan la noche de un lugar a otro; vi hombres y mujeres jóvenes que no eran distintos a mí cuando empecé en el negocio, sin duda en busca de oportunidades para trabajar duro y martillar sobre algún yunque mientras aprendían los fundamentos de sus metas. Y en ese momento tomé la mejor decisión en mi carrera adulta.

Me vino a la mente como un relámpago, que tan pronto como mi negocio estuviera ubicado y seguro, mi puerta estaría abierta a aquellos que quisieran diez minutos de mi tiempo. Lo que fue un disgusto se convirtió en una inspiración para cuando mi oficina principal estuviera ubicada eventualmente – en el corazón del distrito financiero, en el piso de abajo y además con ventanales. Si yo no podía ser accesible para compartir mis lecciones de éxito con los demás, entonces eso no era éxito.

La revelación que, compartir tu bienestar se trataba de algo mucho mayor que dinero, fue liberadora. Decidí que si podía contribuir con mi tiempo para dar consejería, no tenía que esperar a que la gente viniera a buscarme y entonces creé en nuestra oficina un programa de pasantía para estudiantes de secundaria, para aprender sobre Wall Street y capacitación en finanzas. Nuestra política consiste en que nosotros pagamos los costos universitarios para aquellos internos que estén dispuestos a aprender y a trabajar consistentemente por dos años y a mantener altas calificaciones. Invirtiendo en el potencial de jóvenes de distintos orígenes y vecindades de Chicago, mi compañía se beneficia de proveer los recursos que posteriormente volvemos a reinvertir en la misma causa. Hemos descubierto que la mayoría de los jóvenes que van a la universidad y posteriormente encuentran trabajo en el mundo de los negocios, terminan convirtiéndose en nuestros clientes y afiliados. Así como ellos tuvieron mentores, de la misma forma natural ellos también quieren ayudarle a alguien más a alcanzar sus metas.

Permíteme recomendar a los empresarios y ejecutivos del mercado, que si todavía no han explorado sobre los beneficios de convertirse en mentores, hagan el intento. El regalo de ofrecer de tu tiempo para animar a alguien que tiene puestos tus zapatos en donde alguna vez estuviste, te será recompensado incontablemente. El orgullo que siento cuando una madre me llama luego de asistir a la graduación universitaria de su hijo o hija, después que él o ella se inscribieron en Gardner Rich & Company, es indescriptible. Igualmente me siento en la luna cuando alguien se me aproxima en la calle y me dice: "Usted no se acuerda de mi, pero usted me dio diez minutos de su tiempo hace quince años" y posteriormente esa persona procede a contarme lo que pudo hacer para volver posible lo imposible y ahora está compartiendo el mismo bienestar con otros.

Probablemente ya seas un filántropo – aportando a tu comunidad de tu tiempo y/o de tu billetera – y ya sabes bien lo gratificante que es cuando tienes la oportunidad de dar algo de lo que una vez careciste y tuviste que rebuscarte por ti mismo. Si has considerado el hecho que tienes bienestar para compartir, la forma más inmediata de poner en práctica esta lección, es buscando otras formas de contribuir que no tengan nada que ver con dinero.

De nuevo, no existe nada de malo en poner tu bien ganado dinero donde está tu corazón, cuando tienes para compartirlo. Por allá en mis días de principiante, cuando darle al yunque significaba hacer llamadas en frio y posteriormente hacer contactos para que otros más expertos cerraran los negocios, nunca me olvidé de esas pocas personas que se esculcaron en sus bolsillos para comprarnos almuerzo a esos de nosotros, los que estábamos en las líneas del frente y decidí retribuirles más adelante, cuando comenzara a hacer unos pesos. Hoy en día todavía recibo notas de historias de éxito en Wall Street de gente que se acuerda del billete de cien dólares y del apoyo que les brindé en aquel tiempo. "Si supieras cuanto lo necesitaba en ese momento", me dicen. ¡Pero claro que yo sabía, habiendo estado ahí también una vez!

Otra forma de compartir tu bienestar es estando abierto a otros con relación a las dificultades que tuviste que sortear para alcanzar un mayor nivel de éxito – lo cual a veces es lo más inspirador y alentador que puedes hacer para ayudar a los que están en medio de una dificultad. Un buen ejemplo de eso es mi amigo Glen Beck, el anfitrión del conservador programa de opinión en televisión. No siempre estamos de acuerdo políticamente, pero tengo un inmenso respeto por él como persona y por su generosidad. Como devoto hombre de familia, Glen ha compartido sobre cómo se sobrepuso a una niñez muy difícil y venció algunas causas que fueron importantes para su empoderamiento. Cada vez que estoy contactando amigos y colegas que quieran contribuir a una obra benéfica o caritativa en la que yo creo, Glen es alguien con quien yo se que siempre puedo contar para aportes generosos, hechos con alegría y sin esperar notoriedad en eso.

Una de mis colegas más cercanas, quien es judía, una vez me dijo que de acuerdo con la tradición en la que ella fue criada, existen ocho niveles de caridad. En el nivel más bajo, se te tuerce un brazo para hacer un cheque. En el siguiente nivel ascendente, das generosa y anónimamente y quien recibe no sabe quién le dio el regalo. Pero el nivel más alto para compartir tu bienestar, no se trata de dar dinero ni cosas materiales, porque resulta que el bien más grande que puedes ofrecer, es cuando le das a alguien un trabajo o cuando creas una oportunidad para que esa persona encuentre un empleo, porque tú estás previniendo para que no exista pobreza en ese lugar. Incluido en ese nivel esta proveer para educación porque esta es vital en la creación de una oportunidad de trabajo. Junto con eso, yo soy proponente comprometido para ayudar proveyendo becas a individuos de comunidades desatendidas, lo mismo que con subsidios para educadores – quienes son unos héroes en todas las comunidades.

Cada vez que te cuestiones sobre qué recursos tienes para compartir, igual como yo lo hice una vez, esta lección es para recordarte que el regalo más pequeño de tiempo, consideración, amabilidad, consejo o dirección, que le des a una persona puede tener un efecto que repercuta verdaderamente para elevar el bienestar de la comunidad y del mercado. Esta es la forma en que entre todos podemos ayudar a mejorar la economía general, lo creas o no. De hecho, ahora más que nunca es necesario compartir la riqueza del conocimiento y la innovación, para poder fortalecer y revitalizar nuestros sectores debilitados. Podemos y deberíamos hacerlo.

Si, puede haber los que quieren acumular lo que tienen, comportándose como en un mundo de "perro no come perro", y creyendo que tiene que hundir a la competencia para tener éxito en el mercado. Pero las nuevas tendencias sugieren que esas actitudes no están funcionando y es necesario cambiarlas. Los síntomas muestras que las alianzas de negocios pronto serán como gremios comerciales pasados de moda para que las empresas puedan trabajar juntas para compartir el bienestar de nuevas tecnologías, reactivando la actividad comercial para todo el mundo. Mi amigo Jonathan Tisch llama a este nuevo paradigma "cooperatencia", que es una mezcla de cooperación y competencia. Mi opinión es todavía más simple: Todo mundo gana cuando todo mundo gana.

Compartir tu bienestar y preocupación por la comunidad en donde vives, al igual que por la comunidad mundial, no es algo complicado y puedes aplicarlo en la forma que elijas. Da de lo que tienes y sin esperar. Comienza ahora, ahí donde estás.

MÓDULO CUATRO

. . . .

TU ZONA DE EMPODERAMIENTO

"Uno no puede tener un mayor o menor dominio
que el dominio de sí mismo"
Leonardo da Vinci

INTRODUCCIÓN A LAS LECCIONES #30 A #37 LECCIONES SOBRE EXPERIENCIAS QUE NOS CAMBIAN LA VIDA HASTA LLEVARNOS AL NIVEL DE VOLVERNOS EXPERTOS

Todos tenemos nuestros momentos inolvidables. Algunos los han llamados los "momentos ¡ajá!" o "experiencias-cumbre". Otros los describen como epifanías mayores que cambian la forma de pensar y vivir. Ellos los reviven casi como momentos de desdoblamiento fuera del cuerpo que los llevan de "ver a través de un vidrio oscuro" hacia una nueva visión y claridad. Lo que parecía imposible en un momento, repentinamente se convierte en posible en el siguiente instante.

Lo que entiendo es que estos momentos nos ocurren a todos nosotros, durante etapas significativas de nuestro crecimiento en las que estamos listos para cambiar. Muchos de nosotros nos hemos visto frente a esa pared en la que hemos estado martillando sobre el yunque con toda nuestra fuerza, tratando de adivinar cuándo vamos a irrumpir al otro lado del muro. Esos momentos abren la entrada y frecuentemente ocurren durante intensos instantes de espera – como lo pensé durante una visita rápida a lo que yo le llamo la zona de empoderamiento. Además pueden ser experiencias provocadas por maestros empoderados o por las lecciones correctas en los momentos precisos.

Cuando recuerdo esas experiencias que produjeron cambios en mis primeros años de vida, ellas sobresalen en mi memoria como momentos de gran significado – que le dieron lugar a lecciones sobre cambios de vida que me habilitaron para caminar más rápido, llegar más lejos y volar más alto. Yo los recuerdo vívidamente como momentos de concentrar la atención, casi como si el universo estuviera dándome una palmada en el hombro muy evidentemente, presentándome oportunidades que ameritaban una nueva perspectiva.

Bueno, eso es lo que hay en el menú para este Módulo Cuatro con las lecciones que estamos a punto de descubrir a medida que examinemos los momentos que han cambiado nuestra vida o la de otros, en el pasado o que de pronto todavía no hemos tenido que enfrentar. Estas son las lecciones que nos llevan a nuestro siguiente nivel, después que hemos martillado el yunque en lo relacionado con nuestras metas y ya estamos listos para hacer la maestría – en cualquier campo en que nos atrevamos a buscarla.

Hubo un tiempo en mi vida en el que pensaba que era solamente yo quien soñaba y me atrevía a pensar que sería de talla mundial en lo que fuera que me propusiera. ¡Qué equivocado estaba! Al juzgar por el agobiante interés que escucho en individuos de todas las edades, que definen su búsqueda de la felicidad como un deseo de poder, ya es un hecho que no era solamente yo. Y eso ha hecho que sea increíblemente inspirador el viaje a muchos lugares distantes donde he conocido gente que ya sabe que se requiere la misma energía para empacar un elefante que un ratón. Gente que juega en posiciones altas buscando grandeza, muchas veces en contra de la adversidad, sin descansar en las metas conseguidas ni sintiendo satisfacción con el estado de las cosas ni con los lujos materiales del éxito, sobrepasando los límites de lo que pensaron que podían alcanzar – ser de talla mundial en su campo de acción y estar a punto de agregar valor a la fabrica de la sociedad.

Yo he presenciado múltiples interpretaciones de poder – desde los que trabajan para ejercer control en algún campo, carrera, proyecto, o forma de arte específicos, a los que quieren especializarse en ser padres de fama mundial, o amigos de talla mundial, o aquellos que están decididos a ser conocidos mundialmente por ayudar en causas que son más grandes que ellos mismos, o los que simplemente quieren ser gente de primera clase mundial. He encontrado algunos que intentan dominar retos extraordinarios, mientras que otros han decidido de una vez por todas ejercer control sobre alguna área específica de su vida, como finanzas, salud, o relaciones. He conocido súper estrellas que han alcanzado grandeza en un campo notable, pero se están empujando a sí mismos hacia nuevos retos. Conozco muchos individuos que han sido forjadores de sí mismos y autodidactas pero nadie ha escuchado de ellos - ¡pero eso no les importa!

¿Qué tienen todos ellos en común? Bueno, en medio de tantas diferencias creo que ellos alcanzaron un nivel que les permitió entrar en su zona de empoderamiento y aprendieron cómo trabajar hasta llegar a un estado más avanzado para convertirse en la obra maestra que hicieron de sí mismos. Esta es la misma zona de empoderamiento que hace 500 años habilitó a Miguel Ángel dándole origen a su visión de la capilla Sixtina para después hacerla realidad. Es el mismo nivel elevado que le permitió al Campeón Muhammad Ali flotar como una mariposa y picar como una abeja. De hecho, es la misma zona en la cual todo atleta de talla mundial enciende sus motores utilizando cada molécula de energía para desarrollar el más alto nivel de habilidad física en este deporte – y en el preciso momento en que el atleta lo necesitaba.

Tu zona de empoderamiento puede ser un estado mental que visitas solo ocasionalmente, cuando tienes momentos avanzados de consciencia e inspiración. Pero también puede ser como aspiras vivir en todo momento – con todas tus facultades trabajando juntas en óptima capacidad y funcionamiento. Estoy hablando de acelerar tu paso y el ritmo de tu vida, no solamente en un área sino en todas las cosas: de triunfo en triunfo, de gloria en gloria; que no vayas en la corriente sino con tu corriente, o mejor, que tú seas la corriente. La palabra para eso es "concientizarte". Significa que te esfuerces más allá de tus limitaciones hasta lograr obtener lo mejor de tu rendimiento, que logres controlar y usar tus fuerzas innatas estando consciente de todo tu potencial.

Para la mayoría de nosotros, los simples mortales que decidimos no dejar de crecer, aunque eso signifique dar tumbos, caer, volverse a levantar, y después buscar aspiraciones más altas, a lo mejor no permanecemos completamente en la zona de empoderamiento. Durante toda mi vida solo he conocido algunos individuos que pueden hablar de dominio en el más alto nivel, al punto que viven en el espacio la mayoría del tiempo, y que no dejan de sorprenderme debido a eso. Son personas que aunque tengan días difíciles, no dejan de estar conectadas a su propio voltaje, conservando el enfoque y la dirección en general.

Permíteme agregar que además, cuando he conocido a alguien que he admirado por ser de clase mundial, así sea en una sola área, me siento intimidado. No importa si ellos además son muy humanos en otras áreas. Esto no pudo ser más cierto que cuando finalmente conocí a la mismísima persona que inspiró mi deseo por ser algún día maestro reconocido en algún aspecto. De hecho, primero él me inspiró para querer ser él mismo algún día. Si, así es, me estoy refiriendo al incomparable Miles Davis.

Digamos que la fecha fue en algún momento de finales de los años 80s en la ciudad de Nueva York en la que resultó ser una noche tormentosa y oscura en Greenwich Village. A medida en que la limosina en que yo iba se estacionó frente a un club llamado S.O.B.'s, vi la figura de alguien que se acercaba hacia el carro y me pareció alguien conocido; finalmente me di cuenta que se trataba de Miles Davis. No, no podía ser. Justo entonces alguien golpeaba en la ventana del carro y cuando yo bajé el vidrio, estaba convencido que era Miles. Todo lo que él dijo fue: "¿Tienes un teléfono?" Tartamudeando frente a mi ídolo, yo le dije que si, obviamente. La limosina tenía un teléfono atrás y lo siguiente que supe fue que Miles Davis estaba sentado en la parte trasera de mi carro, conmigo y con la mujer con quien yo tenía cita, hablando por teléfono con alguien. Cuando él colgó, en lugar de agradecerme buscó en su bolsillo y metió su nariz en lo que parecía como un contrabando serio, aspiró duro y fuerte, y luego se fue. Ni una palabra, ni un "gracias" o "me agrada conocerlo, que tenga buena noche". ¿No sabía él quien era yo? ¿Su apasionado y devoto admirador? ¡Diablos que no! Y tampoco le importó.

Miles Davis una vez dijo algo que definió para mí lo que es ejercer control en términos de lo que significa pertenecer a una clase y estar trabajando continuamente para llegar más lejos, con otros que están únicamente tratando de duplicar, imitar y copiar. Él era tan imperturbable por sus seguidores como lo era por sus críticos. "Yo estoy por encima de todo esto" - (insertar una ultraje aquí) – "que cuando ellos vienen, yo ya me he ido".

Muy cierto, en el mismo minuto en que salió de mi limo, an antes que yo mismo lo viera subirse a su carro, ya se había idò.

¿Me sentía desilusionado? ¿Aplastado? ¡Diablos que no! Ese era Miles Davis. Existía en carne y hueso y solo me había pedido prestado el teléfono. ¡Yo estaba en la luna! Él era tan excéntrico y exagerado como yo imaginé que sería, pero nada le quitaría su habilidad para hacer la música con el poder para cambiar la energía de un cuarto – para alterar la estructura atómica de la atmósfera.

Esa primera vez que escuché que su música salía del disco de mi tío Jerry, fue una de esas experiencias que cambian la vida tan poderosamente, que me hizo desear la habilidad para poder hacer eso también, algún día. Aunque mi búsqueda me llevó eventualmente en una dirección que parecía no tener mucho que ver con tocar la trompeta ni regir el mundo del jazz, ese momento pavimentó el camino hacia posibilidades futuras.

Muchos individuos que se han convertido en excepcionales en lo que hacen, se refieren a momentos anteriores en sus vidas en los cuales se vieron a sí mismos alcanzando niveles de grandeza que quizás no eran obvios en aquel tiempo. He intercambiado correspondencia con una mujer maravillosa que se llama Amy J. Chaney, quien describió su enorme pasión por los libros como si fueran "su todo" cuando era una niña que crecía en una vida de hogar difícil, y me contaba cómo su sueño en aquella época era impactar algún día a otros tan poderosamente como sus escritores favoritos lo hicieron. Sin embargo, en lugar de convertirse en escritora, ella llegó a ser una experta bibliotecaria.

Actualmente, Amy es una súper estrella en su campo, con su propio programa para promover el alfabetismo en adolescentes y jóvenes encerrados en una correccional de Oakland, California, cerca del lugar donde viví mis viejos tiempos difíciles. Ella no solamente inspira a los jóvenes para que lean con pasión y encuentran las herramientas de empoderamiento que les ayuden a cambiar el rumbo de sus vidas, sino que también hace todo lo posible para comprometer a todo autor famoso para que le escriba a estos jóvenes. Ella, sencillamente no acepta un "no" como respuesta, tanto que si no fuera una bibliotecaria tan exitosa, haría muy buen trabajo en Wall Street. Lo que es más importante, los programas de alfabetización y responsabilidad que ella dirige, han reducido la reincidencia dramáticamente – manteniendo a los jóvenes fuera del sistema carcelario, previniendo que regresen y posiblemente empeoren.

Cuando le escribí a Amy para preguntarle cómo fue que ella le dio esa forma a su posición como bibliotecaria y lo que le ayudó a lograrlo, ella me contesto con este amable correo:

"Durante mucho tiempo odié mi trabajo. Ahora he encontrado algo que puedo hacer y que amo totalmente. ¿Qué pasó? Resultó que todos mis trabajos anteriores me estaban preparando para este, pero yo no tenía ni idea de eso en aquél tiempo. Ahora veo que levantarme a las 5:00 am para organizar las secciones de los productos cuando trabajaba en el mercado de una hacienda, me estaba preparando para el duro trabajo que organizar una biblioteca con casi nada – Yo uso un montacargas para levantas las cajas de libros (en lugar de productos de finca) todo el tiempo. Ahora veo que trabajar con los internos de las cárceles y prisiones de Death Row me dio conocimiento sobre libros y el sistema carcelario, que ahora me da el nivel de credibilidad que necesito con los chicos. Todo fue bueno y adecuado en su momento. Ahora mi pasión por servirle a la juventud fluye fácilmente y observo que mi trabajo es divertido, creativo, y que lo hago sin necesidad de esfuerzo".

No hay duda que el ejemplo de Amy me da lugar para hablar de las lecciones necesarias para obtener un alto nivel de control, las cuales son relevantes a todos y cada uno de quienes quieren entrar a su zona personal de empoderamiento. Tales lecciones son las que vas a encontrar en este módulo:

#30: Amy ha adoptado, en la misma forma en que todos podemos elegir hacerlo, el recurso del riesgo que se necesita para alcanzar a ser de clase mundial en lo que hace.

#31: Como ella, todo podemos emplear el recurso de las habilidades transferibles cada vez que observamos que las metas se pueden modificar con experiencias conectadas a ellas, y que necesitan de cierta reinvención.

#32: Como todo experto, Amy sabe que alcanzar la cima del éxito en lo que hacemos, a veces es determinado por la complejidad del momento oportuno – un recurso de mucho valor.

#33: Con el panorama de la economía cambiante, así como Amy todos debemos buscar la forma de manejar la necesidad de adaptación de nuestras metas, la cual es indispensable para la sobrevivencia del más fuerte sin importar lo que hacemos.

#34: Como Amy o cualquier otra persona te lo puede decir, el balance entre los asuntos prácticos y los sueños audaces es una lección que debes poner en práctica diariamente.

#35: Esta es una lección sobre valor, que es muy apropiada para aquellos que se atreven a desafiar los retos del mundo.

#36: El ejemplo de Amy nos recuerda que cuando el éxito personal está unido a la contribución que podemos brindar a causas más grandes que nosotros mismos, estamos en la zona de empoderamiento.

#37: Finalmente, la última lección para ser un experto tiene que ver con la forma en que la visión que tenemos puede compartirse en el éxito de causas nobles.

En otra nota que haré acerca de las lecciones que siguen, como verás, es que ellas con frecuencia requieren un repaso de las anteriores – pero desde nuevas perspectivas. Nos permiten cambiar nuestra vida, cambiando nuestro juego. No se trata solamente de subir la curva, sino de irla dibujando – utilizando todos los colores de la caja de crayones. No te preocupes, hay reglas, pero solo las que te atrevas a crear.

Lección # 30
Alcanza la estrella más lejana
Palabra clave: RIESGO

"¿Por qué Wall Street?" Esa no solamente es una pregunta que escucho todo el tiempo, sino fue exactamente lo que todos a mi alrededor exigían saber durante mis comienzos, cuando fijé mi meta en perseguir mi maestría es ese campo. Primero, quise ser Miles Davis; después, soñaba despierto con la fantasía pasajera de querer convertirme en actor; posteriormente, estuve vinculado durante algunos años en un sendero que me hubiera conducido hacia la posible carrera de ser un cirujano del corazón - ¿Por qué un salto tan inmenso para querer buscar un lugar para mí en el escalón más alto de los negocios y la bolsa de valores? Realmente, lo que las mentes curiosas querían saber era: "Gardner, ¿qué diablos estás pensando?"

¿Fue simplemente por el sentimiento que experimenté la primera vez que entré en una oficina de corretaje y entendí que había encontrado mi botón y entonces pude sentir la pasión con todo y campanas sonando, pitos silbando, y juegos pirotécnicos anunciándome que ese era mi mundo? Bueno, no completamente. Ese fue indudablemente un momento de esos que atraen toda la atención, pero lo que ocurrió en ese instante, que realmente cambió mi vida, fue la decisión que hice de empezar a perseguir esa meta – lo que requirió de mí, que me adentrara en un territorio desconocido en búsqueda de este anhelo tan improbable en ese momento. En un segundo, yo era ese tipo parado en medio de todo ese alboroto pensando – "Uh, me encantaría hacer lo que ellos están haciendo aquí porque me gusta esto y siento que lo capto, pero hombre, eso no es posible" – y en el siguiente segundo, ya me había convertido en alguien distinto que continuaba allí avanzando en mis pensamientos y concluyendo: "Bueno, ¿por qué no?"

Aunque no lo supe en ese momento, fue allí cuando tomé la decisión de ir tras aquella estrella lejana. De hecho, era la meta menos posible en que podía pensar en aquel tiempo, dado que no existía ninguna evidencia que pudiera tener éxito en eso. Después de todo, yo no tenía experiencia previa, no había ni siquiera trabajado en el cuarto de correspondencia de una oficina de corretaje, no tenía un diploma universitario, y menos que decir acerca de posgrados, como tampoco contaba con un tarjetero lleno de contactos. Pero tuve la habilidad de ver las posibilidades – es decir, el "¿Por qué no?" de todo aquello – que se convirtió en lo que yo considero que es el primer requerimiento para comenzar a ir tras tu maestría. Consiste en que aunque veas las cuestas y las llanuras, aún así, de todas formas tomar el riesgo para ir en busca del oro.

Piensa por un momento, si estás de acuerdo, sobre la forma en que enfrentas el riesgo de tus retos actuales, como también en la forma que lo has logrado en el pasado. Si nunca has sentido temor de arriesgar todo por tus sueños, entonces ya estás más empoderado, excepto sí terminas volviendo al mismo lugar en donde comenzaste. Existe algo que consiste en ser adicto al riesgo y a la conducta riesgosa, que no es fácil de manejar y que por el contrario, puede ser destructiva, pero si tienes las tendencia a sentir aversión por el riesgo, más que atracción, estarás entre la gran mayoría de individuos que van en búsqueda de su estrella más lejana, en teoría más que en la práctica.

Irónicamente, los expertos en varios campos de acción sugieren que gran parte del problema que la mayoría tienen frente al hecho de tomar riesgos, viene de la presión que se ejerce sobre ellos, comenzando con los nuestros hijos, quienes supuestamente tienen que ser triunfadores en todo, cuando resulta que el perfeccionismo no es la base para llegar a conseguir el dominio en alguna ciencia, sino probablemente la mejor forma de desarrollar una úlcera. En cualquier forma de educación, los estudiantes necesitan sentirse seguros para poder aprender y ganar – para tener el sentimiento de control y encontrar campos en los que puedan destacarse. Además necesitan estructuras seguras en las que sea posible caer. La experiencia del fracaso enseña no solamente cómo triunfar la próxima vez, sino que es la única forma de combatir el temor a venirse abajo.

En muchos adultos, el temor al fracaso les impide tomar riesgos – necesarios en el cumplimiento de muchas metas. Lo que necesitamos aprender es que está bien caer pero lo que no está bien es renunciar. Sobreponerse al temor de fracasar no es el único impedimento, ya que alterno a esto, el temor de no ganar o el temor de perder a alguien, puede forzarnos a correr riesgos innecesarios. Se ha discutido bastante que la innegable codicia y exceso en Wall Street se debieron a esta forma riesgosa de pensar.

No es necesario decir que no todos los riesgos son iguales y la experiencia nos ayuda a identificar cuáles son cuáles. ¿Qué tal esas personas que no tienen dificultades en tomar riesgos o incurrir en el fracaso pero se preocupan por exagerar y no conseguir sus metas? Si tú estás en esa situación, existe una teoría muy interesante que puede aplicar a tu caso y que dice que parte de la conducta de riesgo, la inhabilidad de concentración en una actividad específica, la falta del control de impulsos, o los rasgos que se observan en individuos que posiblemente tienen déficit de atención e hiperactividad, eran considerados como los atributos más valiosos en la época de nuestros ancestros en que la sociedad se fundamentaba sobre las actividades recolección de frutos y la caza. Si tú eras un cazador, tenias que tener una cierta inclinación hacia el peligro y el riesgo cuando salías a conseguir la comida para tu familia; además tenias que ser un poco fantasioso para idear cómo ibas a ser el gran héroe para conquistar la presa, pero además tenias que estar alerta a las distracciones, en caso que la presa disidiera que estabas bueno para su comida. Y cuando era el momento de vencer, si controlabas tu instinto de autodefensa, eras hombre muerto.

Todo esto es para animarte a ver las diferentes facetas del riesgo y que veas el papel que éste tiene en tu vida. Luego puedes hacerte la pregunta que te ayude a analizar qué es lo que estarías dispuesto a enfrentar para ir en busca de tu estrella más lejana. Cuando estás pasando del terreno conocido a la zona de empoderamiento, ¿qué estás arriesgando? ¿Tu cheque mensual? ¿La comodidad? ¿El aplauso que a lo mejor no continuarías recibiendo? No hay vergüenza en identificar cuál es el riesgo – y en darte el crédito por la decisión que has tomado. Una vez que hayas aceptado el riesgo, estás listo para tomar tu decisión y comenzar a planear los pasos necesarios para subir al siguiente nivel. El riesgo es la esencia para ir a buscar tu estrella más lejana y si no estás seguro de tener lo que necesitas para lograrlo, o te das cuenta que estás auto- engañándote, puedes contar con el hecho que eres humano.

Entonces, ¿cuál es la diferencia entre los que están lo suficientemente locos como para soñar en llegar a la luna, y los que realmente aterrizan en ella? De nuevo, no existen respuestas tan efectivas como las balas de plata para alcanzar la maestría en tu campo, pero hay algo definitivo que siempre te lleva a tomar riesgos – como aprendí durante una conversación con Quincy Jones acerca de cómo él se sintió cuando sus arreglos para "Fly Me to Moon" de Frank Sinatra se convirtió en la primer canción que salió al mercado. Es de conocimiento general que hacer una carrera en el campo de la música no viene con la garantía de triunfo. Sin embargo, mira los resultados.

Otra parte crítica para alcanzar la maestría, es el entrenamiento en los fundamentos o bases para poder manejar los riesgos en los niveles altos del éxito. Me acuerdo de un episodio que vi del programa "60 Minutes" en el año 2006, en el que estuvo invitado Neil Armstrong, quien dijo que la preparación y el resto de la NASA (National Aeronautics of Space Administration) fueron los mayores responsables del éxito de la misión. Además habló acerca de la declaración de John F. Kennedy en 1961, en la dijo que dentro de una década los Estados Unidos ganarían la carrera espacial contra la Unión Soviética, enviando una nave con un astronauta que lograría poner sus pies sobre la superficie lunar, retornando a nuestro planeta a salvo.

El riesgo de, inclusive declarar esa misión en ese momento de nuestra historia, era astronómico. Trágicamente, como sabemos, el presidente Kennedy fue asesinado en 1963 y no pudo vivir para presenciar el triunfo que él mismo inspiró a la nación en el cumplimiento de ese sueño. Pero aún sin su liderazgo, no hubo punto de regreso. Después de una inversión de 24 millones de dólares, más la pasión, el enfoque, el manejo, y la maestría de un equipo de 400 mil miembros, en solo ocho años NASA estuvo lista –dos años antes de lo planeado. Fue necesario hacer un recorrido y dar muchos pasos, incluidos los fracasos, para que se cumpliera el aterrizaje en la luna.

En el proceso Armstrong escasamente sobrevivió a pruebas que fueron casi fatales. Sus habilidades y nervios de acero para tomar decisiones correctas en todo momento fueron la gracia salvadora.

En el episodio de "60 Minutos", Ed Bradley recordó la foto de Armstrong haciendo la famosa señal de triunfo mostrando a la multitud sus dedos pulgares hacia arriba, cuando él, Buzz Aldrin y Michael Collins, se dirigieron a abordar aquel carro lunar ese memorable Julio de 1969. Bradley anotó que él nunca había visto a alguien tan confiado. La respuesta no fue lo que yo esperaba. "Si". Armstrong dijo "pero un poquito fingido, lo admito. Sabes, la realidad es que muchas veces cuando uno va allá arriba, se queda en la cabina, y si algo sale mal en alguna parte, vuelve a bajar. Entonces, realmente cuando uno despega, es verdaderamente la gran sorpresa".

Este para mí fue un pequeño momento de "¡Aja!" que confirmó lo que siempre pensé acerca de ir en busca de la estrella más lejana. Como dijo Armstrong, la realidad es que cuando tomas un riego del tamaño que sea y subes en la cabina de tu cohete, este se puede caer. De pronto nunca llegues a despegar.

Claro que también hemos escuchado las palabras de Armstrong cuando por primera vez puso sus pies sobre la superficie de la luna: "Este es un paso pequeño para un hombre, pero un salto gigante para la humanidad". Para cualquiera lo suficientemente mayor como para recordar el sentimiento de ver en televisión al mismo tiempo que él decía esas palabras y luego mirar hacia el firmamento esa noche, en los patios traseros de nuestras casas, yo tengo que decir que fue toda una explosión mental y un cambio de vida. Pero hubo algo que Armstrong dijo durante la entrevista con Ed Bradley, que me dijo más de lo que él vio cuando caminó donde nadie había caminado. Treinta y siete años después, describiendo la esfera lunar él recordó: "Ese lugar es una superficie brillante y el horizonte se ve mucho más cerca porque la curvatura es mucho más pronunciada que aquí en la Tierra. Es un lugar interesante para ir. Te lo recomiendo".

Recuerda esas palabras a medida en que quieras cambiar tus posibilidades de ese antiguo y acostumbrado lugar, mientras te preguntas "¿Por qué no?" y con urgencia quieras salir tras de tu estrella más lejana. Ve tras ella, pon tu pie sobre su brillante superficie y regresa para contarnos lo que encontraste.

Lección # 31
Viendo fantasmas y leyendo señales
Palabra clave: REINVENCIÓN

A todos los lugares que me dirijo últimamente, encuentro personas que han alcanzado el tope de su cima, pero han llegado a unos términos en que la realidad ya ha cambiado, ya sea las reglas del juego, o que éste en si ya no funciona para ellos. Me refiero a individuos que por necesidad o decisión han optado por reinventarse a sí mismos y a sus vidas. Para algunos es una experiencia espectacular y otros la describen como algo aterrador – tanto como caminar por una cuerda floja sin la malla esperando en la parte inferior. Y de hecho, la lección que he aprendido para lograr mi maestría, es que la reinvención llega a ser un acto corajudo y de alto vuelo que requiere una consciencia entusiasta de los dos aspectos, tanto las oportunidades como los peligros, que se requieren afrontar hasta llegar allá. La afinación de tal consciencia es a lo que yo le llamo como el título de esta lección: "Viendo fantasmas y leyendo señales".

Mi primera inclinación hacia esta consciencia ambigua comenzó con mi madre, quien se dio cuenta que yo soñaba despierto y me preguntó si estaba "viendo fantasmas". De hecho, ella me animó a llevar mi imaginación más allá de la cotidianidad y me dijo que no importaba si nadie más veía mis sueños, siempre y cuando yo los viera con los ojos del alma. Al mismo tiempo, mi madre quería que yo prestara atención a los inconvenientes reales que podían encontrarse en el camino hacia conseguir esas metas – que leyera las señales.

Si puedes acordarte de aquellos momentos cuando escogiste reinventarte, te acordarás del sentimiento de entusiasmo mezclado con la incertidumbre que produce el proceso. De pronto todavía estás allí. Si no estás con el ánimo de reinvención, de pronto estás interesado en opciones de reinvención que sirvan solo a partir de la posición en que te encuentras – y solo si te atreves.

El aspecto temeroso acerca de reinventarte a ti mismo, puede explicarse mejor por una antigua maldición gitana que nunca entendí hasta que fui padre. Lo peor que puedes decir como gitano a alguien que te ha hecho mal es: "¡Ojala que tu hijo vaya al circo!".

Obviamente, el punto es que nosotros como padres queremos proteger a nuestros hijos lo mejor que podemos de las fuerzas malignas que hay en el mundo, de las cuales hay muchas. No solamente se trata de los personajes inseguros que están asociados con los movimientos del circo. A lo que debes temer realmente, es a la posibilidad que tu hijo se suba en una cuerda floja; mecerse y volar en el trapecio, ejecutar movimientos riesgosas hazañas de fuerza, magia, y adiestramiento de leones; o siendo parte de un espectáculo inesperado en frente de un público rugiente que puede distraer a tu hijo en cualquier instante. Y si él o ella se caen, se hacen daño o se los come una culebra o se vienen en picada y mueren, la multitud se ahogará en gritos y se estremecerá, pero se olvidará de tu hijo tan pronto como alguien venga a remplazarlo. Aún más horrible es esa maldición emitida a tus hijos para que ellos tengan que cantar por comida a cambio, o que tengan que depender de la amabilidad de extraños cuando su acto de cuerda floja pierda su interés.

Pero obvio que esta historia sobre la maldición gitana se enfoca solo en las desventajas de pertenecer a un circo; es lo mismo que hablar de lo que se requiere para ir tras de un sueño que va más allá del reino de la imaginación por alguien más que un soñador. El regalo de tal maldición también es que puede empoderar a alguien que lleva una vida común y la convierte en una experiencia extraordinaria.

Para ofrecer el más evidente y espectacular ejemplo que venga a la mente, tengo que quitarme el sombrero frente a Will Smith, quien ve fantasmas y lee señales continuamente, elevando sus metas a todo nivel. Él ha reinventado su juego en cada momento, desde artista de la grabación en tres aspectos como cantante, bailarín y actor, a estrella comediante del cine y series de televisión, hasta convertirse en el número uno en las taquillas de los teatros de cine mundial. Ocurre que también es un padre, esposo y persona de clase mundial que continuamente está buscando la forma de reinventar su imaginación y pasión para llegar todavía más lejos – como productor, narrador, y activista de las causas que le interesan.

Will le da clase a su habilidad para ir en búsqueda de nuevas oportunidades y eliminar los inconvenientes de la fama permaneciendo arraigado a su ética de trabajo. Will ha compartido varias de sus historias conmigo sobre lecciones que aprendió de su padre, un albañil. Mi favorita es el consejo simple y poderoso que les dio a Will y su hermano sobre la excelencia y el enfoque en el trabajo diciéndoles: "Olvídense del ladrillo que acabaron de instalar y olvídense del siguiente ladrillo. Enfóquense en el ladrillo que tienen en su mano y que están pegando en este instante".

Esa filosofía también explica cómo es posible reinventarte a ti mismo y lograr la maestría en algo nuevo, siempre y cuando te enfoques en el ladrillo que tienes en la mano en la mejor manera posible que tengas.

La reinvención no necesariamente requiere que alteres la persona que eres, o que vayas tras de una nueva carrera, título o camino. Puede significar que te quedes en la vía por el que vas pero busques y mejores el método con el que estás trabajando para conseguir tus propósitos. Puedes escoger un nuevo destino, o de pronto te caíste del perchero y ahora encontraste una nueva razón para volverla a subir. O de pronto lo que estás reinventando es tu facilidad para resolver tus problemas y comenzaste a utilizar tu imaginación para ver nuevas opciones a la vez que reacomodas tus métodos en otras formas.

Bueno, estoy seguro que es definitivamente uno de los procesos que llevarán a la nueva revolución industrial. ¿Ejemplos? Los carros. Cierto, ha habido intereses financieros que han resistido nuevas tecnologías para manufacturar automóviles en América. Pero yo creo que en alguna parte, en el garaje de una pequeña ciudad de los Estados Unidos, un hombre está jugando con un nuevo artefacto que va a alterar la forma de transportarnos – para no mencionar la nueva generación de carros que iremos conociendo. Este es el hombre o la mujer que bota los viejos libros y dice: "¿Qué pasaría si...?". La ingeniosidad e industria de nuestros recursos humanos aquí mismo en este país están haciendo de esa posibilidad una realidad, aún ahora que lees estas palabras.

Siempre que me piden consejo sobre el proceso de la reinvención, especialmente por aquellos que han experimentado la situación de ser despedidos de sus empleos o que no logran ver posibilidades positivas para sus vidas, yo les cuento sobre una experiencia que tuve a principio de los 80s – que va unida al hecho de ser despedido de Bear Sterns por no atenerme a las instrucciones de la compañía. Cuando estuve tratando de decidir sobre no conseguir trabajo en otra compañía de corretaje importante o si abrir la mía, como finalmente decidí, tuve que redefinir mi concepto de maestría. Y no pude desprenderme totalmente de la anterior definición muy fácilmente. En menos de cinco años, había subido todos los rangos necesarios– desde no tener un techo sobre mi cabeza a vivir y desenvolverme como una estrella del rock. ¿Estaba yo realmente listo para aprovechar todas las circunstancias e ir y hacer algo que iba a requerir que volviera a lo básico y, si, comenzar casi con nada?

Entonces de nuevo, como pensaba en las señales de libertad para todo, que estaban de moda en ese momento – los mega emergentes y las cantidades enormes de dinero cambiando de propietarios junto con los altos estilos de vida que se basaban en lo más grande, lo mejor y lo excelente – yo sospeché que era el mejor tiempo de todos para reinventarme a mí mismo, aún sin la ayuda de una red debajo de mí.

Entonces allí estaba en medio de la incertidumbre, solo en mi apartamento de Harlem, a media noche, con truenos, rayos, disparos de revólver, y las penumbras en medio de los destellos al fondo, cuando de repente tuve uno de esos momentos que alteran la consciencia. Mientras pensaba si volvía a martillar sobre el yunque como lo había hecho, o intentar algo completamente diferente, de repente escuché una voz de yo no sé donde que me habló directamente a mí y me dijo solo una palabra: "Cambio".

Inmediatamente, no asumí que se trataba de la voz de Dios, aunque no tengo otra explicación. Mi fuerza mayor claramente entendió que yo había dejado de ver fantasmas con los ojos de mi alma y que necesitaba cambiar, reclamar esa habilidad, y además reinventar mi búsqueda. Bien, yo pensé. Era el momento para un cambio, pero para hacer eso yo también iba a necesitar un cambio de pensamiento.

En el pasado, cada vez que iba a asumir una meta, siempre tuve la capacidad de encontrar un ejemplo de alguien que lo había logrado y que representaba lo que significaba ser de clase mundial en ese campo. Pero en ese momento no había nadie que hubiera logrado lo que yo quería hacer – Comenzar mi propia compañía y atreverme a competir con las mayores firmas de corretaje, reinventando las reglas haciendo a un lado a los bien establecidos administradores financieros y yendo a buscar a los clientes institucionales. Para mí, sin un precedente comprobado de lo que sería el éxito o el fracaso, ni de alguna red si me caía, era como subir en la cuerda floja.

La persona que me animó a subir sin importar lo que pudiera pasar, fue uno de mis mentores importantes, Barbará Scott Preiskel. Ella me retó a ver posibilidades para cambiar no solo mi vida sino mi industria. Esa se convirtió para mí en mi nueva definición de maestría – ser una fuerza, marcar la diferencia. Esos fueron fantasmas que comencé a ver al mismo tiempo que leí las señales que me decían que me arriesgara. Las únicas palabras de Barbará para que tuviera precaución no fueron tanto para que leyera las señales de fracaso o éxito, sino para no dejar el proceso al descubierto. No pudo haber un mejor consuelo para mí.

Ella era alguien que tenia la habilidad de elevar tu estado de consciencia con solo su presencia. Cuando inicialmente llegué a Nueva York, e intenté elevar mi educación aprendiendo de los mejores en distintos campos, comencé a llamar a su oficina con la esperanza de presentarme. Después de un año, Bárbara Preiskel finalmente aceptó conocerme y nos entendimos desde el mismo comienzo.

Bárbara Preiskel era la segunda afroamericana que se graduaba de Yale Law School y fue de ahí hasta convertirse en una de las mentes legales de América, al igual que la persona que rompió muchas barreras para las minorías y mujeres, en el transcurso de sus setenta y siete años. En Motion Picture Association of America, donde ella trabajó por dos décadas y media, finalmente como consejera general, ella fue considerada con la fuerza que manejaba la representación de las alta de las minorías y las mujeres en las películas del cine, luchando contra los retratos de los estereotipos raciales negativos. Cuando por ejemplo, las compañías cinematográficas se negaban a proyectar sus películas en el sur, con actores y actrices de raza negra con papeles protagonistas, o que tuvieran una trama sobre segregación y otra clase de prejuicios raciales, Jack Valenti, el director de la MPAA, enviaba a Bárbara Preiskel a las capitales de los distintos estados y la hacía testificar frente a las legislaturas. Él recordaba posteriormente: "Inevitablemente, ella se las ingeniaba con su dulzura y si había veneno en el ambiente, ella lo llenaba inmediatamente con su ternura, su personalidad elegante y su lógica impecable, refrescando el aire. Los legisladores sureños siempre se abalanzaban sobre ella para felicitarla y simplemente se derretían". Los legisladores después ejercieron presión sobre los dueños de las industrias del cine para obligarlos a exhibir las películas. Como resultado, se originó un mar de cambios en este tema desde ese entonces.

Después de dejar la MPAA, Bárbara Preiskel ocupó cargos de liderazgo en innumerables juntas directivas – como General Electric, R.H. Macy, y Washington Post Company. Luego se fue al campo de trabajo con las empresas sin ánimo de lucro, utilizando su interminable energía en causas como la educación, avance económico de las mujeres, arte y cultura, asuntos sobre la diversidad, y su favorito en Tougaloo College en Tougaloo, Misisipi.

Barbara Presikel fue más que una figura materna para mí, y tenía un estilo muy diferente al de mi madre. Pero como mentora, me impulsaba igualmente fuerte, dándome una lección de derecho que valió la pena. Una de las mejores habilidades que ella me ayudó a desarrollar fue sobre cómo no sentirme intimidado cuando estoy desfalleciendo. Muy sencillamente, ella me explicó cómo no entrar en esas situaciones sin traer algo de municiones para respaldar cualquier enunciado que necesite hacer, diciéndome: "Recuerda, no necesitas tirarles el ladrillo, pero algunas veces es necesario mostrarlo". Eso ha sido indispensable para no perder oportunidades de negociación y para aclarar posibilidades de conflicto.

En el transcurso de los años, aprendí y absorbí tanto de Barbara Preiskel, que crecí hasta ser como ella en algunas áreas. Clara, sutilmente convincente e inquebrantable, ella me explicó cómo, en todos los sentidos, respetar el proceso, seguirlo hasta el final y luego prepararme para hacer mi propio cierre.

Hasta en sus últimos días, que ocurrió muy tempranamente en el 2002, cuando ella tenía 77 años, y permanecía en el hospital con leucemia, Bárbara Scott Preiskel estaba totalmente lúcida, preguntándome con mucho interés sobre cómo estaba yo y en que podía hacer por mí, y hacia donde me dirigiría después. Su bella familia y abundantes amigos quienes la adoraban, fuimos al hospital para verla y ella nos fortalecía a cada uno de nosotros, sin quejarse nunca, hasta donde tengo entendido.

Cuando ella murió, yo había estado lamentando la muerte de mi madre desde años anteriores, y aunque tuve la fortuna de tenerlas a las dos como mis mentoras en distintos momentos, el mundo no parece ser el mismo lugar acogedor desde ese entonces. De nuevo, la sabiduría de ellas, junto con su consejo cariñoso siempre están en mi memoria.

La perdida de seres amados, que todos afrontamos en algún momento, generalmente llevan nuestro pensamiento hacia nuestra propia mortalidad, y puede ser una oportunidad para cuestionarnos si en realidad estamos sacando el mayor provecho del tiempo que se nos ha dado. ¿Estamos viviendo al máximo de nuestro potencial, viendo los fantasmas con los ojos del alma y prestando atención a las señales que nos dan pautas significativas? Es verdad que llegará nuestra hora y que otros nos extrañarán cuando nos hayamos ido, pero ¿hicimos todo lo posible para asegurarnos que importó que hubiéramos estado aquí?

Tú puedes aplicar esta lección de reinvención formulándote las mismas preguntas. ¿Es tiempo para salir a desafiar la maldición gitana, subiéndote en el trapecio volador? ¿Por qué no te atreves a ser la fuerza en tu mundo, que haga la diferencia? Eleva tus apuestas y tu definición de maestría. Después ponte en marcha. Toma el consejo de Bárbara Preiskel y respeta el proceso. Deja que todo marche y prepárate a escribir tu propio final.

Lección # 32
Las oportunidades, como el pan, son mas ricas calientes, pero a veces es mejor alistar la mesa antes de comer.
Frase clave: MOMENTO OPORTUNO

Como ya probablemente me conoces, sabrás que no soy la clase de persona que se sienta a esperar a que extraños aparezcan y me dejen regalos sorpresa en frente de la puerta de mi casa. Como es nuestro tema, yo creo que la búsqueda se hace mejor con verbos que expresen acciones que nos ubican al frente y nos permiten golpear otras puertas. Pero a veces surgen situaciones inesperadas y puede ser una lección para cambiar la vida, cuando decides cómo responder. En esos instantes, el momento oportuno lo es todo. ¿Esperas? ¿Te apuras? ¿Usas esa oportunidad para juntar y construir más de lo mismo?

Bueno, para dramatizar mis respuestas, tengo una historia sobre el momento oportuno, que puede aplicarse a muchas situaciones cuando te ofrecen algo de interés y valor potencial. Déjame comenzar esta historia diciendo que estas fueron oportunidades que vienen muy de vez en cuando y que yo nunca esperé. Hacia el año 2003, fui abordado por Lynn Redmond, una productora representante de Bárbara Walters, para 20/20, con el fin de hacer un episodio del programa, sobre mi vida.

Aunque yo nunca vi mi año como indigente y padre soltero como algo que me definiera, para ese momento ya había hecho mi decisión sobre hablar públicamente acerca de mi jornada desde ser parte de los trabajadores desplazados hasta convertirme en un exitoso empresario. Mientras más amplio era para hablar del tema, más capacidad tenía para despertar consciencia acerca del tema de la indigencia y sus posibles causas. Aún así, no era lo suficientemente amplio para hablar sobre esa época tan difícil en un programa con una audiencia tan alta. No obstante, lo que Lynn describió fue un enfoque muy respetuoso y como mi deseo era alcanzar una audiencia más amplia, en la forma correcta, tuve que recordar el antiguo adagio – "a caballo regalado no se le mira el colmillo" – O como dice mi versión: "Las oportunidades, como el pan, saben más rico calientes". El momento era correcto y estaba más que feliz con el resultado.

Una de las primeras señales que tuve acerca de ir por el camino correcto, llegó en una nota entregada personalmente en mi oficina, por una madre que había estado viviendo en su carro con sus hijos, durante el oscuro invierno, y trabajando tiempo completo durante el día mientras sus hijos iban a la escuela; por la noche todos dormían entre el carro, cubiertos con sus cobijas y con su ropa puesta. Por alguna casualidad, ella había visto la historia en 20/20 y eso le dio el coraje para buscar un refugio en donde pudiera estar hasta que se recuperara nuevamente. Eso fue todo lo que necesité escuchar para saber que compartiendo mi historia podía ayudar a empoderar a otros.

Pero no estaba preparado para los ataques de interés y las ofertas que llegaron casi instantáneamente después que el programa salió al aire.

"Buenos días, ¿es usted Chris Gardner?" fueron las primera palabras que escuché de una llamada de un desconocido a mi celular muy temprano al día siguiente al programa.

El hombre era suave hasta un punto alarmante, era evidente que se trataba de un veterano del negocio del espectáculo y el socio de una de las empresas cinematográficas de Hollywood. Él sabía lo que hacía, yo podía darme cuenta, y estaba impactado que su agencia representaba uno de los "nombres más grandes" en esa industria. "Nada ocurre que nosotros no lo toquemos", fue la forma en que él describió su acceso a los pesos pesados entre los actores, directores y escritores, y sus relaciones con los estudios que tienen luz verde en las películas. Ellos proveerían todo, dijo con todo el potencial que proveyó para suplir mis intereses – publicación, película, televisión, conferencias, comercialización. ¡Increíble!

¿Era esta una oportunidad que debía aprovechar de una sola vez? Yo lo sabía. Entonces le hice mi oferta. Yo iba camino a Maui y si él lograba escabullírsele a los de seguridad hasta el salón de alfombra roja en LAX a la hora convenida, cuando yo estaba llegando para hacer conexión con mi vuelo, yo firmaría contrato con él.

"Listo", dijo él. "Nos vemos allá". En mi cabeza yo pensaba: "Bueno, no puedo creer nada de esto, ¿por qué no habría de firmar, ir a Hawái para tener un buen descanso con mi dama, y ver lo que pasa cuando regrese?"

Cuando di mi primer vistazo al agente, él parecía como si fuera justo del elenco central, y sonaba como en el teléfono: suave, agradable, pulcro y bien puesto. Nos presentamos, estrechamos las manos, y así tan fácilmente como comenzó este proceso, él produjo el contrato. En un estado de ánimo muy feliz porque yo iba camino a unas vacaciones y esta oportunidad parecía estar arribando delante de mí le pedí prestado su esfero. Él buscó en sus bolsillos y sonriendo avergonzadamente al no encontrarlo, como si no fuera algo importante.

"¡Ah! ¿Sin esfero? ¿No (símbolos de palabras fuertes) esfero? Señor don Suavecito, con que "nada pasa en esta ciudad que nosotros no lo toquemos", señor don "¿nosotros representamos a los nombres más importantes de la industria?" Viendo mi reacción, el tipo comenzó a buscar frenéticamente un bolígrafo, rogándole a todo el mundo a su alrededor por uno. Nadie tuvo un bolígrafo. ¡Debió ser el día de comer bolígrafos en Los Ángeles! Era demasiado tarde, de todas formas, porque todas las banderas rojas del mundo estaban haciéndome señales. La póliza del karma había sonado. ¿Cómo me iba a representar si no tenía la herramienta más básica y esencial del mundo de los negocios?

No hay necesidad de decir que no firmé. Mi acompañante, jefe de la patrulla del karma, estuvo de acuerdo en que algo tan pequeñito como tener una esfero, era una razón lo suficientemente buena como para dejarlo ir. "Él era el tipo equivocado", fue su opinión.

Nunca me arrepentí de mi decisión. Inclusive la siguiente vez que supe de él mediante una llamada con un sabor amargo, después que anuncié que había firmado con Escape Artists, la compañía correcta para contar mi historia, y que Will Smith haría mi papel. Su apagado comentario fue: "Bueno, espero que hayas obtenido un buen porcentaje del presupuesto". Yo no me descompuse y le dije que apreciaba su preocupación y que lo vería en el estreno pronto – todo lo cual ocurrió, imposible e inverosímil como lo que pueda sonar.

Bueno, esta historia tiene dos moralejas. Una de ellas, ya la sabías – que si me agarras desnudo en una isla desierta solo, ¡yo tengo una tarjeta de presentación de mi negocio y un esfero de tinta en alguna parte! En otras palabras, si tú vas a jugar en la posición más alta de tu juego, no seas descuidado con tus fundamentos y las herramientas de trabajo. De otra forma, no podrás comer tus manjares.

La otra fue una lección relacionada con el momento oportuno para mí durante todo el proceso. La verdad es que yo tenía más B&D por hacer antes de estar listo para analizar y apreciar las oportunidades para contar mi historia a una escala pública. Esta B&D iba a llevarme a hacer preguntas, leer lo que llegara a mis manos, seguir mi instinto, y a orientarme hacia "¿quién era quién?" en algunos campos que eran totalmente extraños para mí.

De hecho, mi fracaso al no haber hecho mi tarea casi me hace dañar la oportunidad que se presentó cuando conocí la gente de Escape Artists. Ellos me dieron su versión acerca de la película y sobre el impacto de esta heroica historia cuando yo hice el gran aporte de decir que debería tener el tono de la vida de todo hombre o toda mujer. El ejemplo que mencioné fue "Forrest Gump" – la historia de un héroe que no se conformó con ser uno, un hombre común que se encontró a sí mismo en unas circunstancias extremas. Todo mundo estuvo de acuerdo, excepto un productor que no dijo nada sino me miraba extrañamente. Después de la reunión, me siguió y me dijo: "Oh, por cierto, mi nombre es Steve Tish, soy el productor de 'Forrest Gump'".

No había nada que yo pudiera decir o hacer, distinto a hacer el voto de hacer un mejor trabajo de ahí en adelante sobre B&D.

Y afortunadamente, la oportunidad con Escape Artists, trajo como fruto una película que fue mas allá de lo que alguno de nosotros hubiéramos imaginado. El tiempo, energía, colaboración, y muchas lecciones aprendidas durante el proceso, fueron necesarias para que la mesa pudiera estar idealmente lista para lo que estoy haciendo ahora – entrando en una dirección que me ha guiado a través de los años y me permitió saborear el banquete que es mi vida.

En casi todo evento en el que participo, me preguntan cómo es posible que la historia que estuve tan dudoso de contar durante muchos años, terminara en la pantalla gigante. A medida que vuelvo a contarles a otros todos los detalles, como lo he hecho aquí, mi punto no es que algo de lo que pasó no pueda pasarle a otros. De hecho, mucha gente en Hollywood me ha enfatizado que casi nunca pasa como me ocurrió a mí. Sin embargo todos estos elementos de coordinación del tiempo, encajaron perfectamente.

Además, todavía creo que sin importar importa cuál sea tu plan, cuando te abres a posibilidades que aparecen y se presentan a tus puertas, todos los elementos de coordinación del tiempo pueden encajar también para ti. Piensa acerca de cómo los aspectos de mi inusual historia pueden haber ocurrido en tu vida. ¿Te acuerdas de aquella ocasión en que aprovechaste y tomaste una oportunidad que no podías despreciar? ¿Recuerdas la ocasión en que tuviste que aceptar que algunas veces es necesario arreglar la mesa antes de sentarte a comer? Puedes haber experimentado las dos situaciones, o de pronto estás aprovechando el momento adecuado justo ahora que yo estoy escribiendo esto. Si eres de los que miran el colmillo en el caballo que te regalan, o deliberas demasiado en aceptar una buena oportunidad rápidamente, esta es la ocasión para aprovechar y saber reconocer las grandes ocasiones, para acatar los excelentes consejos y las ofertas interesantes que pueden aparecer de un momento a otro. O si de pronto has estado tan afanado y no te has detenido a prestar atención más atentamente a lo que debieras, este es el tiempo para que entiendas y aproveches el instante adecuado para que permitas que las cosas se vayan dando sin que tú las impidas.

Cada vez que me acusan de tener suerte, yo me opongo a esa moción, porque lo que realmente ha ocurrido es que he sabido aprovechar las oportunidades en el momento propicio. ¡Tú también puedes hacerlo!

Lección # 33
Con la mente abierta pero sin divagar
Palabras clave: ADAPTACIÓN, SOBREVIVEN-CIA DEL MÁS FUERTE

Si te encanta reírte en las películas, posiblemente te acuerdas del personaje extravagante que personificó Mike Mayers en la serie de "The Austin Powers". En ese caso recordarás que en la segunda película, "The Spay Who Shagged Me", el archivillano doctor Evil envió sus lacayos al pasado a robar el "mojo" de Austin. Siguiendo la divertida comedia, eventualmente Austin lo recupera y todo termina bien.

Pero en la vida real, lamento decir que a veces la gente pierde su mojo o permite que se lo roben y nunca lo vuelven a recuperar. Algunos de mis colegas que han escalado a las alturas mayores del éxito llegan a un punto donde no tienen nada que los motiva lo suficiente como para anhelar que el sol salga para emprender el día. No mojo, no nada, todo parece haber terminado.

A lo mejor hayas sentido algo a lo largo de estas líneas, o tengas un amigo o un colega que te hayan confiado que se han dado cuenta que la pasión que solían tener ya no es la misma. Nos estamos refiriendo a la pasión hacia perseguir nuestras metas, obviamente, esos tiempos en los que necesitas redescubrir el mojo real que te de la fuerza para continuar. Cuando has sido un luchador incansable, que no te dejas atemorizar por los desafíos, un maestro en los temas de la esperanza y la resiliencia, es natural que a veces te encuentres estancado en una rutina y a lo mejor has llegado a quedarte anquilosado sin ninguna razón, o a sentir que estás haciendo una farsa, o que ha dejado de importante. En ese caso, necesitas botar todas las ideas preconcebidas de lo que antes parecía ser tu opinión de felicidad y éxito. No estamos diciendo que necesitas olvidar todo lo que has logrado, sino que necesitas trazar nuevas metas.

Lo que se requiere para volver a tener el mojo que se te ha perdido, no es algo tan chistoso como parece. Realmente es algo primordial y necesario en la lucha por la sobrevivencia del más fuerte y está relacionado con tu fuerza de adaptación. Puede significar que tengas que modificar los planes más organizados o tus ideas anticuadas. Sin embargo no tienes que sopesar tus sueños. De hecho, he aprendido que no es cuestión de reducir la visión de lo que estás haciendo, sino que es tiempo de ampliar los horizontes y crecer. Esta lección se trata de la forma operativa de cómo lograr esto – Permanecer con la mente abierta pero no desubicada.

Al comienzo de los años 2000, llegué a un punto en que casi la mayoría de mis sueños originales acerca de mi compañía se habían cumplido. Tomé muchas decisiones y pude llegar a la cima el juego en el campo financiero, que había encontrado y continuaba haciendo exactamente lo mismo. Entonces, podía pensar en reinventar mi búsqueda o podía construir sobre mis fundamentos, adhiriéndome a ellos, pero al mismo tiempo adaptándome, evolucionando y creciendo – personal y profesionalmente.

Uno de mis héroes musicales, Carlos Santana, nos provee con un famoso ejemplo sobre la fuerza de la adaptación creativa. ÉL nunca ha perdido su sonido distintivo pero ha evolucionado artísticamente en forma constante, adaptándose a la situación mundial de la industria musical y sobreviviendo a los cambios culturales para convertirse en unos de los artistas más fuertes en el medio. Santana – quien definió el "mundo de la música" antes que este existiera, vino a América desde Méjico con su guitarra y comenzó desde donde estaba, tocando en las esquinas de las calles por monedas. Después que apareció en el escenario de Woodstock en 1969, su crecimiento musical produjo casi una década de clásicos valiosos que puedes identificar fácilmente, desde el momento en que escuchas las tres primeras notas de su guitarra. Cuando básicamente llegó a la cumbre a finales de los 70s, gran parte de su público siguió adelante, aunque todavía Carlos se encontraba grabando y lanzando su música al mercado. Muchas de las disqueras y de sus seguidores lo borraron por considerar que ya su éxito había pasado, olvidando que sus virtudes musicales y su exploración espiritual estaban llevándolo a una evolución que nadie podía imaginarse.

Se ha sabido que, por ejemplo en 1990, ninguna casa disquera quería contratarlo, pero nueve años más tarde, aquellos que tuvieron la oportunidad de haberlo hecho debieron estar arrepentidos porque Carlos Santana surgió de sus cenizas con su éxito "¿Where are they now?" con su obra maestra "Supernatural", la cual fue madurando con la colaboración musical de Erick Clapton y la mayoría de artistas más jóvenes que estaban surgiendo y trabajando en sus géneros – Dave Mathews, Wyclef Jean, Rob Thomas y otros. El álbum ganó todos los premios posibles, vendió 25 millones de copias, y este hecho le sirvió a Carlos como una catapulta que lo envió hasta la estratósfera y más allá de donde él no había llegado antes.

Santana reclamó su mojo no solo como artista musical, sino que mucho más allá y se expandió en sus horizontes utilizando su expresión creativa como pintor, diseñador de ropa y empresario. Él juntó sus esfuerzos con un compromiso por la justicia social desarrollando una agenda de talla mundial para ayudar a resolver nuestros asuntos más urgentes. Un asunto que particularmente me llama la atención, es su interés por trabajar con una alianza de artistas que invierten recursos para la revitalización de Suráfrica – una causa cercana a mi corazón. En lugar de señalar a otros para hacer el trabajo, él ha tomado el liderazgo en la meta de su visión de una transformación mundial a través de la música. Para algunos, ese habrá sido una verdad muy trajinada, pero no para Carlos Santana, quien considera que la música nos permite crecer y evolucionar a través del simple hecho de experimentar los sonidos, sobre lo cual él dice: "¡reorganiza la estructura molecular de quien escucha!".

Adaptándose a los cambios en su industria y en el mundo, Carlos Santana no escogió resignarse y producir y sacar simplemente la vieja música que él sabía hacer, descansando en los laureles de su fama. En cambio decidió estar abierto al aporte de otros músicos, artistas más jóvenes, como también alerta a los problemas globales.

Tú puedes aplicar el enfoque de Santana dondequiera que te encuentres si lo que realmente quieres es reconectarte con tu mojo. No tienes necesidad de resignarte y piensa que puedes reencontrar tu propio ritmo nuevamente. Simplemente adopta una posición con mente abierta hacia posibilidades que puedan reacomodar tus moléculas. Escuchar música, como una aplicación a esta parte de la lección, puede ser de pronto una medicina para lograrlo.

Cuando yo decidí que había llegado el momento de alcanzar otra estrella distante, y de volver a afrontar otro reto personal, lo que me motivó fue el concepto que eventualmente identificaría como capitalismo consciente – basado en el principio que el bienestar se desarrolla tanto individual como globalmente, invirtiendo en el desarrollo de economías y nuevas tecnologías, dentro de nosotros mismos, en nuestras comunidades y en el mundo. No por filantropía sino por ganancia. Levantando a la gente, levantando su economía - todo mundo se beneficia. Por algún tiempo, esta idea fue demasiado amplia y general, que parecía solo un gran sueño sin un plan específico.

Sin embargo, eso comenzó a cambiar a lo largo de conversaciones con individuos muy informados acerca del movimiento para terminar el apartheid en Suráfrica. Cada vez que surgía el tema, yo me sentía muy afanado e interesado por saber. Repentinamente una proposición lógica vino a mi mente a lo largo del camino. Ya que había presión de los sindicatos obreros y las organizaciones de los derechos civiles e ciudades de este país que comenzaron a rodar la bola, a través del poder de sus fondos de pensión, ¿por qué no podía ocurrir al contrario? Todas esas entidades corporativas que habían estado poniendo capitales en el sistema entendieron que los fondos pensionales no continuarían invirtiendo con ellos siempre que ellos estuvieran haciendo negocios en Suráfrica. Ellas entendieron el mensaje y se retiraron. Así fue como las paredes comenzaron a derrumbarse. Pero ahora que los surafricanos tenían libertad política mi pregunta era ¿qué bueno era sin inversionistas trayendo capital extranjero, reiniciar la maquinaria de la libertad económica y las oportunidades? Se me ocurrió entonces, por sentido común, que exactamente esas mismas compañías serian bienvenidas de regreso a pos-apartheid Suráfrica y que el mismo liderazgo que ejerció presión para no negociar más, estaría envuelto en el proceso de reinversión. En mi opinión, Suráfrica tenía el potencial de ser el Hong-Kong de África, y si esta clase de esfuerzo, si se hacía correctamente, así sería.

En el minuto que vi mentalmente la posibilidad, tuve uno de esos momentos que cambian la vida cuando supe que eso era algo que yo podía hacer – y tenía que hacer. Esta iba a ser mi Capilla Sixtina. Las negaciones comenzaron casi al momento. Ahora todos los que lo hubieran sospechado, ahora estaban seguros que yo estaba loco.

Lo que se convirtió en "Gardner Rich Pamodzi South Africa Fund I" un fondo de equidad por primera vez privado, enfrentaba grandes obstáculos, del cual el menor no era que estaba en un mercado emergente. Como el terreno estaba lejos de la mercancía comprobada para la mayoría de los inversionistas, gran parte de nuestro tiempo se invertía inicialmente informando a los posibles tenedores de apuestas del porqué sería rentable para ellos y positivo para el mundo. A pesar de los retos, cuando escribo esto, después de cuatro años, vamos camino a recoger un billón de dólares de nuestra inversión. Hemos construido nuestro andamiaje y estamos comenzando a pintar.

Una de mis primeras incursiones en esta meta surgió con mi primer viaje a Suráfrica. Fue un curso accidentado sobre cómo permanecer con la mente abierta sin dejar que se disperse. Vino con una agenda para valorar la posibilidad de un producto único para encaminar esfuerzos hacia mejorar la necesidad de vivienda decente. Gardner Rich tuvo la oportunidad de poner en el mercado casas a bajo costo, prefabricadas con paneles que al ensamblarse para convertirse en casas, mantendrían la frescura durante el verano y el calor en el invierno. La verdadera fortuna era que los paneles podían construirse en Suráfrica en fábricas que se edificaron en las nueve provincias - creando además oportunidades de empleo y ayudando a desarrollar el bienestar de la comunidad. Todo esto había sido encendido mi mojo y estaba seguro que los surafricanos con los que estaría trabajando serian receptivos.

Antes que hubiera llegado, escuché rumores que suponían que esto no iba a funcionar, aunque no existían razones claras del porqué. Normalmente, había escogido ajustarme totalmente a mi plan de cerrar el trato sobre los paneles prefabricados, pero en lugar de eso, caí en la cuenta que tenía que estar abierto a escuchar cuáles eran las objeciones y hacer adaptaciones, una vez que me reuniera con los oficiales gubernamentales y los líderes de las entidades comerciales. Se me ocurrió que una vez que viera todo el panorama completo, igualmente podría descubrir más oportunidades promisorias.

Una vez en Suráfrica, cuando comenzó la reunión y yo fui explicando el plan, escuché un sonoro "no". La razón para eso era: "El hombre blanco tenia ladrillos, nosotros queremos ladrillos". La objeción a los paneles prefabricados, sin importar el potencial de la creación de nuevos empleos, era una cuestión cultural que no estaba en discusión. Punto. Final de la historia.

¿Cómo podía refutar exitosamente años enteros de esa forma de pensar? Y para ser más exacto, ¿por qué debería hacerlo? Entonces, permaneciendo abierto pero no disperso, he seguido yendo a las autoridades continuamente y lo que descubrí en el proceso es que, descuidando un detalle en el panorama completo — como los paneles prefabricados que no funcionaron el todo el esquema, por las razones que fuera — sirve para mejorar y ampliar las posibilidades que eran desconocidas hasta entonces. Después de cuatro años, estamos cerca de develar los resultados.

Tan fuera de la estratósfera como puede parecer este proyecto, no hubiera sido posible si no es por esta lección, en la que te estoy animando a hacer tu propia prueba. Has una lectura de tu mojo, ¿estás satisfecho? Si lo estás, bien. Pero si no, incrementa tu juego, atrévete a perseguir el sueño de tu vida – y hazlo con la prontitud para adaptar tu plan cuando se necesite, pero rápido.

Puede haber una aplicación posible de esta lección para ti, una que es mucho más básica que reacomodar toda la estructura para tu plan. De pronto simplemente necesitas renovar el estilo de tu cabello; a lo mejor solo necesitas elegir otra ruta para llegar a tu trabajo diariamente; o si quieres reacomodar tus moléculas, es posible que lo que necesitas es escuchar diferentes tonadas para hacer el cambio. A veces, estar abierto es tan sencillo como eso y es el boleto que necesitas para recuperar tu mojo.

En la búsqueda de ser un experto y ejercer dominio sobre tu campo de acción, también pienso en esta lección como el recordatorio que, cuando las condiciones del camino lo requieren, es posible que necesitemos cambiar la velocidad, sin tener que cambiar la ruta. Por ejemplo, en el comienzo del desarrollo de mi compañía, había dos individuos que me interesaba conocer. Uno era Henry Kravis, el multimillonario comprador de acciones con financiación ajena cuya empresa KKR (Kholbert, Kravis, Roberts) estaba en la cima de la lista de "¿quién es quién?" en Wall Street. La otra persona era responsable del mismo movimiento en TLC Beatrice, una de las singulares compradoras de acciones de los años 80s. Ese era Reginald Lewis, un fenómeno de Wall Street y el primer afroamericano en comprar una compañía de un billón de dólares. Ciertamente, Reggie Lewis me inspiró y me hizo subir mi propia barra de retos, entonces me enfoqué en conocerlo a él primero. Esto se debió también a que posiblemente era la introducción a Henry Kravis. Los dos tenían sus oficinas en el mismo edificio de West con la calle 57 en la ciudad de Nueva York.

Durante meses si fin, estuve llamando a la oficina de Reggie Lewis y no tuve suerte para nada en mi intento de comunicarme con él por teléfono hasta que finalmente, decidí ir y golpear a su puerta, presentarme y establecer contacto. Su portera era como un cocodrilo entrenado en eficiencia militar mediante el mando de un sargento bocón. Ella no solamente casi me come por aparecerme allí sin cita previa, sino que además me escoltó hasta la puerta de entrada, atravesando la recepción, y hasta dentro del elevador. Dos pisos hacia abajo, el elevador se abrió y dentro de él estaba nadie más ni nadie menos que Henry Kravis. Se me ocurrió instantáneamente, en un momento mi rumbo cambió para poder adaptarme a esta nueva oportunidad. Mn la jugada.

Tuve de pronto entre 3 y 5 minutos, mientras el elevador llegaba a su destino para hacer mi presentación personal y decirle a Henry Kravis por qué mi compañía tenía algo de interés para ofrecerle. La sobrevivencia entre los más fuertes significaba adaptarme a este momento. Antes de salir del elevador, me invitó a que lo llamara en cualquier momento. ¡Adaptación!

Pero no me lo creas a mí. Cada vez que mires los ejemplos de aquellos que se han atrevido a alcanzar y abrazar la felicidad y la pasión duradera de por vida, gente que conozcas personalmente, o individuos a quienes admires de lejos, observa la forma en que ellos se han adaptado al cambio en diferentes momentos de su búsqueda. Verás que es alguien abierto, curioso, que cuestiona, y accesible a nueva información todo el tiempo. Sin embargo son gente con los pies bien puestos sobre la tierra y no van de un lado para otro sin rumbo, sino que están anclados y seguros de quiénes son y por qué. Su mojo no ha sido quitado ni alejado, pero a pesar de todo es infeccioso y desarmado. Esa es la sobrevivencia del más fuerte.

Si ves que tu pasión no está en el mismo nivel, ve a buscar al doctor Evil que te la robó, recupérala, y recarga tu mojo si fuera necesario. Si no lo haces y la procesión proverbial comienza a dejarte atrás, ¿de quién sería la culpa? Y finalmente, como nuestro mundo cambia, nuestra sobrevivencia individual y colectiva dependerá de cómo nos desempeñamos o como nos adaptamos. Elige adecuadamente.

LECCIÓN # 34
Dinero, opciones, problemas
Palabra clave: BALANCE

Quizás las cartas más humildes que recibo vienen de individuos que aspiran a lograr su propia versión de mi historia "de los harapos a las riquezas" (o "de las maletas a las riquezas", como bromeo a veces) y los que más sinceramente me piden que les ayude a invertir sus ahorros en la bolsa de valores. Una madre soltera con cuatro hijos me escribió para decirme que estaba rodando dos negocios alternamente – un servicio de conserjería con una página de internet para vender sus productos - a la misma vez que trabajaba como enfermera de tiempo completo. Su aspiración era recortar horas en estos trabajos para pasar más tiempo con sus hijos, teóricamente, invirtiendo sus ahorros en el mercado de la bolsa de valores. ¡Hablando acerca de manejar múltiples metas! Ese es el espíritu empresarial que las compañías deberían estar contratando para ejercer cargos de estatus ejecutivo. Más aún, su deseo de invertir, ciertamente causa en mí el deseo de aplaudirla. Mi consejo para ella, como para ti, si estás inclinado similarmente, es que des pasos pequeños incrementados paulatinamente para que vayas conociendo el mercado de la bolsa.

Como política de mi empresa, estamos inhabilitados para aceptar tales requerimientos ya que invertimos para instituciones y no estamos equipados con programas individuales de inversión. Lo que si recomendamos a cualquiera que desee invertir sabiamente, es que explore sobre los fondos mutuos de inversión o que investigue sobre formas de asesoría profesional. Pero lo más importante, que utilices tu tiempo en informarte para llegar a convertirte en alguien educado en el tema financiero antes de invertir tu dinero. Puedes empoderarte aprendiendo como manejar cada instrumento en la caja de herramientas financieras, que sea aplicable a tus necesidades y objetivos. A menos que tengas la pasión por hacer tu B&D en el mercado de la bolsa de valores por ti mismo, te recomiendo que busques un agente de corretaje que te haya sido recomendado por alguien que conoces y en quien confías. Puede significar que tengas que pagar un pequeño porcentaje o tarifa al agente, pero ese será dinero que vale la pena pagar. Y si quieres mi opinión acerca de la clase de inversión que tú y tu agente deberían estar examinando, no es un secreto que por lo menos la siguiente década, tengo dos palabras clave para ti: nuevas tecnologías.

También me preguntan mucho acerca de las consolidaciones de las tarjetas de crédito y de ofertas para reducir las deudas. Repito, acude a expertos acreditados quienes han demostrado por sí mismos que son confiables ante alguien que tú conoces. Visita tu librería local para ver qué libros sobre administración de tus finanzas puede ayudarte a hacer tu investigación. La gente en la sección de referencias, no solo puede guiarte hacia material útil de leer sobre el tema, sino que además pueden estar informados sobre cursos comunitarios o conferencias que generalmente son gratuitas para el público y ofrecen consejos administrativos sobre dinero contante y sonante.

Aunque esta lección no se refiere específicamente a las formas de hacer dinero en el mercado de la bolsa, ni sobre cómo desarrollar un presupuesto que puedas ejecutar, o cómo quitarte las deudas de encima, si está relacionado con algo de interés para los individuos de todas las edades, orígenes y casi todos los niveles financieros – para conseguir un excelente manejo del dinero.

Es importante distinguir entre conseguir el manejo del dinero en beneficio de la seguridad del dinero y perseguir el manejo sobre el papel que desempeña el dinero en tu vida. Hay 3 preguntas muy útiles para ayudarte a mantener una relación real con el dinero. (1) ¿Te controla el dinero o tú controlas tu dinero? (2) ¿Trabajas duro para obtener dinero (como la canción de Donna Summers)? ¿O dejas que tu dinero trabaje para ti? (3) ¿Representa el dinero la caballería que has estado esperando, o es el único recurso en tu búsqueda de la felicidad?

Claro que puedo ir al grano y decir que en el mejor de los casos tú estás en control del papel que el dinero ejerce en tu vida y que definitivamente el dinero trabaja para ti en lugar de tú estar esclavizado a él. Y por encima de todo, nunca debería ser visto como tu salvación máxima o como una cura a tu enfermedad, cuando tus problemas parecen basarse en el dinero. No es necesario decir que todo eso es mucho más fácil cuando se dice que cuando se hace, sin importar en donde caigamos en el espectro económico. Lo que se requiere más que todo, es encontrar un sentido de balance.

Por eso es que esta lección cambió mi vida en el camino hacia el acto de ejercer control y buscar el balance.

El primer eslabón en la cadena en muchos eventos que me llevaron a mi momento de comprensión de esta lección, ocurrió en San Francisco después de un año de estar en la calle con mi hijo, seis meses como agente de corretaje. A ese punto medio, puedo recordar que el clima cambió repentinamente, de los hermosos días de otoño a noches y semanas de frio y lluvia que eliminaban las opciones de dormir en el parque o llevar a Christopher para dar paseos por la playa y jugar. Como he dicho frecuentemente, yo no sé dónde estaría hoy si no hubiera sido por el descubrimiento del reverendo Cecil Williams, de la iglesia Glide Memorial y Mo's Kitchen (un comedor comunitario) – que estaba ubicada en el sótano de la iglesia – como también de las noches en el hotel organizado por la iglesia. Cada vez que yo estaba haciendo la fila en cualquiera de estos lugares, ya fuera para una comida en la cocina de Mo, para Christopher y para mí, o en la fila del hotel esperando para ver si habría un cuarto para nosotros esa noche, yo daba gracias y contaba mis bendiciones al tener esas opciones salvadoras.

Como si fuera ayer, también recuerdo que pensaba que iba a llegar un momento en el cual nuestra situación sería diferente y tendríamos suficiente dinero y comida de sobra. Lo que más me sostenía era que me decía a mi mismo en voz alta, tan frecuentemente como podía – un día en un futuro no muy distante, no tendré estos problemas nuevamente.

¿Sabes qué? Yo estaba en lo correcto, como también lo estaba mi rapero favorito de todos los tiempos, el gran Notorios B.I.G., quien habló sobre la verdad de Dios acerca del balance en los asuntos financieros cuando escribió: "Mo' Money, Mo' problems", canción y video lanzados al mercado después de su muerte. "No sé lo que quieren de mí. Es como que entre más dinero conseguimos, mas problemas vemos".

Entonces déjame preguntarte, ¿alguna vez pensaste que el dinero iba a resolver todos tus problemas? Si es así, eventualmente has llegado a la misma conclusión que yo cuando aprendí con el tiempo, a través del ensayo y el error, que aunque el dinero soluciona muchas necesidades, y realmente da opciones que no tenias antes, también trae consigo una nueva clase de problemas que nunca te hubieras imaginado. Si eso rompe tu fantasía que el dinero va a hacer todos tus sueños realidad y a desaparecer tus preocupaciones, o si tu definición de felicidad está unida a la acumulación de dinero, esto puede no ser lo que esperabas escuchar, pero es un fundamento significativo en tu camino hacia encontrar el balance necesario para manejar tu dinero.

Antes que realmente entendiera el mensaje de B.I.G., tuve la oportunidad de experimentar cómo el dinero en realidad produce opciones. Todo mi año de experiencia trabajando pero sin tener hogar, me enseñó muy bien que cada dólar que ganaba nos acercaba un paso más a la posibilidad de poner un techo bajo nuestra cabeza. Con el avance financiero que siguió pudimos mejorar el estilo de vida. Algunos de esos cambios eran necesarios, otros fueron importantes pero otros eran lujos. Era incuestionablemente motivador pasar del estatus de solo poder presionar mi nariz contra los vidrios de todos esos lugares que me impedían la entrada – no a causa del racismo ni clase, sino por mis circunstancias personales que me impedían ser parte del lugar– de ser alguien con la opción de entrar, sentarse, invitar a otros a acompañarme a la mesa. Esas son opciones que trae el dinero.

Similarmente, para alguien que haya visto la película "En búsqueda de la felicidad" o que haya leído el libro, se acordarán que fue el Ferrari de Bob Bridges lo que me llamó la atención y me hizo preguntarle qué era lo que hacía para ganarse la vida. El carro se convirtió en un símbolo para mí de lo que era posible, representando el empoderamiento de tener la opción de comprar cualquier carro que yo quisiera. Entonces, cuando llegó el día en que era posible que yo comprara y manejara uno de esos juguetes, fue todo un acontecimiento, sin lugar a duda un momento para celebrar, tirar confetis, hacer una procesión, y luego volver al trabajo. Al mismo tiempo, el poder para creer que podía existir la opción de algún día cambiar la vida.

Eso es fe. Si te preguntas a ti mismo, si existe la opción de tener, hacer, o ser alguien, y la respuesta es sí, entonces ya entendiste esta parte de la lección. Entiendes que el dinero solo es un medio y no una meta. Reconoces que es una medida útil para el mercado y no la razón del éxito. Entonces tienes el control del balance financiero.

¿Y qué ocurre con el énfasis de B.I.G. con respecto al problema del dinero? Primero que todo, no tienes que ser una estrella del rap para aprender que en el momento que en el dinero se incremente en tu cuenta a un nivel importante, así mismo los gastos suben exponencialmente para recortar cualquier ganancia que hayas podido obtener. No solamente es tu obsesivo deseo de tener esas opciones que querías cuando no podías tenerlas. Aún si eres lo suficientemente disciplinado para controlarte, puedes estar seguro que antes que ganes unos buenos pesos, el deseo de gastarlos vendrá. De repente tus amigos, familiares, asociados, y los extraños que encuentras en la calle en años anteriores, aparecerán a gastar el dinero por ti. Todo mundo con sus hermanos, al igual que con las mascotas, te recordarán constantemente lo que hicieron por ti alguna vez y te lo repetirán hasta que finalmente tu digas: "¿Cuánto es?" Por más generoso que quieras ser, tendrás que aprender a decir que no y eso no te hará muy amado.

Ese es solo el comienzo para aprender a manejar la espada de doble filo que vas a encontrar en esta lección. De nuevo, una de las razones por las que algunos de nosotros minimizamos nuestras aspiraciones en términos de las metas más grandes que queremos conseguir, es por la envidia y el odio descarado que ellas provocan en los demás. Buscar tu estrella más lejana puede no tratarse de conseguir dinero, pero de todas maneras te costará. Puede tratarse de que estás dejando una relación abusiva o rompiendo un ciclo de dependencia; puede que se trate de controlar el estado de las cosas, puedes estar lo suficientemente loco como para pensar que estás creando un paradigma para las maquinarias y la industria del comercio alrededor del mundo. Lo que quiera que sea, a medida que te vayas empoderado, en esa misma medida te rechazan los demás. Tienes que estar preparado para defenderte y para afrontar más problemas. Ve preparándote para estar solo bastante tiempo – lo cual también es bueno.

Y si todavía solo estás pensado en los juguetes, lo que aprenderás, como yo lo hice para mi sorpresa, es que necesariamente no tendrás el tiempo para disfrutarlos. Es verdad lo que dicen, que el tiempo es el lujo más grande – y el motivo por lo cual una noche tranquila mirando un clásico del cine con la gente que amo, es tan enriquecedor para mí como unas vacaciones en un resort.

Esta lección es un recordatorio que entre más cerca te encuentres a la estrella más lejana, más sin sentido se tornan las cosas. En el apogeo de tu fama, toda esta locura se multiplica y amplifica, indicando fuertemente que tus circunstancias van a involucrar la gente cercana a ti. En la búsqueda de la felicidad te recomiendo que resaltes estas palabras. Es posible que no quieras creer que alguien cercano a ti estaría envidioso o se sienta con derechos a tus opciones, pero eso es lo que debes esperar que ocurra.

Ninguno de nosotros esta inmune a la realidad de "Dinero, opciones, problemas" ("Mo' money, mo' options, mo' problems"). Cuando estaba en esa fila para obtener comida, pensaba cómo si yo tuviera riquezas podría alejar todos mis problemas. ¿Quién hubiera sabido que después de arrastrarme hasta lograr salir de entre la alcantarilla con un bebé en mis brazos, para convertirme en un empresario y ciudadano contribuyente de este mundo, también me convertiría en el primer hombre en los Estados Unidos contra el cual se denuncia una queja por discriminación racial por uno de sus propios familiares? Eso es cierto. Un miembro de mi familia extendida fue empleado en mi compañía y no estaba haciendo su trabajo. Después de ser despedido, la reacción de mi familiar fue demandarme ¡por causa de racismo! Absurdo y sin ningún fundamento, si. ¡Absolutamente doloroso! Y también costoso.

El dicho que ningún buen acto queda impune debió aplicarse en este caso, pero eso fue lo que me tomó para digerir totalmente la expresión "Dinero, problemas". ("Mo' Money, Mo' problems").

Una vez que puse las dos partes de la ecuación juntas, obtuve una epifanía. Finalmente era posible para mí contestar esas 3 preguntas y decir que quería controlar mis recursos financieros, que ellos trabajaran para mí, y que el dinero no era ni un problema ni una solución.

La aplicación práctica ha sido mantener el balance entre el crecimiento financiero deseado y el costo de hacer negocios. Ese ha sido un recordatorio para mantenerme enfocado en el trabajo que tengo a la mano y para reinvertir la parte más grande de las ganancias nuevamente en el negocio, minimizando los excesos en todo, compartiendo el bienestar invirtiendo en organizaciones socialmente conscientes que hacen énfasis en la educación y en la creación de empleos.

Quiero enfatizar que no hay vergüenza en el hecho de disfrutar de tu éxito con un Ferrari rojo o con cualquier otro resultado que surja como fruto de tu trabajo. Y en la medida que expandes tus posibilidades, así también puedes agrandar tu presupuesto. Además soy enfático en el antiguo consejo que muchos de nosotros recibimos cuando estábamos creciendo – gasta menos de lo que ganas y paga en la medida que avanzas. Si estableces unas reglas y te adhieres a ellas, esa es otra forma de tomar ventaja en cuanto a la manera en que dominas tu manejo del dinero. También es bueno tener una norma establecida en cuanto a tus asuntos financieros personales, los cuales puedes organizar con la ayuda del complejo C-5, haciéndolos claros, concisos y convincentes para que puedas cumplirlos con compromiso y consistencia. Lo que es mejor, ese tipo de normas puede ayudarte a disminuir los problemas y los malentendidos, cuando los socios o los miembros de la familia tienen diferentes opiniones en cuanto al uso del dinero.

Mi última sugerencia en tu búsqueda del balance en el manejo del dinero es que recuerdes una de las pasadas lecciones acerca de aprender a reconocer las clases de nudos primero y luego si ir a conquistar Roma. Esa es la verdadera estrategia para pasar de los harapos a las riquezas.

LECCIÓN # 35
El dinero es el componente menos significativo del bienestar
Palabra clave: VALOR

En una conferencia para una asociación de propietarios de empresas pequeñas, la cual incluye artistas independientes y empresarios relacionados con distintos campos, tuve un intercambio memorable con un individuo llamado Dave, quien se puso de pie y se presentó a sí mismo como "un surfista de cincuenta años de edad en proceso de recuperación" y continuó diciendo que hasta hacia tres años, no se consideraba como una persona con éxito en ningún aspecto. Vino el momento en su vida en que perdió "el trabajo con el cual cubría sus obligaciones", junto con el seguro médico familiar, al mismo tiempo que su esposa tuvo una crisis de salud que le impidió trabajar. Dave dijo que nunca se había visto forzado de salirse de su contexto pero ahora era el momento, pues aunque no sabía lo que podía hacer, su motivación era mostrarles a sus jóvenes hijos que él lo iba a intentar.

En lugar de pensar a pequeña escala, Dave aceptó el desafío que se le presentó, para poner en marcha un plan ambicioso sobre lo que quería hacer con la segunda mitad de su vida. Invirtió en el equipo para iniciar su negocio propio de limpieza de alfombras y se dio cuenta inmediatamente que había nacido para ser vendedor; mientras más ocupado estaba, más motivado y enfocado se sentía. Si él podía construir un negocio y disfrutarlo, por qué no intentar una segunda opción alternativa con alguno de los programas de mercadeo directo de los cuales él había escuchado. En tres años los dos negocios tuvieron buen auge y él la estaba pasando de maravilla. ¿Cómo había sido todo esto posible? Dave explicó: "Comencé a leer de cualquier cosa y de todo, diez, veinte minutos diarios, para comenzar. Antes de eso, nunca había leído un libro en mi vida".

Como resultado de la lectura, Dave decidió que si podía cambiar algo tan básico como su nivel de conocimiento, también podía cambiar de ser un hombre sin éxito a ser una persona de valor, exitosa y empoderada. La lección de vida para realizar un cambio para su bien surgió al comprender que el éxito no era otra cosa que hacer las pequeñas cosas que la gente sin éxito no hace. Muchos de sus ejemplos fueron las formas en que aprendimos los fundamentos para martillar sobre el yunque: entregando esa porción extra de cuidado, seguir el ejemplo, hacer cinco llamadas mas de las que se requieren, estar atento a los detalles.

Ahora que él estaba comenzando a ganar buen dinero, su pregunta para mí era: "¿Qué es eso que yo debería saber que la gente que no es adinerada no sabe?"

Mi respuesta fue enunciada en forma de una lección que me tomó algún tiempo aprender y que ha sido enfatizada por cada maestro que he conocido – El dinero es el componente menos significativo del bienestar.

Dave lo entendió inmediatamente. De hecho, pude entender por su sonrisa que su valor no tenía nada que ver con el estado de su cuenta bancaria, ni en cuanto dinero estaba ganando anualmente.

Voy a agregar rápidamente que nadie en ese recinto ni en ningún otro sitio lo entiende. Es muy interesante que cada vez que recibo correspondencia acerca de lo útil que esta lección ha sido para alguien, observo que estos individuos han sido personas prominentes o han alcanzado algunos de los otros componentes del bienestar que son más significativos que el dinero.

El público joven no es muy bueno en esta lección y no los culpo, ellos han crecido con la mentalidad de "hazte rico rápidamente o muere en el intento", la cual no existe solamente en cualquier vecindad sino en todas partes. Mi argumento cada vez que ellos quieren refutarme acerca del valor del dinero para determinar el valor, es mirar a todos los chicos a mi alrededor y preguntarles: "¿Cuántos de ustedes conocen algún vendedor de drogas que esté jubilado?" Claro que eso es un oxímoron porque los vendedores de drogas no tienen un plan de pensiones. Ellos mueren o van a la cárcel.

Aunque esta lección ha sido transformadora, me costó un tiempo asimilarla. Mis profesores en ella fueron mis hijos Christopher y Jacintha. Mi hijo sale con algunas perlas hermosas y deslumbrantes de sabiduría de vez en cuando, pero el más absoluto e invaluable de todos los regalos que me ha dado y que nunca olvido, fue una noche cuando tenía dos años de edad, allá en Oakland, y yo lo estaba bañando con la ayuda de velas para verlo porque me habían cortado la electricidad. El dinero escaseaba y yo no tuve para el recibo de este servicio, pero aún así esa noche yo fui el hombre más rico del universo cuando él me dijo de repente, sin que viniera al caso: "Papá, tu eres un buen papá".

Mi hija es tan parecida a su abuela, mi madre, que hasta llega a ser tan extraño. Con frecuencia dice cosas casi con la misma entonación de mi madre. Todos los días ella y su hermano me recuerdan que la familia para mí, es el componente más importante de bienestar. Y el tiempo, como hemos visto, también es un lujo que aprecio muchísimo, un bien para apreciar y para usar sabiamente. Otros recursos que aprecio en mi vida y que me proporcionan bienestar son la pasión, el enfoque, la persistencia oceánica, y muchos de los valores que he descubierto a través de las lecciones de la vida. La persistencia, como ya habrás descubierto en este punto, nos ayuda a apreciar esos otros valores todavía más.

Repito, no se trata de ser inocente y decir que el dinero no importa. Por el contrario, es una de las principales formas de intercambio en el mundo, una medida útil y estandarizada, y la forma usual para proveer las opciones que discutimos anteriormente. Cualquiera que te diga que el dinero no importa para nada, probablemente no ha tenido que aguantar hambre, preocuparse por el sitio en el que va a dormir esa noche, por las medicinas, la forma de transportarse para ir a trabajar, o la ropa para mantenerse protegido.

Todos merecemos recibir compensación respetuosa por nuestro trabajo y colaboración, pero si el dinero se convierte en el único barómetro para medir el bienestar y el valor, nunca vamos a tener la capacidad para apreciar el valor de los demás bienes que poseemos. Como el menor componente significativo de bienestar, el dinero todavía es lo que siempre ha sido, una unidad de medida, pero nunca debería ser la medida para valorar tu vida.

Una aplicación práctica de esta lección para mí ha sido sustituir la palabra recursividad por bienestar. Puede ser una buena forma de abrir los ojos el hecho de recapacitar que, si, que el dinero solo es un recurso entre muchos otros, que cuando se compara con los demás, resulta ser algo que se puede reponer cuando se pierde. Para llevar esta aplicación un poco más allá, a lo mejor quieras explorar la herramienta que es siempre útil del RBP. (Reporte del Balance Personal).

No, esto no significa mirar más televisión, aún si es educacional. Este RBP tradicionalmente es una hoja de doble columna que cuantifica tu valor neto, haciendo la lista de tus entradas, ahorros, inversiones, y otros valores materiales que tengas, de los cuales restas el costo de vida y lo que debes a corto y largo plazo. Es la cuenta de tus bienes menos tus obligaciones. Idealmente, el lado positivo debería ser más grande que el lado negativo.

Hace algunos años los economistas comenzaron a reconocer cómo las hojas de balance que muestras a las compañías el valor neto en términos únicamente fiscales, no estaban proveyendo a los inversionistas con el valor real de la compañía en términos de intangibles – esos bienes y obligaciones que no se pueden medir en números cuantitativos tangibles. Distinto a las visitas in-situ y a las reacciones instintivas, teníamos muy pocas formas de evaluar intangibles tales como los recursos humanos.

Una compañía que no presentara balances con cantidades de dinero importantes aún así podía ser una mina de innovaciones, propiedades intelectuales, socios estratégicos, conceptos de marca poderosos, valores corporativos, y reputación. Como resultado, algunos desarrollaron el uso de una "tarjeta de puntuación balanceada", que incluye ganancias pero además intenta crear valores de mercado para intangibles tales como las prácticas sociales de consciencia que impacten positivamente a la comunidad y al planeta.

Para aplicar la lección que el dinero es el componente menos significativo del bienestar, puedes quedar sorprendido de lo que descubras si te atreves a crear tu propia versión de tu RBP para considerar los bienes y los recursos que más valoras. Puedes incluir metas cumplidas y hasta tareas que te atreviste a desarrollar, hayas o no tenido éxito. Puedes incluir retos y obstáculos que hayas vencido, junto con lecciones de vida que fuiste lo suficientemente valiente de guardar como parte de tus bienes.

A lo mejor tu ética profesional es un bien; quizás ganaste una medalla de oro como padre; es bueno que hagas recuento de áreas en las cuales has tenido éxito por el manejo que les has dado, pero a pesar de eso no les has valorado lo suficiente. ¿Qué tal en lo relacionado con carácter, disciplina, resiliencia, persuasión y otros recursos que te hacen estar orgulloso de ti mismo? Puedes colocar en la lista cualquiera de las 5-C o de las 3-As. ¿Cómo está tu reputación en cuanto a amabilidad, humor, flexibilidad, y tu punto de vista único? ¿Qué me dices de tus recursos naturales? Podrías tener una sonrisa de medio millón de dólares o el estilo de un multimillonario; o por ejemplo, tu sentido de la vista o la capacidad de observación; ¿eres bueno para escuchar? Si tu sabes que estás donde estás actualmente porque manejaste hasta ahí, entonces tienes poder que vale mil veces más que cualquier cosa.

Todos esos recursos son intangibles que pueden enriquecerte infinitamente y llevarte a un crecimiento interminable. Si tú, como yo, te das cuenta que has sido bendecido con la oportunidad de enseñar, de compartir tus lecciones de vida, tu historia, de inspirar a otros a tomar riesgos, a soñar y hacer, asegúrate de escribir todas esas cosas en tu reporte personal en letra negrilla y mayúsculas.

Ahora, los banqueros pueden no hacer negocios contigo con base en esos bienes, pero ellos no están basándose mucho en la escala de valores actualmente, entonces, ¿quiénes son ellos para avaluar tus bienes?

Recíbelo de Dave y de mí, el valor está en lo que muestran tus acciones, en la suma de tus decisiones, en el éxito que crees posible – aún antes que lo hayas alcanzado.

Si, es verdad que no todos esos bienes que presentas en tu balance serán admitidos por un banquero – al menos que el banquero seas tú. En eso encontramos lo fundamental: en que solo tú puedes determinar tu valor.

LECCIÓN # 36
Capitalismo consciente:
Un asunto personal y global
Palabra clave: CONTRIBUCIÓN

El control en la búsqueda de la felicidad es un tema misterioso y retador. No te sorprenderás cuando digo que ha provocado más preguntas de las que pensé contestar durante todos estos años. En el primer lugar de esa lista hay una pregunta tan antigua que probablemente se la hacían en la época de las cavernas en que nuestros ancestros comenzaron a pelear por el que tuviera la mejor caverna. Es la pregunta acerca de por qué el morador de la caverna con más y mejores cosas no era necesariamente el más feliz. En la actualidad ves ejemplos abundantes por doquier de hombres y mujeres con enormes cantidades de dinero pero que generalmente tampoco son los más felices.

¿Qué es lo que define quiénes son los más felices? Esa pregunta ha sido hecha probablemente tanto tiempo atrás como cuando los humanos prehistóricos veían a su alrededor ese individuo extraño y feliz que tenía menos cosas – excepto algo que él o ella habían creado improvisando con piedras y palos, algo muy valioso que posteriormente se conoció como fuego, el cual obviamente, condujo a la primera barbacoa y picnic de la comunidad.

Lo que hizo a ese individuo más feliz, en mi opinión y en la de otros expertos acerca de conseguir la felicidad, fue el sentido de contribución. Indudablemente, el fuego fue creado para mejorar las oportunidades de sobrevivir tanto para el individuo como para la familia. Además sirvió para contribuir a la sobrevivencia de la raza humana.

Esa es la premisa del capitalismo consciente. Se basa en la creencia que todos y cada uno de nosotros debería tener: (1) La oportunidad de crear un valor para nosotros mismos y (2) La oportunidad de agregar valor al mundo. Como un paradigma en los negocios y como una estructura en el crecimiento personal, funciona en la misma forma.

En cuanto a la forma en que esta premisa me fue presentada por primera vez, tengo que darle crédito a un puñado de mentores que están entre los mejores líderes de nuestros tiempos y que han intentado dominar al mismo tiempo que cambian el juego en sus campos de acción. Cada uno de ellos me enseñó en distintas formas que socialmente el uso consciente del capital puede ser más poderoso que todos los otros poderes combinados que puedan surgir para desafiarlo. Ellos también me dieron consejos sabios en diferentes momentos para permaneces conectado a los valores esenciales, no sea que pierda el enfoque. Pero más que cualquier cosa, aprendí que la verdadera contribución es siempre un dos por uno.

William Lucy me ha enseñado eso más que cualquier otra persona. También me demostró que nunca debes subestimar a alguien con experiencia en su habilidad para ayudarte a expandir tu estrategia y visión global. No que Bill sea uno de esos ingenieros de pensamiento cuadriculado que son injustamente calumniados por recoger partes de repuestos para construir reactores nucleares en su tiempo extra, pero su brillantez analítica encuentra la manera sigilosa de meterse entre tus asuntos y en los de los demás. Como fundador de Coalition of Black Trade Unionists, Bill comenzó de ceros hacia arriba cuando decidió en 1972 convertirse en una de las organizaciones laborales más poderosas del país, con más de cincuenta capítulos y creciendo aún más. Él es el presidente de The Council of Institutional

Investments, y durante 35 años ha sido el tesorero/secretario de AFSCME (American Federation of State, Country and Municipal Employees), la cual le sirve a 1.3 millones de miembros. Para mí, él personifica al herrero que ha ascendido a la categoría de mago.

Saber y aprender de Bill Lucy, ha sido una bendición para mí por muchas razones. Como maestro y estudiante conectamos en muchos niveles; uno de los más importantes era el hecho que su padre se marchó en los primeros años de su vida. Él entendió lo que significó para mí haber sido criado sin padre, y me dio ánimo en momentos en que yo estaba tratando de abrirme campo hacia el siguiente nivel pero no lo había conseguido todavía. Aunque no hablábamos nada acerca del incidente que tuvo que soportar con la pérdida de su hijo muchos años atrás, el trasfondo estaba allí y yo lo admiraba aún más por su valentía para comprometerse con causas más grandes que él mismo después de algo tan devastador.

Aprendí sobre cómo él se mantuvo por encima de una difícil situación en una ocasión que yo lo acompañé a una manifestación en un centro de convenciones durante la cual él iba a dar unos derroteros. En lo que se refería a mí, yo ciertamente no me mantuve fuera de la situación. Hay solo un par de cosas en el mundo que pueden sacarme de quicio y transformarme de ser alguien básicamente con los pies sobre la tierra, amoroso, pacifico, temeroso de Dios, en una persona de mal comportamiento. Una de esas cosas es la pregunta: ¿Dónde están tus credenciales? Todavía peor cuando esa pregunta se le hace a alguien que resulta ser uno de mis mejores mentores y alguien que debería ser reconocido globalmente por sus múltiples contribuciones.

Desafortunadamente para el guardia del centro de convenciones que inadvertidamente le hizo esa pregunta a William Lucy y hasta nos bloqueó la entrada y exigió alguna clase de identificación, yo comencé con una diatriba. Bill me hizo una mirada diciéndome que él podía con la situación, pero el punto era que Bill no necesitaba abrirse entre la gente y pedirles que aclamaran su nombre, ya que él estaba a punto de hacer algo mucho mayor que ser reconocido.

Aprendí de Bill Lucy, de primera mano, acerca de los asuntos laborales relacionados con el hecho de ganar el salario decente del cual el doctor King había hablado en Menfis durante el mismo discurso en el que habló de la tierra prometida de la dignidad para la gente de todas las razas. También fue a través de Bill que pude comprender los componentes de trabajo sobre cómo él y otros líderes laborales encendieron el movimiento para sacar dinero y ganancias del apartheid realizado en Suráfrica. Obviamente todo esto era inspirador y fascinante, especialmente cuando comencé a martillar sobre ideas para devolver la inversión necesaria para instigar el flujo de capital para la creación de empleos y bienestar allá y aquí en América.

El consejo de Bill en ese tema y para resolver problemas como la indigencia y la pobreza siempre ha sido mirar esos asuntos desde una perspectiva muy renovada. Con frecuencia ha dicho: "Chris, antes que puedas arreglar algo, tienes que entender cómo fue construido". Además me ha recordado que los sistemas que promueven el estado de las cosas no necesariamente son construidos lógicamente, por eso si quieres desafiarlos, utilizar la lógica no siempre es una estrategia ganadora. La organización de recursos humanos, ingeniosidad, pasión, identificación del momento oportuno, adaptación – todas esas capacidades, empleadas individual y colectivamente, son importantes.

Más que enseñarme que cada uno de nosotros tenemos el poder dentro de nosotros para levantarnos a nosotros mismos y a los demás, Bill Lucy lo demostró con su ejemplo. Lo que aprendí de observarlo es que cada vez que él ha sentido el llamado a la acción, su disposición para ponerse a sí mismo en situaciones difíciles, nunca fue precedida por la pregunta: "¿Debería hacerlo?" Donde él pueda desempeñar un papel significativo sin importar las dificultades, siempre su pregunta siempre es: "¿Cómo puedo ayudar?"

Si esto te empodera para mirar alrededor tuyo e identificar oportunidades en las que puedas hacer una contribución – o hacerla aún mayor de la que ya estás haciendo – entonces ya tienes las bases que te doy en esta lección. Si has reconocido los beneficios para ti tanto como para los demás, entonces has aprendido tu moraleja.

Además puedes seguir al siguiente nivel, como yo lo hice, y emplear los dos pasos del capitalismo consciente a cualquiera que sea tu búsqueda de la felicidad personal o colectivamente. Quiero hacer énfasis que no tiene que ser en el mundo de los negocios o en asuntos de cubrimiento mundial. Puedes localizar estos dos pasos por metas relacionadas contigo, como empoderarte como persona, padre, profesional, o ciudadano común y corriente. La simple construcción que yo uso es (a) crear valor para los accionistas (incluyéndote a ti mismo, a tu familia, compañeros de trabajo, aliados, asociados y afiliados, o cualquier clase de inversionista que pueda beneficiarse) y (b) encontrar la forma de agregarle valor al mundo.

Cuando todo se ha dicho y hecho, de acuerdo a la autonomía que tenemos sobre nuestros actos, todos estamos en esto juntos – microorganismos aquí y ahora, como sabemos, totalmente conectados, interrelacionados, y dependientes de un todo. ¿O estás basando tu camino al éxito y a la felicidad en el vacío? Imposible.

A lo mejor no estés de acuerdo con la premisa que dice que la realización y el significado vendrán de la convicción que estás creando valor para ti mismo y para los inversionistas (quienquiera que ellos sean) y agregando valor al mundo. De pronto quieres mandar al infierno la contribución a alguien y prefieres quedarte quieto. Que así sea. De repente también quieres preguntarte cuando hayas alcanzado tus metas: ¿"Era importante que yo estuviera aquí?"

Por el otro lado de la moneda, de pronto sientas que debes dar de ti mismo incondicionalmente y no combinar la consciencia social con ninguna clase de capitalismo. Eso también depende de la forma en que manejes la felicidad bajo tus propios términos.

Mi asesoría sobre esta lección, ya sea que decidas o no aplicarla – es que pienses en el habitante de la caverna descubriendo el poder del fuego. La pregunta no fue "¿Debería hacerlo?" sino "¿Cómo puedo hacerlo?" Más aún, definitivamente existía algo importante en ese hecho para él o ella, como para el resto de nosotros. Y dicho eso, si el habitante de la caverna pudo hacerlo, ¿por qué tú no?

LECCIÓN # 37
Construye un sueño que sea más importante que tú
Palabra clave: VISIÓN

Esta es una lección que ha estado guardada dentro de mí desde que era joven y se había entretejido dentro de la tela de quien yo soy. Pero fue solo durante los últimos cinco años en los que presencié en cuantas formas la puedo aplicar, gracias al regalo de conocer gente todos los días en todos los lugares a los que voy – y conociendo sus historias estremecedoras a través de sus cartas con lujo de detalles, que son ejemplos vivientes de lo que significa expandir tu visión para lograr construir un sueño que sea más importante que tú mismo.

Un correo de Scott, de 16 años, desde la ciudad de Fénix en el estado de Arizona, me contó su historia acerca de la forma en que hace dos años, él y sus amigos decidieron donar unas horas de trabajo comunitario y ofrecerse como voluntarios una mañana semanalmente en un hogar para indigentes, sirviendo comidas. Él escribió: "Fue una experiencia sorprendente para un joven, ver la felicidad en los rostros de la gente recibiendo el desayuno". En el proceso ellos se hicieron amigos de un indigente de mediana edad que estaba desempleado desde hacía algún tiempo. Al comienzo Scott y sus amigos tuvieron detalles pequeños como turnarse para comprarle elementos de aseo, luego le compraron algunas piezas de ropa; cada vez que le preguntaban si quería algo mas, él les contestaba: "No quiero molestarlos". Scott manifiesta que reconocía que era genuino que él se preocupaba porque estos adolescentes no fueran a terminar quebrados o sin hogar si continuaban haciendo todo eso por él. Entonces un día, sirviendo en otro hogar para indigentes, Scott llegó a la conclusión que podían hacer mucho más:

"Indigente tras indigente hacían la fila. Gente joven, gente adulta, madres con sus hijos, todos ellos necesitaban comida, todos estaban atrapados en una realidad en la que ninguno de los que les estábamos dando la comida, teníamos que afrontar. Yo pensaba que los estábamos manteniendo con vida, pero eso era todo... ¿Qué podíamos hacer para ayudarlos a salir de la indigencia?

Ellos pensaron en el hombre de quien se habían hecho amigos y se preguntaban cómo recibiría él su apoyo si ellos le ofrecieran ayudarle a "conseguir un trabajo, mantener un presupuesto, crear una comunidad de apoyo y amor alrededor de él".

Scott continuó diciendo que dos años más tarde su amigo estaba empleado, manejando su propio dinero y tiempo, feliz en su propio espacio y "viviendo la vida que él nunca se imaginó que sería posible". Para Scott y sus amigos, ese era todo el incentivo que ellos necesitaban para crear un proyecto que llamaron "Open Table" (Mesa abierta) – utilizando los mismos recursos de apoyo y entrenamiento que habían tenido éxito en su primer intento, aportando entre todos su energía en una causa más importante que ellos mismos. Los tres continuaron trabajando esa visión y se mantuvieron trabajando en sociedad con otras entidades de la comunidad compartiendo el enfoque de empoderar a los indigentes para que reconstruyan sus vidas.

Dos aspectos acerca del correo de Scott se quedaron realmente conmigo. Primero, él no necesitó de nadie que le dijera que "él fuera el cambio que quería ver" ni que "el cambio comienza contigo". Con pasión, enfoque y determinación, ¡él había comenzado y estaba siendo el cambio! Segundo,

Scott me ayudó a contestarme una pregunta que me hacen y que viene de personas que todavía están dudando cuando se trata de perseguir sus sueños. Todos ellos quieren saber cómo y dónde encontrar un mentor. Muchos me preguntan si yo quisiera ser ese mentor. Ciertamente, él habrá sido inspirado por modelos de la comunidad y otras personas, pero el se arremangó, motivó a sus amigos y dijo: "Vamos y hagamos esto".

Si tu eres como la mayoría de las personas con las que he tenido la fortuna de encontrarme y conocer, sospecho que esta lección que vive también dentro de ti y que posiblemente acaba de ser activada, o de repente ha estado esperando un buen fertilizador que la ayude a crecer hasta llegar a la superficie.

Algunas veces esos retos difíciles y devastadores que ocurren, son lo que se necesita para conectarnos al ideal de nuestra vida, con el propósito de darnos la visión del papel que tenemos que desarrollar. He conocido sobrevivientes de sufrimientos inimaginables que me han dicho lo mismo, que han dicho que en su hora más oscura, la única luz que pudieron ver fue el convencimiento de que podían lograrlo para que otra persona no tuviera que sufrir como ellos. De esa forma sus sueños se volvieron mucho más grandes que ellos.

A medida que lees estas palabras, si no has experimentado esa clase de sufrimiento, o un dolor severo como la pérdida de un ser querido, a lo mejor te preguntas cómo es posible soportar. Si tú conoces una pérdida como esa, entonces aprecias las palabras que recibí de una madre soltera que me escribió para contarme acerca de sus sufrimiento después que perdió a su madre, "mi roca y mi inspiración", seguida en un corto tiempo después por su joven hija "quien era la luz de mi vida". ¿Cómo le respondes a alguien que ha perdido tanto a su madre como a su única hija? Cuando nos quedamos sin padres, no llaman "huérfanos". Cuando perdemos la pareja, nos llaman "viudo o viuda". Pero no existe palabra para describir la pérdida de un hijo. Ella me escribió para contarme que la única cosa que había levantado su estado de ánimo, era trabajar para buscar recursos para investigaciones médicas sobre la extraña enfermedad que apartó a su hija de ella – para que las familias no tuvieran que pasar por lo mismo que ella. La idea que ella pudiera hacer eso en memoria de su hija, fue lo que le ayudó a fortalecer su visión ya creer que "hay luz al otro lado del túnel".

La conexión entre nuestro sufrimiento y la habilidad de tener la visión para hacer nuestros sueños más grandes que nosotros mismos, no es coincidencia. Nadie personifica eso mejor para mí que Nelson Mandela. Fue el camino que él recorrió lo que más ilustra el hecho que, donde quiera que te encuentres en la vida, puedes ver todos los pasos que has dado, junto con todos los pasos colectivos que cuentan – y de los cuales es necesario rendir cuentas, aceptar, y admitir. No hay duda que él no hubiera logrado lo que hizo – y no nos hubiera cambiado a todos nosotros en el proceso – ni hubiera sobrevivido a cada reto a lo largo del camino que enfrentó, incluyendo 27 años de cárcel.

Yo tuve la encantadora y transformadora experiencia de vida, de visitar Robben Island Prison, la cárcel a donde fue enviado Mandela en 1962 – con una sentencia de por vida – y en donde conocí su celda en la prisión. La historia de su vida me pasó por la mente en un instante – su niñez en una villa remota, la pérdida de su padre, su prometedora educación, sus carrera legal y el boxeo, su batalla para derrotar el apartheid, y sus 27 años de encarcelación, 18 de los cuales fueron en aislamiento. Su historia me sorprendió entonces, como todavía lo hace hasta cierto punto, cuando trato de imaginarme lo que lo sustentó. ¿Qué fue lo que le permitió declarar en 1975 que él creía que algún día sería libre y saldría de la prisión caminando en sus dos pies?

Su visión fue posible por ninguna otra luz que la que entraba por su ventana – pequeña, alta, cuadrada, no más grande que el marco de una fotografía. Lo único visible era una tajada del mundo exterior durante las horas del día. Eso fue todo lo que se le permitió ver durante los años de su confinamiento solitario, antes de ser enviado a trabajar en las canteras y quedara casi ciego por el sol del lugar.

En 1990, después que la presión internacional ayudó a liberar a Nelson Mandela – lo que muchos una vez dijeron que era imposible – él salió por sí mismo, dando pasos de bebé, poco a poco. Qué bien suena el titulo de su libro autobiográfico llamado "Un largo camino a la libertad" (A Long Walk to Freedom). Ver ese lugar con mis propios ojos y visualizar ese momento, fue en sí mismo, una experiencia que cambia la vida, como ha sido ver como su visión se ha extendido. En muchos puntos, Madiba, como se le llama en Suráfrica, pudo haberse retirado y replegado de la vida pública, pero parece que logra hacer más cosas con el paso de los años. Después de ganar el premio Nobel, servir como presidente de Suráfrica, hasta de haber creado una nueva moda para los hombres de su país, para mejorar la autoestima, el sueño de Mandela ha continuado expandiéndose hasta incluir la formación de un concilio internacional de gente mayor que están enfocados en los asuntos de mayor presión en nuestros tiempos.

Sin embargo ese trabajo no es solo para nuestros mayores – una de las aplicaciones más importantes de esta lección que puedo compartir contigo. Con la oportunidad de madurar tu sueño, tu meta puede ser más importante que el dinero, el éxito y le deseo de ser un maestro en tu campo de acción. Con visión, tú eres casi mucho más que todo eso, en un nivel más alto. El dinero soluciona asuntos económicos y los gajes del oficio pueden desafiarte cuando eliges estar por encima de las preocupaciones y en lugar de eso te concentras en hacer crecer tu sueño y en involucrar en él a otros.

Cuando tuve el privilegio de conocer a Nelson Mandela por primera vez, lo que se había programado para ser un espacio de 15 minutos para estrechar las manos para compartirle mi visión sobre el capitalismo consciente, se convirtió en una conversación de 45 minutos. Cada uno de los dos nos sentamos en nuestros cojines juntos, lado a lado, hablando del sueño de la inversión privada consciente socialmente, de la creación de empleos, y del empoderamiento económico juntos – para Suráfrica, América, y en todas partes, lo mismo en los países desarrollados que en los que no lo son. Obviamente que la conversación fue una experiencia para alterar la vida, pero sus observaciones finales fueron las que más se me quedaron y lo que realmente quiero compartir contigo. Madiba me dijo que a pesar de los desafíos, a todos nosotros los de esta época, se nos ha dado la oportunidad y la responsabilidad de desempeñar un papel en lo que él llama "La Gran Generación", definido por él como la generación que tiene la libertad y los medios para hacer cosas más grandes que nosotros mismos.

MÓDULO CINCO

· ·

GENÉTICA ESPIRITUAL

*"La gente ve a Dios todos los días, solo que no lo
reconocen".*
Pearl Bailey
Cantante, actriz, compositora

INTRODUCCIÓN A LAS LECCIONES
#38 A #42 LECCIONES ESPIRITUALES PARA
CONECTARTE CON TU FUERZA MAYOR

En capítulos anteriores, muchas de las lecciones
de vida para buscar la felicidad han tenido un enfoque práctico que nos
propone tener acceso a la abundancia de recursos que están disponibles
para todos nosotros. En esta sección vamos a partir del enfoque de lo
práctico y vamos a dar un giro hacia las lecciones espirituales que han sido
más empoderadoras y transformadoras para mí durante el transcurso de
mi vida, como un todo que ha cubierto cualquier asunto hasta el momento.

Aunque he tocados aspectos de la fe en las lecciones anteriores, quiero
usar esta introducción para responder a las muchas preguntas que me han
enviado para preguntarme qué religión practico y a cuál denominación
pertenezco. A pesar que sigo siendo miembro de la iglesia Glade Memorial
Methodist en San Francisco, me veo a mi mismo como un cristiano establecido que sigue a Jesús, honro la fe de colegas y amigos que son católicos,
judíos, musulmanes, budistas, y aquellos que tienen otros puntos de vista,
lo mismo que aquellos que no mencionan nada acerca de sus creencias.
Además, si tuviera que decir a qué soy leal, quiero decir que "a todas las
anteriores".

La esencia de la espiritualidad – versus las doctrinas y las denomi-
naciones – es que ésta enfatiza la fuerza superior que hay en cada uno de

nosotros y que nos conecta mutuamente. Cómo nosotros le llamamos a nuestra forma favorita de adorar o inclusive, cómo le llamamos a la fuerza mayor, no debería interponerse en nuestro camino espiritual.

No tienes que suscribirte en ninguna afiliación religiosa para ser espiritual. Francamente, cuando me imagino cómo es el cielo, no veo una cantidad de almas corriendo por todas partes y usando camisetas con logos denominacionales el la parte trasera. Puedo estar equivocado, pero hasta el momento nadie ha regresado para decirnos lo contrario. Además considero que quizás algunos líderes e instituciones religiosas – claro que no todos – hacen daño tergiversando la palabra del Señor o de la fuerza mayor, para sus propios propósitos. Esto me ha llevado a preguntarme lo que Jesús diría acerca de la forma en que sus enseñanzas se han usado. También diré que cuando Él finalmente regrese, yo quiero estar sentado en la fila del frente ese gran día, rodeado de todos los predicadores, rabinos, reverendos y sacerdotes, cuando el Mesías salga a ese escenario y mire justo a esos que creyeron que eran la autoridad y les diga: "Yo no dije eso" – o de pronto "¡Eso no era lo que significaba!" Justo ahí y entonces, me encantaría ver la respuesta de todos esos líderes religiosos. ¿Dios hablando a nosotros directamente sin ninguna interpretación necesaria y sin pagar comisiones? Y yo estaré dichoso en ese glorioso y gran día, de ser el primero en dirigirme a esos hombres y mujeres con el manto y decirles: "¿Me regresan mi dinero por favor? Allá es donde me lleva mi imaginación – ¡al humor!

¿Sabes qué? El Dios que yo conozco y amo, de hecho también se reiría. Porque lo que yo creo y siento muy en lo profundo de mis células – si, mis genes, o mejor dicho, mis genes espirituales – es que Dios está en todos nosotros y nos conecta a unos con otros a través de las cosas en común como la risa, la compasión y el amor. El humor, después de todo, es una gracia salvadora con la cual nos dotó nuestro Hacedor – al igual que todo lo demás.

Una breve descripción del origen de mi expresión "la genética espiritual", es definitivamente necesaria, ya que muchos me han escrito para que les explique un poco más sobre esto. Yo nunca antes escuché que alguien empleara esa expresión, hasta que de hecho salió de mi boca en respuesta a una pregunta que me hicieron durante una entrevista para un periódico. Cuando esas palabras llegaron a mí y luego a través de mí, en forma de un concepto que yo nunca había explicado ni elaborado por mí mismo, quedé francamente pasmado. El periodista simplemente me preguntó qué fue lo que hizo posible para mí romper el ciclo generacional de padres que abandonan a sus hijos.

Por un momento yo comencé a decir que seguí el ejemplo de mi madre. Y luego pensé que mejor iba a reestructurar esa frase, diciendo que lo heredé de mi madre, pero de hecho, cuando lo pensé un poco más allá, me di cuenta que eso no era otorgado sino que era una decisión consciente. En algún punto, cuando era muy joven tuve que escoger conscientemente, que yo iba a adoptar el espíritu que vi en mi madre, para mi vida. Pude escoger tan fácilmente la genética espiritual que heredé de mi padre biológico – quien era un vacío en mi vida hasta que lo conocí a la edad de 28 años. O pude convertirme en lo que vi de mi padrastro, en ese aspecto. Pero en lugar de eso, de la misma manera en que mi madre decidió acogerse a su luz – en lugar de la oscuridad – yo también lo hice.

Fuera de la pregunta directa hecha durante una entrevista para ese periódico, la cual dicho sea de paso, otros también me han hecho, surgió un momento personal muy transformador. Y cuando comencé a hablar acerca de mi revelación a otras personas, vi que el concepto les conmovió algo que los conectó con verdades interiores más profundas.

Cuanto más exploro las propiedades de la genética espiritual desde esa conversación con ese periodista, más creo que todos podemos decidir acogernos a lo mejor que hay dentro de nosotros y de nuestra familia humana. Como estaremos viendo en las próximas lecciones, la buena noticia es que, distinto al rasgo físico de la nariz de nuestra madre, la cual no tenemos la opción de heredar o no, sí tenemos opciones en cuanto a la genética espiritual con la cual nos vigorizamos en nuestro interior.

He recibido un diluvio de correspondencia acerca de esta área de interés creciente para mí. Un colega me confió que nunca había sentido la conexión con una fuerza mayor, hasta que hizo un análisis más profundo sobre la forma consciente en que él eligió acogerse a una cualidad que existía dentro de él, que era el recuerdo del espíritu luchador de su abuelo, quien manejó una ambulancia para la resistencia francesa durante la Segunda Guerra Mundial. Incontables individuos me han compartido historias similares sobre abrazar la luz de la genética espiritual de alguien que amaron. Otros me han escrito para decir que se sintieron liberados teniendo la opción de rechazar los aspectos más oscuros de su propia genética espiritual.

Me causó mucho impacto un correo electrónico que una pareja de matrimonio me envió. En el correo la esposa se presenta a sí misma y explica que su esposo siempre ha usado un vocabulario odioso hacia las minorías y ella se siente realmente molesta, pero no había nada que ella pudiera hacer para cambiarlo – hasta hace poco. Ella le pidió a su esposo que se sentara y explicara qué le había ocurrido. De ahí en adelante él continúa escribiendo el correo, dejando muy en claro desde el principio: "Hasta que lo escuché explicando acerca de los ciclos generacionales, yo siempre había odiado..." (Incluye símbolos que expresa palabras vulgares para referirse a su odio racial). Después hizo una lista de prominentes y exitosos afroamericanos y celebridades que pertenecieron a las minorías. "Ellos no me impresionan con su dinero ni con su éxito", escribió. Luego dijo que no me odiaba:

"Hay algo acerca de ti que me hace no mirar tu raza. De pronto es porque tuviste una relación con tu padrastro como la que yo tuve con mi padre. Escuchar eso, todo el odio y descontento desapareció y me hizo darme cuenta que todos somos iguales ante los ojos de Dios, debajo de la piel, y que mi ignorancia me fue impuesta por el odio y la intolerancia de mi padre, la cual puso amargura en mí todos los días de mi vida hasta que me fui de la casa. Recuerdo que juré nunca poner una mano sobre mis hijos, y con mis hijastros ahora, he mantenido mi promesa. Pero nunca pensé como su odio también se me pasó. Yo quiero romper ese ciclo y asegurarme que termina aquí conmigo, porque me hará un mejor esposo y padre".

La esposa finalizó el correo diciendo que él aceptó ser parte del equipo local de softbol que había ignorado anteriormente porque había miembros de las minorías. ¡Y él se estaba divirtiendo mucho!

Yo uso esta historia como un ejemplo dramático de cómo las lecciones espirituales que nos conectan con nosotros mismos y con nuestra fuerza superior pueden cambiarnos en cualquier etapa de nuestras vidas, como veremos en las lecciones #38 a la #42 que siguen inmediatamente:

#38: La elección consciente de este hombre para dejar de juzgar prueba el mensaje de esta lección, el cual se basa en que todos somos iguales en el camino a la iluminación.

#39: En su caso, y en el de todos nosotros, existe un sendero espiritual hacia la sanidad, que también es accesible a todos y cada uno de nosotros.

#40: Esta es una lección acerca del regalo de la abundancia que nuestra fuerza mayor nos da, al cual todos tenemos derecho.

#41: Para esta pareja, y para cada uno se nosotros, las oportunidades de reverencia surgen de las circunstancias más insólitas.

#42: Y finalmente, la forma en que decidamos utilizar las lecciones de crecimiento basadas en el pasado y el presente, allana el camino hacia nuestro propio futuro y el de nuestros hijos.

Las siguientes 5 lecciones representan solo el comienzo de la exploración sobre la genética espiritual, y son únicamente la muestra sobre la forma en que las lecciones espirituales nos revelan óptimamente, toda la guía que siempre necesitaremos tener en nuestra respectiva búsqueda de la felicidad. Creo que todo lo que hemos cubierto hasta aquí es vital en nuestra jornada hacia convertirnos en quienes fuimos destinados ser, pero es la sabiduría espiritual que busquemos, la que nos trae las bendiciones y nos corona con nuestra propia gloria verdadera. Estas lecciones no tienen la intención de convertirte hacia otra forma de pensar que no sea la tuya. Espero que sean lecciones nutritivas en cualquier caso, y te dejen con algo de comida para el alma en la cual puedas pensar.

LECCIÓN # 38
Elige lo mejor de tu genética espiritual
Palabra clave: ILUMINACIÓN

¿Alguna vez has estado pensando fuertemente acerca de una pregunta – buscando una respuesta sobre la cual no puedes encontrar ni un mapa que te conduzca hacia adelante – cuando de repente, fuera de la nada, tu respuesta aparece? ¿O alguna vez has pensado que es extraño que alguien aparezca como si tuviera un poder divino y prácticamente lee tu mente y tus respuestas? En esos casos debes haberte sentido sorprendido e incrédulo. O debiste concluir que existe una explicación lógica que no tiene nada que ver con telepatía o con fenómenos naturales. En mi experiencia, la mejor manera de hacer uso de esos momentos de sincronía es no preocuparme mucho por la forma en que ocurren sino que me dispongo para disfrutar de esa maravilla. No solamente eso, también he aprendido que esas aparentes coincidencias vienen como momentos mensajeros – cuando el conocimiento valioso que más se necesita, se obtiene en el momento preciso.

Por ejemplo, he relatado aquí y en mis memorias de "En búsqueda de la felicidad", que mi madre me aconsejó que cualquier cosa que yo quisiera hacer, podía hacerla. Ese fue un momento mensajero. Cuando un perfecto extraño se cruzó por mi camino en una calle de San Francisco y sin ningún conocimiento posible ni específico acerca de mi situación, me recordó acerca del programa de comida y albergue de la iglesia Glade Memorial, justo cuando yo más necesitaba ese apoyo, ese solo podía ser otro momento mensajero.

En esa misma tónica, no mucho después que comencé a pensar en esa idea de la genética espiritual, antes que hubiera encontrado las palabras para hacer más preguntas, recibí una información importante de la doctora Maya Angelou. En relación con una conversación que tuvimos acerca de la destrucción que causó el huracán Katrina en Nueva Orleans, los dos estuvimos de acuerdo en que el desastre reveló lo mejor y lo peor de las capacidades humanas para sobrevivir – lo bueno, lo malo y lo feo. De una parte, vimos la ayuda que los ciudadanos se dieron entre sí para salvar sus vidas, poniendo en riesgo las suyas. De otra parte, también vimos a aquellos que simplemente no les importó que la ciudad sufriera.

"Pero sabes algo, Chris", dijo la Dra. Angelou, "no podemos separarnos a nosotros mismos de todo lo que es humano, sea bueno o malo". Ella continuó para decir que cada vez que alguien comete el más horrendo y despreciable crimen, o que una persona surge por haber hecho un acto heroico, no podemos decir que somos únicamente como uno de ellos y no como el otro.

Lo que yo entendí que significaba su observación, es que dentro de nosotros existen capacidades para ser tanto santos como pecadores. En cualquier situación determinada, podemos elegir al santo que hay en nosotros y no al pecador. Todos tenemos nuestra luz y nuestra oscuridad y el reto humano es acogernos continuamente a la luz de lo mejor que hay en nosotros – lo mejor de nuestra genética espiritual.

Después la doctora Angelou me contó una historia increíble acerca de cómo ella logró cristalizar su concepto acerca del tema y me describió su descubrimiento acerca de los trabajos escritos de Terence, un esclavo liberado que fue traído originalmente a Roma desde África, quien se convirtió en un importante dramaturgo antes de morir aproximadamente 160 años A.C. Poco conocido actualmente, pero las obras que Terence escribió 2.175 años atrás fueron de gran influencia para escritores famosos a través de los siglos siguientes – incluyendo William Shakespeare. Cuando le preguntaron a Terence sobre cómo podía él contar historias de interés a romanos de todos los orígenes, Terence explicó la universalidad diciendo: "Yo soy un ser humano y nada humano puede ser extraño para mí".

Este es un ejemplo de alguien que eligió vivir haciendo uso de sus mejores capacidades humanas para sobreponerse a la esclavitud del cuerpo y la mente, para ir tras su búsqueda de empoderamiento. Así mismo, la vida de la doctora Angelou también demuestra que ella rechazó la oscuridad del abandono, la pobreza, la violación y el abuso, y decidió adoptar lo mejor de su genética espiritual. Esas fueron sus lecciones para su alma en el camino a su iluminación.

Después que la doctora Angelou me contó la historia de Terence, yo hice mi búsqueda y encontré algunos detalles interesantes. Sorprendentemente, después de ser llevado a Roma y ser liberado, Terence rápidamente hizo su entrada en uno de los más exclusivos círculos literarios de la época. Nada indicaba que él supiera que ese iba a ser su llamado, pero aparentemente era algo innato y pronto sus dones como dramaturgo de comedias afloraron y en lugar de seguir los esquemas romanos, Terence fue en contra de la corriente y fuera de los estándares, basando sus escritos en algunas de los más arriesgadas "nuevas comedias" que los griegos habían desarrollado. A pesar de todas las críticas que decían que él iba a contaminar la pureza de las normas del teatro clásico romano, cuando las obras de Terence eran presentadas, parece que los críticos y el público acogieron su habilidad inusual para plasmar a la Roma de aquellos tiempos – desde las distintas formas de usar el lenguaje hasta las diferencias de las clases sociales. ¿Cómo era posible para alguien criado en una villa remota casi 200 años AC, que fue alejado de su hogar, esclavizado, y llevado a una tierra extranjera, convertirse en una luz literaria destacada? ¿Cómo es posible que las historias humanas que él contó en ese tiempo y su invención de la sátira continúen influenciándonos hasta este mismo día?

Su fuerza mayor, a la cual él estaba conectado, le enseñó cómo hacer algo que él no estaba supuesto a hacer. Hasta puedes decir que todos tenemos el deseo de buscar la felicidad conectado alrededor nuestro con la genética espiritual, la cual nos guía sin importar cuál sea la búsqueda. Podemos usas muchas fuentes para buscar ejemplos de lo que es humanamente posible tanto en lo mejor hasta lo peor de las capacidades de ser humano. Por eso es que cuando decimos: "Bueno, si esa persona hizo algo que es supuestamente imposible, yo también puedo hacerlo", el enunciado no solamente es esperanzador sino que está respaldado por una experiencia que alguien ya tuvo. Entonces, de igual forma podemos mirar a alguien y decir: "Bueno, si esa persona hizo algo que me parece reprensible, yo puedo elegir no hacer eso".

Cuando elegimos no rendirnos ante las fuerzas de la oscuridad, naturalmente buscamos la alternativa. En mi caso, yo encuentro una conexión espiritual en la luz de mi madre. A pesar de las formas en que sus sueños fueron negados y aplazados, el conocimiento de su espíritu en mí, me empodera no solamente para tener sueños que ella grabó en mí, sino además a ejercitar el poder y la responsabilidad para hacer esos sueños realidad. En lugar de simplemente heredar su espíritu, elegirlo lo convierte en una fuerza activa y viva. Además, el acto consciente de adoptar esa luz, la convierte en algo muy dentro de ti – como algo vivo que es parte de tu alma, de quién eres y por qué existes.

A lo mejor esta lección está relacionada con decisiones conscientes que has hecho en el pasado sobre sacar el mejor provecho de tu luz y de la energía de todos los que te rodean. O es posible que ahora estés recibiendo la oportunidad de mirar hacia atrás y observar tus propias decisiones espirituales. Y si creemos que tenemos dentro de nuestra genética humana la sabiduría de otros que han vivido antes que nosotros, la cual nos da una ilimitada – y déjame enfatizar ilimitada – reserva de experiencia que puede ser utilizada en lo que sea que estamos buscando y persiguiendo. También es posible que todos nazcamos con el conocimiento de los pasos que han sido dados por otros anteriores a nosotros y que serán tomados por los que vengan después de nosotros.

A medida que continúo buscando aplicaciones prácticas de la genética espiritual, he estado leyendo y discutiendo el tema con un rango de pensadores espirituales. Por ejemplo el obispo Nathaniel Jarrett de la iglesia metodista episcopal Sion, refirió pasajes bíblicos que hacen eco en la premisa de esta lección. Él confirmó que de hecho nuestra fe cristiana nos instruye para creer que todos nacimos con un espíritu que nos permite acogernos a Dios y a su luz. Nadie está exento.

Similarmente, entiendo de las enseñanzas de judaísmo, que todos nacemos con la capacidad de conocer a Dios. La Escritura nos dice que, después de todo, somos creados a la imagen de lo divino y que cada uno tenemos un alma divina – una esencia indivisible que está unida inseparablemente a nuestro creador. Uno de los descubrimientos más interesantes que he hecho al leer los escritos de los rabinos y de hablar con judíos practicantes que conozco, es una historia acerca de la tradición judía, sobre la forma en que el alma deja el lado de Dios a regañadientes, cargando consigo sabiduría infinita y divina a medida que entra en el cuerpo del bebé en la matriz de la madre, pero cuando el bebé nace, el ángel Gabriel aparece y lo toca en el labio superior – razón por la cual todos tenemos la misma hendidura – lo que nos hace olvidar todo lo que sabíamos cuando vivíamos como uno solo con Dios. Se dice que nuestro paso por la vida es para reclamar y descubrir todo el conocimiento que teníamos antes de llegar aquí. ¿Cómo? ¡A través de las lecciones de vida, educación, estudio espiritual y buenas obras, en las cuales las lecciones se aprenden y practican! ¿Te suena familiar?

Deepak Chopra tiene mucho que decir sobre las formas en que la ciencia de la genética y evolución humana es compatible con la espiritualidad. Como presidente de The Alliance for a New Humanity – una iniciativa global sin ánimo de lucro que empodera individuos para convertirlos en agentes de cambio. El doctor Chopra advierte que la evolución tiene un componente espiritual tanto como uno biológico, y que esa elección personal tiene un efecto crucial. Una de las formas en que el sugiere, que podemos conectarnos a nuestras fuerzas superiores para sanación, crecimiento y empoderamiento, es a través de la meditación. Para aquellos que no han meditado en una forma estructurada hasta el momento, la pagina web de The Alliance for New Humanity, puede proveerte instrucciones paso por paso. Básicamente, todo lo que necesitas es sentarte a solas, con lo algunas aplicaciones para todos nosotros: "Si te encuentras con Buda en el camino a la iluminación, mátalo". Quiere decir que mientras te estés siguiendo a Buda, tú no eres quien conduce tu vida. De nuevo, siempre que busquemos respuestas a través de alguien de quien creemos que es más sabio que nosotros, estaremos es la oscuridad. He leído que la historia acerca del mantra, tiene que ver con las palabras moribundas de Shakyamuni, el buda histórico que fueron: "Sean unas lámparas dentro de ustedes", o en otras palabras: "Encuentra tu luz" o todavía mejor, "¡Sean su propia maldita luz!"

Aunque lo mejor es compartir nuestra genética espiritual, la cual todos buscamos, de todas maneras recuerdo la admonición de la doctora Angelou sobre no condenar o separarnos de individuos que han elegido someterse a la oscuridad – a veces por omisión, otras veces por ignorancia o por la falta de intención por evolucionar espiritualmente. ¿Me pregunto cuál es nuestro papel cuando somos confrontados por esos individuos?

Esa no es una pregunta fácil para nadie. Podemos fruncir los hombros y decir: "Bueno, yo no soy el cuidandero de mi hermano" y continuar. ¿Podemos? De pronto sea posible sacar los ajos y hacer un exorcismo. ¡No es mi estilo! Mi opción, la que me enseñó mi fuerza superior, es simplemente mostrar m luz – y recordarle a esa persona que estamos conectados.

A través de tu genética espiritual, en todo momento y en todo lugar, puedes hacer que tu luz brille para todos.

Mi última asesoría sobre esta lección, es simplemente comenzar con poder desde un lugar de amor – a medida que contemplas opciones para que puedas decirle si a la parte que te hace obrar con grandeza y no a parte que no le importa la genética espiritual. Deja que la imagen de alguien que amas, o que percibes como una persona sabia y fuerte, sea reflejada en ti. Deja que lo mejor de ellos brille desde tu alma. Comienza y lidera con amor y pasión; después miras a dónde ese método te lleva.

LECCIÓN # 39
Rompiendo ciclos generacionales
Palabra clave: SANIDAD

Si saber que todos somos seres humanos nos recuerda que nada humano es ajeno a nosotros, como escribió Terence el dramaturgo, entonces ¿cómo podemos usar esa consciencia para romper ciclos generacionales? Permíteme simplificar eso, haciendo la pregunta que sale a relucir con bastante frecuencia: ¿Cómo podemos confrontarnos con nuestra propia oscuridad?

Esa pregunta es igual de pesada para todos nosotros. Algunas de las cartas más estremecedoras que leo, vienen de padres que oran desesperadamente para ser sanados de los mismos círculos negativos que ellos vieron en las batallas de sus padres y ahora están viendo a sus hijos hacer lo mismo. Me estoy refiriendo, no solamente al ciclo generacional de padres que abandonan a sus hijos, sino además a las continuas tendencias que están poniendo más y más de nuestros jóvenes ciudadanos en hogares de cuidado y en manos del sistema de justicia juvenil. Estoy hablando de los ciclos generacionales de pobreza, violencia doméstica, adicción, crimen, asalto sexual, indigencia, analfabetismo y encarcelación. También me estoy refiriendo al ciclo generacional de la intolerancia, enfermedad mental, obesidad, dependencia, de adolescentes convirtiéndose en padres antes de aprender a cuidarse a sí mismos. Y no menos insidiosos son los ciclos generacionales de irrespeto por los demás, por nuestro planeta y el rechazo de nuestras responsabilidades para salir adelante juntos o desmoronarnos.

De pronto no te quede muy difícil mirar algunas de las ramas de tu árbol genealógico, para descubrir algunos de estos patrones destructivos.

A lo mejor tú escogiste no permitir que esas conductas influyan en ti y es posible que lo hayas hecho a un nivel subconsciente o inconsciente. También puede ser que no lo hayas elegido y ahora estás a merced de un ciclo que te controla de maneras que ni siquiera sabes.

Sabemos, lógicamente, por expertos médicos y científicos, que la posibilidad que hayas desarrollado tales situaciones como el abuso de sustancias, enfermedad mental, u obesidad, se incrementa cuando esos asuntos son evidentes en los padres y en otros predecesores. También hemos escuchado debates entre la naturaleza y la crianza cuando se trata de detectar si la herencia o la educación familiar y el medio social, están relacionados con la causa de ciertos ciclos generacionales. Mi interés no es discutir con los expertos sino decir que, en lugar de mirar solamente al modelo de la enfermedad que pregunta "¿Que salió mal?", cuando buscamos posibilidades de sanidad, también deberíamos invertir más tiempo preguntando "¿Qué salió bien?", cuando los ciclos no se repiten.

He llegado a creer que tomamos decisiones a lo largo de nuestra vida, que son las que determinan en quien nos convertimos y porqué. Eso nos recuerda el dicho que dice que tomamos las cartas y a veces las jugamos exactamente en el orden que nos las dieron. Esto es para sugerir que hasta cierto punto, puede que aún antes que te acuerdes de usar tus cartas, el juego fue planeado con anterioridad y estos patrones y ciclos fueron establecidos, mientras la forma, estructura y profundidad de tu alma fueron moldeadas. Se tomaron decisiones, correctas o erradas, y hasta si serías alguien que vivirías al máximo de tu potencial. Las determinaciones fueron hechas no solo bajo la base de si estaban bien o mal sino para ver qué tan lejos podías llegar. Cuando se analizan los factores externos, se ven las decisiones que se tomaron. Tres clases de consecuencias resultan de esto y el alma decide: (1) Emerger y elevarse. (2) Esconderse abatida entre la oscuridad. (3) Mantener el status quo. Esa es la versión de tu alma de perder, ganar o arrastrarse.

Puede que te sorprendas, después de todo lo que se ha dicho acerca de mi padrastro, Freddie Triplett representó – para escuchar eso, ahora estoy agradecido que la carta que representaba su presencia en mi vida. Él me ayudó a entender esta lección acerca de cómo los ciclos generacionales se pueden romper. Porque él era de la forma que era, yo fui testigo en primera fila, sobre lo que es el peor ejemplo de una conducta humana – una muestra que me urgió a tomar la decisión de convertirme en quien soy: todo lo que él no fue.

También decidí no perpetuar el ciclo generacional pasado a través de mi padre biológico, quien proveyó el cromosoma "Y" para multiplicar niños nacidos de diferentes madres. Mi intento fue ser el eslabón más débil en esa cadena y romper ese ciclo con mi linaje. Francamente, no creo que nadie en ese lado de la familia ni siquiera sepa cuántas vidas él engendró. Observa que yo no hablo de "paternidad". Cuando finalmente hice mi viaje a los veintiocho años de edad para conocerlo en Luisiana por primera vez, di un paso importante en sanar mi "largo caso de nostalgia por la ausencia de mi padre", como le he llamado a este asunto. Y yo no era solo, tenia nuevos hermanos y hermanas compartieron conmigo el chiste, que cada cuatro años, como en los juegos olímpicos, ¡alguien nuevo se aparecía buscando al padre que nunca conoció! Nos parecemos mucho unos con otros. Mis hermanos me contaron que todo lo que tenían que hacer era mirarlos, para decirles "bienvenido, sigue". Esa experiencia solo sirvió para reforzar mi resolución de ser un padre categórico, y con la cabeza puesta en mis hijos, involucrándome activamente en la vida de ellos.

En mi madurez, puedo mirar hacia atrás y reconocer la parte espiritual de la decisión que hice desde mi niñez, de no ser un hombre que esparciera su semilla por todas partes y luego no invirtiera tiempo ayudando a sus críos a crecer. A los cinco o seis años de edad, yo aprendí algo que me ayudó a sanarme a mí mismo en ese proceso. En lugar de sentirme debilitado, pude declarar que nunca amenazaría ni aterrorizaría a mis hijos – como ciertamente experimenté en las manos de mi padrastro. Como todo niño de cinco años, yo no sabía nada acerca de compromiso, responsabilidad paterna, ni del miedo potencial que causa el abandono. Pero yo sabía lo que era una promesa y esa promesa que me hice a mí mismo, se convirtió en parte de mi alma, de quien soy y se entrelazó en mi genética espiritual.

A medida que miras los aspectos de tu vida que son impactados por influencias negativas que has heredado, recuerda que el acto de sanidad con respecto a los ciclos generacionales y patrones familiares no es una cura milagrosa que ocurre de la noche a la mañana. En una conferencia de maestros en Los Ángeles, tuve una interesante conversación con una educadora que venía de un hogar no muy diferente al mío, en términos de lo que yo llamo "el ciclo del silencio". Ella supo exactamente lo que yo quise decir en mi descripción de la política familiar de "no pregunte, no cuente", la cual fue impuesta por cada miembro de la familia sobre asuntos personales implacenteros de grave importancia. Su historia fue que a ella nunca le dijeron que la mujer que la crió, de quien ella pensó que era su madre, de hecho era su tía; después que su figura de madre murió, alguien lo mencionó desprevenidamente, como si no fuera algo de importancia. Parte de su inspiración para convertirse en maestra y trabajar con niños e inculcar en ellos el derecho a hacer preguntas y esperar respuestas.

Romper el círculo del silencio no ha sido fácil para mí. Mi madre, sabía cómo era en casi todas las áreas, pero se resistía a mis preguntas sobre temas dolorosos insistiendo en que era agua debajo del puente y diciendo que hablar de eso no nos haría ningún bien. Como padre, me hallé a mi mismo callando acerca de asuntos serios sobre mi hijo y mi hija. Sin embargo, se me ocurrió que si no hacia algo para romper el ciclo del silencio, ese patrón iba a caer también sobre ellos y sobre sus hijos. Aunque fuera difícil para mí explicarles porqué su madre y yo no vivimos juntos, no decir nada era algo injusto para ellos. Lo que tuve que dejarles saber a Christopher y a Jacintha, finalmente, directamente y sin culpa, fue que las cosas no funcionaron entre su madre y yo. No tuvimos éxito viviendo juntos la primera vez con Christopher, y aunque tratamos de reunirnos brevemente, lo que nos llevó a tener a Jacintha, ese esfuerzo no duró. Y mis hijos sabían que lo intentamos, pero yo tampoco quería que ellos estuvieran en medio de nuestros desacuerdos o que tuvieran que escuchar más quejas – por lo menos, no de mi parte. Mi decisión fue decirles todas éstas cosas pero estando seguro que ellos tenían su propia relación con su madre, sin que hubiera comentarios de mi parte, ni a favor ni en contra de ella. Esa fue mi nueva política – ellos podían preguntar y contar, siempre y cuando no fuera una carga para ellos.

A ninguno de nosotros tres nos gustan las confrontaciones, pero actualmente mis dos hijos no sufren en silencio por mantener sentimientos ocultos. Y yo alabo al Señor por eso todos los días. Ese ciclo se rompió.

Cuando aceptas que tu ciclo generacional se puede romper, y te recuerdas a ti mismo que aunque sea doloroso, tú no eres el primero en hacerlo, entonces estás listo para mirar más de cerca para ver, primero que todo, cómo fue eso inculcado eso en ti. Después ya estás más preparado para la parte más importante que consiste en prescindir consciente y voluntariamente de ese ciclo. Tu fuerza mayor puede ayudarte. Esa fue la situación de mi colega y amigo Victor, quien ahora es un padre devoto, esposo, actor, y activista en el campo de la prevención de violencia. Victor me contó acerca de la decisión que hizo cuando era muy joven, que nunca se convertiría en el hombre loco que era su padre. Victor me contó sobre el abuso que sufrió hasta llegar al "nivel de tortura", que tanto sus hermanos, las mascotas, y su madre soportaron en las manos de su padre. "Nadie tenía que decirme que eso estaba mal" dijo. "Yo pienso que los niños no nacen malos y que la violencia es una conducta aprendida". Cuando le pregunté qué fue lo que le ayudó a romper ese ciclo, su primera respuesta fue: "Yo sabía que Dios tenía un mejor plan para mí. Yo sé que mi padre quería alejar de mi el bien y yo me negué a dejar que mi espíritu se quebrantara". Como adulto, aunque mi amigo tenía claro que nunca golpearía a una mujer, antes de convertirse en padre comenzó a sentirse ansioso con la preocupación que él pudiera cargar con alguna predisposición genética para herir a su propio hijo. Pero ese temor se desvaneció cuando su hijo nació. "En el momento que sostuve a mi bebé en mis brazos, supe que nunca podría hacerle lo que me hicieron a mí y entendí que había roto ese ciclo".

La historia de Victor me trae de regreso a las características de la genética espiritual, no solo por la consciencia en que Dios tenía mejores planes para mi amigo, sino también porque él hizo la elección y tomó cartas en el asunto, para refugiarse en su propia bondad. Él escogió la sanidad, en lugar del estancamiento espiritual o la degradación.

Historias de individuos como Victor, que encuentran la forma para sanar de influencias negativas, nos recuerda que, así como nuestro cuerpo tiene mecanismos innatos para defenderse de las enfermedades, lo mismo ocurre con nuestra alma. El entendimiento de esto me ha llevado a la conclusión que nuestra genética espiritual nos dota con una huella antigua de sanidad, crecimiento y superación perseverante en cada uno de nosotros.

En 1931, el padre de la sicoanalítica moderna, Carl Jung, llegó a una conclusión similar con Rowland, uno de los pacientes que constituían un reto para él. Escuché esta historia de un hombre que conocí durante un evento para firmar mi libro, quien comentó: "Su descripción de la genética espiritual y el rompimiento de los patrones de conducta destructivos, ¡son muy Jungianos!".

Como no estaba seguro de lo que quiso decir, decidí buscar información y encontré sobre la saga de Rowland, que fue enviada en la carta a Carl Jung en 1961 por un hombre llamado William Wilson. En esa carta, Wilson le recuerda al doctor Jung acerca del caso de Rowland y recuenta sobre cómo lo de Rowland ha estado tan severo y su estado tan alcohólico que hasta después de un año de tratamiento, Jung finalmente confrontó a su paciente, diciéndole que su caso no tenía esperanza y que no podía salvarse hasta que él no decidiera por sí mismo que podía hacerlo. Jung creía que tenía las herramientas dentro de su "inconsciencia colectiva" – una reserva de consciencia a la que todo ser humano tiene acceso – pero de la cual él se desconectó mediante su habilidad para acceder a esas herramientas.

El doctor le dijo a su paciente: "Yo solo puedo recomendarle que se ubique en una atmosfera religiosa de su elección, que pueda reconocer su propia desesperanza y que usted pueda desahogarse en frente de Dios, cualquiera que sea su idea de Él. De esa manera la iluminación de esa experiencia transformadora podría moverlo".

Wilson le describe al doctor Jung como Rowland eventualmente buscó ambientes espirituales y fue capaz de dejar de tomar temporalmente, pero nunca sin recaer nuevamente. Finalmente se trasladó a Nueva York y encontró el ambiente espiritual adecuado, en conjunto con un grupo correcto de amigos y compañeros. La combinación de esas cosas fue la experiencia transformadora que le dio la iluminación que necesitaba. Rowland descubrió la verdad valiosa que hemos sabido siempre - ¡Oh, no solo es mi caso! – No tuvo éxito solamente rompiendo su ciclo de alcoholismo, el cual era generacional y cultural, sino que tuvo la capacidad para compartir con sus amigos y terapeutas para darles un bosquejo de los pasos que le ayudaron a lograrlo.

A través de los contactos de Rowland, su inspiración e información llegaron a manos de dos individuos que estaban interesados en el tema y pudieron aplicar y seguir las huellas de Rowland. Uno de ellos fue William Wilson, también conocido como Bill W., quien encontró que el enfoque era tan efectivo, que le escribió al doctor Jung para decirle que iba a codificarlo en 12 pasos. Ese mismo Bill W. fue el fundador de la organización de apoyo de Alcohólicos Anónimos.

La aplicación más amplia del poder que todos tenemos que adoptar para alcanzar la sanidad, por encima de nuestra propia debilidad, puede verse en el consejo que el doctor Jung le dio a su paciente, para decirle que las herramientas para curar su adicción, estaban dentro de él – dentro de la caverna de su alma, en forma ancestral. Para aplicarlas, él necesitaba el ejemplo de otros que estuvieran teniendo las mismas dificultades y sufriendo similarmente. Esto me lleva a admitir que a veces no es suficiente tener a alguien que no ha experimentado lo mismo que te has dicho a ti mismo: "¿Bueno, tú tienes las herramientas dentro de ti, entonces por qué no has triunfado para romper el ciclo?" A veces es importante escuchar la prueba y el testimonio de alguien que ha estado allí, lo ha logrado y se ha sanado. Claro que ese es el modelo AA.

Una aplicación más que quisiera sugerir para romper cualquier patrón de conducta que te impida abrazar esa luz, es utilizando el complejo C-5 que te da la estructura para sanarte. ¿Eres claro y conciso acerca de tu deseo para terminar con un patrón de conducta destructiva o ciclo generacional? ¿Puedes hacer que tu motivación sea tan ferviente como necesitarás que sea para pasar esta prueba? ¿Puedes juntar toda tu persistencia oceánica para dar esos pasos pequeños de una forma comprometida y consistente para que esa luz transformadora te alcance de una vez por todas? Estas son situaciones difíciles y te ayuda que recuerdes que la sanidad no ocurre de la noche a la mañana. Ciertamente podemos pedir prestado el mantra para que se haga cargo de tu problema, sea cual sea, un día a la vez.

Tan difícil como puede ser romper los ciclos generacionales, puedes proponértelo con el convencimiento que otra gente ya ha hecho ese mismo recorrido antes, y tú también puedes. Tu sanidad entonces será una bendición, no solo para ti, sino también para todos los que te rodean.

LECCIÓN # 40
Tu herencia divina
Palabra clave: ABUNDANCIA

Últimamente escuchamos muchas historias acerca de cómo algunos consejeros, amigos y miembros de la familia, supuestamente confiables, han quedado en bancarrota con los ahorros de su vida y los de sus seres amados. Ahora, en casos así, no sería la primera ocasión en que personas razonables y responsables hubieran depositado demasiada confianza en otros y a lo mejor no debieron hacerlo. De nuevo, esta es una situación que ha tomado proporciones extremas recientemente.

Recibí una carta de Miller, quien me comparte su complicada historia. Él es un hombre casado y padre de dos hijos, que tiene una larga historia de ganar y perder dinero. En un año, él pasó de tener su compañía con una entrada de medio millón de dólares, a la quiebra. Su socio vació las arcas cuando él no estaba mirando. Al año siguiente inició una nueva compañía que fue creciendo lentamente pero despegó y lo puso rápida y nuevamente en la cima del juego. Luego vino una bajada, una situación llevó a otra y pronto estaba nuevamente como al comienzo – solo que con deudas, saturado, con impuestos por pagar, y con empleados.

A los 34 años de edad, Miller comenzó nuevamente, con cuatro empresas separadas andando y con posibilidades prometedoras, pero aún así escribió: "Cada vez que comienzo a estabilizarme, llego a un límite – no logro llegar a la meta que me haya propuesto. ¿Qué fue lo que te mostró que no era muy tarde para ti? Estoy afrontando una situación con un crédito terrible, inseguridad, problemas de confiabilidad y de salud. ¿Dónde puedo encontrar las herramientas para ir al siguiente nivel?"

La primera cosa que me pareció evidente de este correo, fue el hecho que Miller ya identificó su obstáculo principal como el límite que se ha puesto a sí mismo, pero de pronto no fue consciente del poder que tuvo esa declaración. Al mismo tiempo, mucho de su enfoque estuvo en lo que no logró alcanzar o en lo que perdió. No se enfocó en su verdadera "herencia divina" – las habilidades dadas por Dios que siempre han estado dentro de él y que podían ser usadas al máximo.

Quizás la razón por cual él no estaba enfocándose en esta herencia, es porque estaba buscando los recursos en el lugar equivocado, en lugar de mirar en su caja de herramientas espirituales. Muchos de nosotros, al igual que Miller, no miramos allí con la suficiente frecuencia porque sentimos que no merecemos la abundancia que está guardada para nosotros en la búsqueda de la felicidad. No es matemático – como por ejemplo si haces x obtienes y – o por lo menos, no desde mi punto de vista. Mi experiencia es que nuestras bendiciones no solamente llegan cuando logramos nuestras aspiraciones. Ellas nos son dadas en el momento en que nuestra fuerza mayor nos levanta en la medida en que elegimos abrirnos hacia alguna meta que sea significativa y valiosa y trabajamos en ella. Entonces viene el momento en que merecemos ser bendecidos, no solo desde el inicio sino en cada paso de ahí en adelante – Las bendiciones no son únicamente hasta el final. Quiero insistir en que nuestras bendiciones de ninguna manera son solo materiales o monetarias.

A lo mejor estas pensando que algunas de las lecciones anteriores hubieran direccionado a Miller hacia los sentidos de valor y colaboración. Para ampliar estos temas, esta lección nos recuerda que en cada uno de nosotros existe una amplia herencia divina que no se disminuye como las cuentas bancarias.

Supongo que eso es algo que yo siempre supe en teoría, pero no fue sino hasta que leí una historia contada por Quincy Jones en su autobiografía, que realmente entendí la verdad que hay en ella, junto con todo la aplicación que puede tener. Antes que tuviera la dicha de conocerlo personalmente, me sentía fascinado de leer los altibajos de su vida como músico, compositor, productor, y humanitario del mundo.

Yo pensaba que todo lo que él había ido construyendo había ido fluyendo sin mayor esfuerzo desde el tiempo en que este joven trompetista fenomenal comenzó a surgir en el escenario musical, pero no era así exactamente. A finales de los 50s, después de un éxito anterior, Quincy finalmente había comenzado a construir un nombre para sin mismo y organizó un tour por Europa como director de banda y organizador del tour. Mientras su enfoque estaba en su música y en liderar ese viaje tan exigente, el dinero no entraba tan rápido como salía, ni podía prestar atención a sus otros intereses financieros en los Estados Unidos ni en aquellos que confió para que lo hicieran. Repentinamente le informaron que los malos manejos en su país con respectos a sus negocios estaban llegando a dejarlo sin nada.

En el momento en que leí sobre su terrible experiencia, a pesar que yo no estaba en esa clase de funesto apuros, estaba pasando por mi propia experiencia de arrepentimiento por haber puesto algunos de mis asuntos en las manos de aquellos que no debía. Fue lo suficientemente preocupante, que inmediatamente relacioné mi situación con la de Q y me preguntaba cómo había hecho para enfrentar esa crisis.

Primero que todo, él no permitió que las circunstancias le hicieran olvidarse de quién era ni cuál era el propósito de su vida. De hecho, como él posteriormente le dijo a los reporteros: "¡Teníamos la mejor banda de jazz del planeta!" Entonces, ¿Por qué ellos estaban literalmente muriéndose de hambre? Porque Q confesó, ocurrió que él tenía más que aprender y más que hacer para arreglar la mesa antes de comer. La lección para él fue: "Existe la música y existe el negocio de la música. Si yo tuviera que sobrevivir, tendría que aprender la diferencia entre esas dos cosas".

Esas eran lecciones de mercadeo y de dominio que él tenía que aprender. Pero lo que tuvo que comprender en su alma era la parte espiritual de esta lección. En lugar de rendirse con la actitud que la falta de dinero iba a ser su impedimento, él aceptó el desafío y escogió creer, como lo manifestó, que las pérdidas financieras no eran nada comparadas con la herencia divina que había recibido. Él dijo eso en sus memorias y posteriormente lo compartió conmigo: "Yo acepté que Dios tenía sueños más grandes para mí". De hecho, celebró la abundancia de talento y oportunidades que le fueron heredadas y declaró que era solo el comienzo de lo que Dios y el universo tenían guardado para él.

Al decidir creer que había algo todavía más especial para lo cual él estaba hecho, y lo cual aún estaba por venir, él permitió que su verdadera herencia fuera revelada de formas que nunca hubiera adivinado. A corto plazo, una vez que tomó la decisión de aprender más acerca del negocio de la música, desarrolló una relación con Mercury Records que le ayudó a pasar al siguiente nivel. Después de llegar a convertirse en el vicepresidente de esa firma, prosiguió para convertirse en una figura de liderazgo en casi todo aspecto de la industria de la producción y el espectáculo musical.

La premisa que dice que Dios tiene sueños y planes que ni siquiera nosotros le pedimos, es algo que podemos aceptar o no y está en nosotros decir sí o no, para después prepararnos para recibir lo que escogimos.

Muy poco después de leer el correo de Miller, me preguntaba si mi inspiración acerca de la lección sobre la herencia divina hubiera sido de interés para él. Cuando decidí hacer seguimiento por primera vez para ver cómo iba su situación, me inspiró todavía más su respuesta. Los tiempos estaban bien pesados y sus circunstancias no habían mejorado mucho, pero algo cambió porque Miller decidió que iba a enfocarse en proveer para el bienestar de su familia. Durante todos esos años, él había unido su estado financiero al hecho de ser alguien importante en el mundo. Ahora estaba buscando otra clase de abundancia que pudiera adherir al significado de su vida. Se había enfocado en "llegar a algún lado" y "lograrlo" pero estaba haciendo algo que no había hecho nunca antes; me envió un correo diciendo: "Permanezco aquí donde estoy esperando para que Dios me de instrucciones".

El correo de Miller me lleva a darte mi último consejo acerca de la herencia divina que fue destinada para nosotros, para que la recibamos y hagamos uso de ella, es que tengas en cuenta que ésta ocurre en el tiempo de Dios, no podemos hacer nada para acelerarla o para recibirla en un paquete de Federal Express o en el tiempo que nosotros queramos. Sin embargo, podemos prepararnos para ella, de la misma manera en que Miller lo hizo, declarando que estamos listos para recibir instrucciones.

El tiempo de Dios es en el cual nosotros también hacemos nuestra parte, cuando hemos dado todos los pasos, llenado todos los requisitos, el yunque ha sido machacado, y el camino a la estrella más lejana ha sido trazado. Recibe tu herencia y luego toma el resaltador más cercano que tengas y subraya la siguiente frase, declarándola en voz alta y fuerte dondequiera que te encuentres y si te atreves: "Estoy listo".

LECCIÓN # 41
Dios está en los detalles
Palabra clave: REVERENCIA

Para mí, es muy bueno tener una memoria visual y aguda, cada vez que veo un paisaje hermoso, porque en mi opinión, la idea de sacar la cámara o el celular simplemente le quita valor a esa experiencia.

Posteriormente, a veces me arrepiento de no tener alguna forma para preservar esa memoria. No obstante, he aprendido una lección muy básica pero con mucho potencial, cuando siento reverencia en vivir los momentos de mi vida sin usar lentes especiales. Real, crudo, tierno, divertido. Así es como rindo reverencia a Dios, simplemente admirando Su obra. No tiene que ser un amanecer sensacional, una orquídea perfecta, o un paisaje visto desde el Gran Cañón.

Y me gustaría decir que he tenido un encuentro con un o dos zarzas ardientes, pero lo más cercano que recuerdo de tener una señal del cielo fue la vez que vi las rosas crecer en el jardín en el gueto de Oakland – una historia que ya he contado en otros momentos – hacia donde me dirigí a rentar un apartamento cuando salí de mi indigencia. A lo mejor no era una señal divina pero esas rosan floreciendo en la vecindad, donde no se suponía que debían crecer, fue algo milagroso. Fue uno de esos detalles que tenían la presencia de Dios por todas partes.

Una querida amiga y colega me contó la historia de una vez que ella llevó a su padre al banco, en el que debió ser el peor día de su vida. Él estaba pasando por problemas maritales y le acababan de decir que tenía un tumor inoperable en el cerebro. Su edad era de 46 años. Pero cuando ella vio salir a su padre del banco, con una sonrisa de oreja a oreja casi saltando, ¿qué había pasado? La hermosa cajera del banco había coqueteado con él. ¿Eso era todo? Dios estaba en esos detalles.

Ofrecer reverencia hacia esos detalles no requiere que hagamos algo especial. Una exclamación es suficiente, un aplauso es maravilloso, aunque tú también sabes que yo me parcializo haciendo el baile del cocodrilo y tirando confetis.

La aplicación que le doy a este lección, es el recordatorio de que la oración no tiene que ser algo complicado. Mi madre decía que las mejores palabras en el idioma inglés eran "please" (por favor) y "thank you" (gracias). La doctora

Angelou agregó a esa lista dos palabras muy útiles "I'm sorry" (lo lamento). Todas esas palabras son buenas para comenzar una oración.

Dios, por el nombre que queramos llamarlo, realmente escucha, especialmente cuando oímos aquella pequeña voz dentro de nosotros que viene de nuestra genética espiritual. Mi oración preferida es aquella que surge del agradecimiento. He aprendido de esta lección, que cuando dudo acerca de cuál va a ser mi siguiente paso, no hay nada de malo en buscar una guía de mi fuerza mayor – "Hágase Tu Voluntad y no mi deseo".

Puede ser difícil encontrar formas de sentir reverencia en medio de la crisis, como las turbulencias que hemos visto en Wall Street y en nuestra economía durante los últimos años. Esa bajada no fue muy grave para mi compañía – en parte porque al ser pequeña es fácil ser más flexible y resiliente para adaptarse a tiempos pesados. En momentos peligrosos para la economía, las instituciones más grandes y protegidas a veces tienes mayores dificultades en hacer un giro en U, cuando va derecho a estrellarse con el glacial. La otra ventaja para nosotros fue que no nos metimos en el negocio de hacer préstamos baratos – el eje de la crisis hipotecaria. Jamás fue una buena idea pero era beneficioso para los accionistas, ¿entonces qué haces? ¿Vender lo que ellos están comprando, verdad?

El hecho que mi amado alma mater, Bear Sterns, fuera uno de los primeros en crisis al comienzo del 2008, fue un dolor muy grande para mí. Irónicamente, lo supe en un día de muy buenas noticias porque mi equipo y yo nos convertimos en participantes en un ofrecimiento con Visa, la más grande oferta inicial al público en la historia de Wall Street. En el momento en que por todas las calles las gentes revoloteabas como ratas de laboratorio, ya fuera para adherirse a los inversionistas o para tirarse de los barcos que estaban naufragando – haciendo toda clase de llamadas, acudiendo a las influencias, oprimiendo algún botón, besando todo anillo – yo estaba feliz porque fuimos incluidos en ese negocio, pero eso no me impedía sentirme quebrantado al escuchar que Bear Sterns fue adquirido por J.P. Morgan Chase & Company.

Mis pensamientos estaban con los individuos que fueron una familia para mí y quienes tenían a que afrontar la mayor crisis de la que en otro tiempo era una compañía muy prospera. Sus socios y empleados perdieron colectivamente billones de dólares y aunque la pérdida financiera no me afectó directamente, era como ver a mi ciudad natal abatida por un huracán en grado 5, sin algo que yo pudiera hacer para pararlo.

La persona que estaba más en mi mente era mi antiguo jefe y mentor Ace Greenberg. Un par de meses antes del traspaso estuve visitando la oficina principal de Bear Sterns en Manhattan y me encontré con Ace, en su sitio acostumbrado de la compañía, y había cambiado muy poco, pues aunque ya no era el comandante el barco, era la misma persona tenas y trabajadora, el visionario bajo cuya labor la compañía había crecido de alrededor de mil empleados a casi catorce mil. Esa no era la primera vez que teníamos contacto desde que él me despidió a comienzos de 1987 – la cual ha parecido la mayor crisis de mi carrera pero lo mejor que me pudo pasar. Con el paso de los años, cada vez que veía a Ace, sin decirlo con muchas palabras, él me indicaba lo orgulloso que estaba porque yo aproveché lo mejor que pude de los valores que aprendí al trabajar en Bear Stearns: pasión, disciplina, carácter, colaboración.

La última vez que lo visité en su empresa, no pude evitar el hecho de sonreír de admiración hacia el carácter que posee de hombre que no se arrepiente de lo ocurrido. Famoso por ser jugador de bridge y magnífico mago amateur, Ace era conocido como el maestro de los memorandos por escrito – por cualquier cosa, desde la importancia de las llamadas rápidamente transferidas (y su amenaza de dar clases privadas a los que dañen los espacios en blanco de los cheques), a la necesidad de eliminar la arrogancia o autocomplacencia en buenos momentos, y la necesidad de no esconderse de los clientes en los malos momentos. Ace era penetrante con todos, con sus socios y asociados, que fue fácil comprender un memorando que escribió una vez fuera de su oficina que decía: "He contactado a Marlin Perkins de zoológico de Saint Louis y la próxima persona que yo tenga dificultad en localizar, será equipada con un radio-collar. Por favor haga cumplir nuestra póliza con cualquiera que trabaje con un cargo por encima o por debajo de su rango".

Probablemente, sus memorando más conocido fue publicado por la época en que yo comencé a trabajar en Bear Sterns a mediados de los 80s, en el cual escribió:

"Cuando los mortales están pasando por un periodo de prosperidad, parece que la naturaleza humana se encarga de elevar los gastos. Vamos a tratar de hacer una excepción: acabo de informar al departamento de compras que no deben adquirir más ganchos para sujetar papeles. Todos nosotros recibimos a diario documentos con esta clase de ganchos y si los guardamos, no solo habrá suficiente para nuestro uso personal, sino que en corto tiempo, tendremos tantos que, periódicamente, los recogeremos y los venderemos".

Al ver a Ace en plena acción antes del traspaso a la otra compañía, tuve la oportunidad de expresarle mi gratitud y difícilmente pude disimular mi felicidad cuando me dijo que no le había extrañado para nada saber que "me había ido bien".

Cuando dos meses más tarde se publicó la noticia de que esa parte tan importante de mi vida había llegado a su final, me sentí urgido de llamar a Ace. La mayoría de mi equipo pensó que no era necesario. Seguramente él sabía que yo estaba pensando en él, me dijeron, y de pronto era mejor esperar a que pasara el polvero. Como un compromiso, sentí la necesidad de tomar el teléfono y sencillamente dejar un mensaje con su asistente, pero ella insistió en pasármelo y transfirió la llamada inmediatamente.

Cuando lo saludé, antes que yo pudiera decir algo más, me interrumpió diciendo: "Chris, te ocurren cosas buenas y malas en la vida – pero solo tienes que seguir adelante. Tú sabes cómo se hace" y después de un instante, agregó algo muy característico en él: "Chris, ¿me puedes prestar $5 dólares?" y después soltó una enorme carcajada.

Luego que colgamos, me aseguré de mandarle, no $5 sino $6 dólares en billetes de $1, junto con una nota diciéndole que se asegurara de guardar el gancho con que aseguré los billetes también, para la siguiente jornada que estaba a punto de empezar.

Cuando piensas en todo lo que he ganado de la oportunidad de aprender y trabajar en el campo que me gusta, $6 dólares y un gancho fueron un muy negocio para mí, ¿no estás de acuerdo? Ese es momento para una reverencia. Dios también está en esos detalles.

Como un anexo a esa historia, quiero agregar que esos $6 dólares enviados a Ace en calidad de préstamo, fueron devueltos inmediatamente con una nota de su parte diciendo que no podía aceptar ese dinero porque "no quiero que mis acreedores se den cuenta", causándome una risa más durante el día, en el medio de la crisis, entre lo que podamos llamar balance y bendición. No es un accidente que la foto que tengo firmada de Ace Greenberg, esté entra las fotos de mi madre y Nelson Mandela.

Todo lo que se requiere para hacer reverencia, es la elección de prestar atención a los detalles. Cuando ves a alguien en la calle mendigando, no tienes que hacer nada o darle a esa persona un centavo. Pero míralos, por favor míralos. Ellos también tienen a Dios en sus almas. Y a propósito, no tienes que ser Dios para rescatarlos, pero si quieres ayudar, la próxima vez que abandones un restaurante con la mitad de tu plato lleno – ¿por qué no lo haces envolver y se lo das a la siguiente persona con hambre que se cruce en tu camino? O si prefieres, muestra tu reverencia yendo a tu casa y haciendo un cheque para una organización que tenga un record establecido en ayudar a erradicar las causas de la indigencia que fomentan este hecho. Eso es reverencia.

Cuando algo alrededor parece estar saliéndose de control, y parece que muchos de nosotros estamos ignorando los grandes retos de nuestra época, y que hemos perdido la conexión con nuestra alma, necesitamos buscar a Dios en los detalles para volver a ubicarnos en el lugar correcto.

Las soluciones que precisamos, individual y colectivamente, pueden no ser evidentes a nosotros todavía. Con reverencia, podemos ir en busca de ellas con humildad, creatividad y coraje. Y mientras estamos en eso, podemos elegir alabar a Dios y estar gozosos de poder hacerlo.

LECCIÓN # 42
Pasando la antorcha
Palabra clave: CRECIMIENTO

Como muy posiblemente has experimentado por ti mismo, existen ciertos ritos de paso para cada uno – bodas, funerales, graduaciones, cumpleaños, y la observación de otros rituales – que sobresalen como momentos álgidos de conexión espiritual, no solo entre unos con otros, sino con todos los que vinieron antes que nosotros y los que vendrán. Esos momentos nos recuerdan con frecuencia nuestras más gratas memorias y sirven casi como la culminación de cada lección que hayamos estado aprendiendo en el momento.

Me gustaría compartirte una experiencia como esa, sabiendo que partes de ella pueden traer memorias de ritos importantes en tu vida. La ocasión fue el Día de la Madre del 2008, el día más orgulloso de mi vida. En las semanas y meses anteriores a esta fecha estaban sucediendo algunas cosas. En menos de cuatro años, gracias a la tenacidad, planeación, pasión y enfoque con efecto casi laser, mi hija Jacintha, Jay en versión corta, estaba lista para graduarse de su universidad y sueño hecho realidad, Hamptom University en la ciudad de Hamptom, del estado de Virginia.

En el transcurso de muchas visitas al campus de esta reverenciada institución de educación superior - una universidad históricamente afroamericana – ubicada en una pintoresca ciudad a lo largo de un hermoso paisaje acuático – con frecuencia pensaba en la forma en que Jay estaba realizando los sueños que una vez tuvo Bettye Jean Gardner, entonces ahora que se estaba aproximando el día de la graduación de Jay, la realización de su meta me hacía sentir nostalgia.

Lo otro que ocurrió durante esa misma mañana antes que la graduación comenzara, fue que conocí mi primer nieto. Es correcto, Christopher Jr. ese pequeñito que vivió conmigo a través de tiempos difíciles, se convirtió en el padre de la niña más preciosa – a quien sostuve en mis brazos aquella mañana, preguntándome si alguna vez ella miraría a su padre y le diría: "Papá, eres un buen papá". Si, esas fueron las palabras que Chris Jr. a sus dos años y medio de edad me dijo no mucho después que nos pasamos a vivir al apartamento al salir de nuestra indigencia y las cosas todavía eran difíciles. Eso era todo lo que yo necesitaba escuchar para seguir adelante.

Si tú eres padre o abuelo, probablemente conoces la mezcla increíble de emociones por la que yo estaba pasando ese día. De la misma forma, si eres un maestro, un mentor o un campeón para alguien que has visto crecer en todo aspecto a través de los años, también entenderás la bendición que es. Y si ser padre todavía no está en tu horizonte, puedo asegurarte que las lecciones más valiosas que puedes aprender – espirituales y de cualquier índole – pueden ser enseñadas por los niños cuyas vidas te interesan.

Puedes imaginarte las emociones tan cruzadas que yo sentí ese día se hicieron más intensas por el hecho que fui llamado a pronunciar el discurso de la ceremonia de graduación. A medida que me aproximaba al escenario para dar una mirada y vi que se trataba de más de diez mil personas listas para celebrar la graduación de la clase Onix del 2008, el momento fue mi rito ceremonial. Esta era por fin la prueba que mantuve mi promesa a mí mismo cuando era un niño de seis años, de convertirme en el padre que yo nunca tuve. La decisión de ir tras un sendero de madurez adoptando lo mejor de mi genética espiritual, me había llevado a este momento. Ahora era el tiempo, no solo de pasar la antorcha a la siguiente generación sino además, de comenzar donde yo estaba – con nuevas posibilidades y estrellas más lejanas por alcanzar, pero primero, era el momento de honrar la graduación de aquellos que ese día se graduaban.

Voy a compartir contigo algunos de los pensamientos acerca de los cuales hablé en esa ocasión, al mismo tiempo que tienes la oportunidad de imaginar el rito de paso desde donde tú estabas ayer a donde estarás mañana.

Mi discurso comenzó con una confesión, como lo reconocí: "Ha sido mi privilegio dirigirme a una amplia gama de auditorios como las Naciones Unidas, la mayoría de las empresas de Fortuna 500, y organizaciones comunitarias por todo el mundo. Pero este momento, este día, esta celebración, es absolutamente el más grande evento en el que he tenido el privilegio de participar".

A medida que observaba la audiencia, esperando dirigir mis comentarios a mi hija con su capa y su birrete, proseguí: "Y digo eso por una razón muy egoísta. Hoy mi hija atraviesa este escenario y se convierte en la primera persona en la historia de mi familia inmediata en graduarse en la universidad, desde que llegamos en un barco de esclavos hace 400 años. Entonces para nosotros ha sido, 400 años hasta Hamptom".

Lógicamente que oía por la murmuración de la gente que no estaba solo en esta experiencia de ver a un hijo o nieto convertirse en el primer graduado de la familia. Fui cayendo en la cuenta que la genética espiritual nuevamente estaba trabajando, haciendo realidad los sueños y dando respuesta a las oraciones de los ancestros que desearon libertad, oportunidad y educación para sus familias y futuras generaciones.

Mi mensaje a los graduandos comenzó con mi promesa de mostrar mi aprecio dando el más corto discurso de graduación en las historia. Continuando, dije: "Me gustaría compartir algunas cosas que espero que analicen cuando crucen el estrado y den el paso hacia el resto de sus vidas. Pensé mucho acerca de qué podría ser de significado y relevancia para ustedes en éste, el comienzo de la búsqueda de su carrera, vida y felicidad. Decidí no gastar mi tiempo aquí con ustedes para discutir sobre los asuntos económicos, ni lo que podría o no pasar políticamente, ni lo que las corporaciones consideran como la respuesta a corto plazo sobre todo lo mencionado anteriormente. Quiero invertir este tiempo aquí con ustedes para animarlos a soñar el sueño más grande que se pueda soñar, desafiar y cumplir". Y después tuve que agregar: "Busquen convertirse en personas de clase mundial en lo que sea que les entusiasma", a lo cual siguió un aplauso rugiente, para mi sorpresa. A veces las verdades obvias lo dicen todo.

Después de compartir con ellos algunas lecciones de vida que han sido importantes para mí, finalmente encontré a Cinthia y hablé directamente para ella, diciéndole también a los demás: "Me gustaría cerrar mis palabras con un pequeño gesto para mi hija". Aunque no pude ver su rostro por mis lagrimas, le dije: "No hay palabras para expresar la dicha que has traído, no solo a mi sino a toda la historia entera de nuestra familia extendida, algunos que conociste, otros que desafortunadamente no llegaste a conocer, y otros de quienes apenas has escuchado. Porque hoy cuando cruces ese escenario te convertirás en la primera persona de nuestra familia, desde que nos bajamos de un barco de esclavos 400 años atrás en graduarse en la universidad".

De nuevo se escucharon los aplausos y ovaciones. Yo le hablaba a mi hija pero estaba hablando para todos, haciendo notar que esos 400 años para llegar a Hamptom era un metáfora de nuestro viaje colectivo, 400 años de sangre, sudor y lágrimas, y de persistencia oceánica. "Cuando cruces hoy ese escenario", continué diciéndole a Jay, "ten en mente a todos aquellos que vinieron antes de ti e hicieron esto posible. Por los últimos cuatro años tú hiciste el trabajo, tenias el balón, manejaste tus asuntos, pero nunca te olvides de los que vinieron antes de ti".

Le recordé acerca de su abuela, mi madre, quien no podía pronunciar el nombre de mi hija e insistía en llamarla Cindy. Le recordé de sus tíos abuelos, y como el tío Bro, el hermano mayor de mi madre, rompió en lagrimas cuando me mostró el camino que él y mi madre tenían que recorrer para ir a la escuela. "El tío Bro lloró lágrimas de hombre adulto mientras me contó de cómo niños blancos que iban a caballo o en carruajes los escupían y los llamaban "negros" simplemente porque querían ir a la escuela".

Yo también quería que ella y todos en el auditorio supieran del tío Joe, un hombre que no era parte de mi familia sanguínea, y alguien a quien Jay nunca conoció. Pero dentro de nuestra genética espiritual, él fue parte de nuestra genética humana, un hombre que "se quedó con una cojera pronunciada por el resto de su vida, después que caminó desde Misisipi hasta Milwaukee – porque escuchó que allá podía ir a la escuela".

Luego retomé la figura de Bettye Jean Gardner, quien muy seguramente estaba observando todo esto desde el cielo, bailando con sus alas puestas. Con los planes de Jacintha para ir a la escuela en Italia a estudiar diseño, esto no era una corona para mi madre por los sueños que ella me inculcó, sino un simbolismo de pasar la antorcha a

Jacintha y a los demás en la audiencia. El mensaje de mi madre para todos los graduandos de Hampton University en la promoción del 2008 y para todos nosotros, es que no solamente tenemos la oportunidad sino la responsabilidad y el poder de realizar nuestros sueños y aún más, de ir siempre en busca de la felicidad. Tenemos esa fuerza porque está en el cableado interno de nuestra genética espiritual, estamos diseñados para el crecimiento. Estamos diseñados para aprender nuestras lecciones, seguir adelante y prevalecer.

Y finalmente hablé de mi vida como padre, en nombre de aquellos que invierten en los sueños de otros, alardeando de mi hijita que ahora estaba graduada en la universidad y lo mucho que me enseñó. Tuve que ponerlo de esta forma: "Los hombres no saben lo que es amor hasta que no tienen una hija. Cuando Jacintha tenía ocho años, se sentó en mis piernas y me dijo que nunca iba a crecer y que se quedaría siendo mi niñita para siempre. Cuando ella tenía trece años, me dijo que no necesitaba tomarse de mi mano para cruzar la calle y anoche me tomó del brazo y nos fuimos a cenar para celebrar su graduación". Creo que en ese momento vi miles de padres limpiarse sus lagrimas de hombre, entonces agregué: "Todos amamos a nuestros hijos, yo amo a mi hijo, pero cada hombre aquí te dirá que cuando esa nenita te mira y dice 'Papito'... el mundo para".

Y allá en esa audiencia habían muchos padres solteros que tuvieron que ser papá y mamá, pero no hay ninguna diferencia cuando compartimos esos momentos de gratitud colectiva de saber de dónde venimos. Nuestros hijos son nuestra mayor bendición.

Para este privilegio de la paternidad, terminé con muchos agradecimientos y admiración, comenzando con las palabras que pronuncié durante el funeral de mi madre, cuando todo lo que pude hacer fue pararme frente a su féretro y decir: "Gracias Madre" y a Jacintha le dije: "En este momento le doy gracias a Dios por permitirte ser mi hija y por dejarme ser tu padre". Final, pero no igualmente importante, le agradecí a la clase de los graduandos de Hamptom, repitiéndoles que todo lo que espero es que no se vayan a olvidar de mi mantra: "Siempre ir en busca de la felicidad".

Los elogios, gritos de alegría y algarabía por la canción que nunca puedes cantar lo suficiente, fueron mejor que si yo hubiera sido Miles Davis y Muhammad Ali en la cima de su carrera. Pero tengo que agregar un pensamiento final: "La última cosa que verdaderamente quiero decirle a mis hijos, es que todos nosotros sabemos que nunca jamás en nuestra familia, nos tomara 400 años para llegar a Hamptom".

La lección que aprendí sobre orgullo y felicidad en la graduación de mi hija y en el nacimiento del primer hijo de mi hijo, mi nieta, es algo que tengo que dejar contigo, que espero que encuentre un lugar en tu corazón donde lo mantengas a salvo. En un día, celebré el milagro de ser simplemente una piedra de cimiento en la vida de mis hijos y de otros. No sin muchas lagrimas, como lo estoy reportando debidamente.

Además, llegue al final de la jornada y me fui de allí después de haber hecho el baile del cocodrilo y lanzado confeti, consciente de que estaba a punto de empezar la siguiente jornada – con destino desconocido. Todas las lecciones de vida sumadas a las decisiones hechas para ponerlas en práctica, me trajeron hasta este nuevo punto de partida, para darme cuenta claramente, que la más importante lección de todas, fue la que surgió de la curva inesperada, de la cual todavía me falta por aprender.

Entonces, ahí donde estás, toma esta lección y aplícala de la mejor forma, donde quiera que elijas ir y en lo que sea que quieras soñar y hacer. Y siéntete orgulloso de ti.

MÓDULO SEIS

LA BUENA Y ANTIGUA MANERA DE VIVIR

*"Termina cada día y junto con él todo lo que
hiciste.
Hiciste lo que pudiste. Algunas equivocaciones y
absurdos sin duda te ocurrieron;
Olvídalos lo más pronto posible, mañana es un
nuevo día; Comiénzalo bien y serenamente, y con
un ímpetu muy alto.
Aunque tengas que volver a enfrentarte a tus
sinsentidos".*
*Ralph Waldo Emerson
Poeta, ensayista, buscador de la felicidad*

INTRODUCCIÓN A LAS LECCIONES #43 Y #44 LECCIONES SENCILLAS PARA SER FELIZ

Bueno, como hemos llegado a nuestra última parada en este viaje, tengo solo unas pocas lecciones de vida más para compartir, que vienen del tesoro más absolutamente obvio, que es el mundo de la vida diaria, donde todos nosotros, los que somos personas comunes habitamos un salón de clase que realmente puede enseñarnos todo lo que necesitamos saber para saborear la felicidad que hemos alcanzado.

Las lecciones sencillas que aprendemos en el salón de clases del diario vivir, como yo las entiendo, no tienen nada que ver con lo inteligente, con tu forma de pensar, ya seas un maestro en física nuclear o hayas sido bendecido con intelecto impresionante o aún con abundancia de sentido común, porque las lecciones que estamos listos para explorar, se aprenden con el corazón.

A veces pienso en ellas como lecciones que me esperan al "voltear la esquina", sorpresas con las que te encuentras en los lugares menos posibles, cuando has decidido ir a la derecha en lugar de a la izquierda, para encontrarte con alegrías venideras que estaban esperándote a la vuelta de la esquina, cuando acabas de pasar por una época difícil. Con frecuencia son momentos de quietud que te dan felicidad y te enseñan algo en esa experiencia, en lugar de apresurarte corriendo hacia donde se suponía que debías estar. Son la conversación espontanea que tienes con la cajera del supermercado – que alguna vez era una extraña y ahora es tu nueva mejor amiga. Son las pequeñas coincidencias del mundo; por ejemplo, cuando estás en un país extranjero y de repente tu vecino entra a donde tú estás.

Cuando comencé a seleccionar una manotada de correos, cartas y preguntas, que ilustraran de la mejor manera posible que concluyeran nuestra conversación – al menos por ahora – ¡Mi escritorio estaba lleno! No podía limitar mi selección a una, dos, tres o más, entonces decidí cerrar los ojos y elegir ciegamente. Todas las veces que lo hice, aparecía algo que añadía más textura, dimensión y sentimiento al panorama de cómo abrazar la felicidad que hemos hallado a lo largo del camino.

En lugar de compartirles un mensaje de otras personas, decidí darles el que me dieron cuando recibí una obra de arte que me obsequiaron. Se trata de un niño mirando a un hombre que se encuentra a su lado. La leyenda dice: "¿El niño que eras respetaría al home en que te has convertido?"

Quizás puedas relacionar esa pregunta con el momento en el que encuentras actualmente. De muchas formas, pones juntas todas las lecciones de búsqueda y nos da una medida real para saber a dónde realmente hemos llegado. ¡Qué bendición es cuando puedes contestar que si a esa pregunta!

Estas dos últimas lecciones están aquí para reforzar la experiencia de gozo, que sinceramente es nuestra verdadera herencia divina y para recordarnos que no es el destino sino la jornada lo que cuenta – como mis sabios hijos Christopher y Jacintha me han enseñado. Las lecciones #43 y #44, en las cuales nos enfocaremos en la felicidad en términos de "la jornada versus la meta", se tratan de lo siguiente:

#43: El recurso de la gratitud es esperanzador, siempre que decidamos usarlo a diario.

#44: Como esta última lección está aquí para recordarnos, la libertad de alcanzar nuestros sueños viene junto con la responsabilidad de hacerlos realidad.

Como pronto iremos por caminos separados, voy a enviarte con algunos mapas que he mejorado y que pueden ayudarte a empoderar más – especialmente porque tú estarás creándolos. Papel y lápiz para que tomes nota, son opcionales, pero la pasión que necesitas si no lo es.

Como dije al comienzo, depende de ti. ¡Oprime el embrague, acelera y vámonos!

Lección # 43
No pospongas la dicha
Palabra clave: GRATITUD

¿Estás listo? Esta es tu primera asignación: Has algo hoy por ti mismo que te haga feliz.

"¡Pero no puedo!" "Mi horario no me lo permite" "No puedo darme ese lujo". ¿Necesito seguir enumerando más excusas? Bueno, si estás en control de ti mismo, realmente puedes elegir que vas a hacer algo que hayas estado posponiendo para cuando llueva o para cualquier otro momento; ¡Solo hazlo! Si necesitas ideas, puedo compartir contigo la lista que tengo. De vez en cuando, una parada en el restaurante de comida casera para el alma más cercano para comerme unas galletas, me da felicidad. Recuerda que te he dicho cómo me siento cuando me hago lustrar mis zapatos o cuando lo hago yo mismo. Dicha pura siento cuando me pongo en pie para irme a pasar un rato con mis hijos. ¡Si, está bien! Es verdad, me encanta salir con mi nena a dar una vuelta en un carro espectacular que permanece en mi garaje y entre otras cosas, recoge bastante polvo. ¡Me produce muchas cosquillas manejarlo descalzo, con nada más que mi dedo gordo puesto en el acelerador! "Me encanta "la terapia personalizada". Siempre que llego a un almacén nuevo, la mejor invitación que me hago es ir a mirar vitrinas lo más detalladamente posible y luego si me voy a casa. Cuando estoy preparándome para viajar, ya sea de regreso a casa o para ir a alguna otra parte, siento dicha empacando y desempacando mi equipaje. ¡Después de todo, los viajes son para los ricos!

Entonces, escribe en un papel la lista de cosas que quieras hacer hoy, porque las tienes, ¡tú sabes que sí!

Siguiente asignación: Todos los días, Haz algo por ti mismo que te haga feliz y ubícalo en la parte superior de la lista de las cosas que debes hacer.

Como puedes ver, esta lección es auto-explicativa: "No pospongas tu felicidad". Si no has sentido dicha en largo tiempo y tampoco la sientes para nada, es urgente que dejes de posponerla, puede ser que la encuentres a la vuelta de la esquina en la que no has ido a explorar últimamente, ve a explorar porque puedes encontrarte con algo gratamente placentero.

Tenía una sorpresa esperándome a mediados del 2007, cuando un viaje de negocios a San Diego me dio la oportunidad de pasar un rato con mi mentor y amigo, Gary Shemano. Después que terminó la conferencia decidimos que regresábamos a San Francisco juntos y de regreso Gary me sorprendió diciéndome que íbamos a hacer una parada intermedia para presentarme a su mentor, un prestigioso empresario. No se habló algo que fuera un consejo memorable, pero estar la presencia de alguien grande es un sentimiento que nunca olvidas.

A lo mejor hayas tenido esa experiencia, pero si no, debe haber alguien en tu comunidad a quien te gustaría conocer – sin necesidad que exista una razón, sino por el hecho de establecer el contacto humano con esa persona. Te honras a ti mismo cuando honras las metas de alguien que ha sentado un precedente para todos los demás, así como honras a aquellos para quienes tú has establecido metas.

Gary fue tan astuto como yo para arreglar esa reunión. Habían pasado algo así como veintitrés años desde que él se apareció en la agencia de corretaje que me contrató -Bear Sterns - cuando me dijo posteriormente que había sido mi pasión e iniciativa lo que lo impresionaron. Gary no solamente me dio una increíble oportunidad después que me enseñó todo lo que sabía, sino que nunca ha dejado de animarme y orgullecerse de mi carrera profesional.

Su intensidad, manejo e inteligencia brillante, fueron la herencia de la genética espiritual que heredó de su padre. En San Francisco, durante los primeros años en que su padre estaba trabajando para alcanzar su sueño americano, era un campeón de la clase trabajadora, a quien nadie más se acomediría a abrirle la puerta en señal de reverencia. Gary tomó esa luz que siempre vivió en su padre y se mantuvo brillando día tras día. Aparentemente, otras genéticas también le funcionaron muy bien. Él era tan vital y pulcro como siempre, sin disminuir en lo más mínimo – aunque me aseguraba que vivía enfocado principalmente en su familia, el golf y la vida. Aún así era intenso.

Cuando fue tiempo de irnos, echamos nuestro equipaje en la cajuela de su Mercedes Benz 500SL y nos dimos cuenta que el tanque de la gasolina estaba casi vacío, nos dirigimos a la estación de gasolina más cercana; mientras estábamos en la gasolinera noté que su carro era de un modelo cuatro años antiguo, pero estaba inmaculado, brillante y casi perfecto, tanto que parecía nuevo. Bueno, no era de extrañarse porque Gary siempre fue muy meticuloso.

"¿Estás seguro que te has serenado?" le pregunté y Gary me dijo que comparado a su intensidad del pasado, ahora era prácticamente sereno. Mientras él echaba gasolina yo observaba el hermoso y soleado día californiano y me reí al ver que el carro de Gary se veía totalmente como si lo acabaran de sacar de la fábrica.

"Gary, ¿alguna vez le has quitado la capota y disfrutado este carro?" le pregunté y me dijo: "No", frunciéndose de hombros. Entonces le pregunté otra cosa: "¿Alguna vez escuchas otra cosa que no sea este programa de opinión en el que despotrican de todo el mundo?" Obviamente su respuesta fue que no. Llegó el momento de enseñarle una lección a mi mentor. "Mira, llena el tanque y córrete porque yo voy a manejar". Y antes de subirme le dije: "Hombre, ¿Cómo le quitamos la capota?".

Gary me miró sorprendido oprimió un botón y bajó el techo corredizo por primera vez en la vida. Avergonzadamente se pasó al asiento del copiloto mirándome como: "¿Qué diablos están pasando?" "¡Gary, hombre! Necesitas aprender a disfrutar la vida" fue todo lo que le dije a medida que oprimí algunos botones en su equipo de sonido para encontrar opciones de música.

Con el sonido en alto nos fuimos de la gasolinera para tomar la autopista principal, con en el pedal a fondo. Techo abajo, sonido al máximo, a más o menos ochenta millas por hora por la zona de Bay, cantamos, reímos, hablamos e hicimos mucha algarabía por todo el camino hasta la meta — realmente saboreando, apreciando y disfrutando el momento.

Gary admitió que era una experiencia totalmente nueva para él y que tenía que aprender al respecto. Comprobé que es cierto que los tigres pueden cambiar sus rayas. En el transcurso de nuestro viaje también nos acordamos de algunos de los personajes que conocíamos y varias veces cuando alguno de nosotros preguntaba qué pasó con alguno de ellos, resultó que esa persona ya se había muerto. Muchos de ellos iban rápido por el camino con el deseo de tener un mejor futuro algún día pero en cualquier momento sus vidas cesaron, dejando atrás una cantidad de metas por cumplir, caminos por viajar y la dicha pospuesta.

Cuando llegamos a nuestro destino, chocamos nuestras manos y nos fuimos por vías separadas prometiendo no posponer la felicidad y además apreciar las oportunidades que la vida nos brinda.

La ironía es que hemos llegado a esta lección mucho más tarde que otras personas, entre las que de pronto tú estás incluido. O de pronto como Gary Shemano y yo, hemos pasado mucho tiempo esperando lo que sigue sin apreciar lo que es ahora.

La realidad de convertirme en alguien de los medios, bajo mi propio riesgo, es que mi horario es tan ajustado que he llegado al punto de saber en dónde voy a estar durante los siguientes dieciocho meses – a veces hasta sé lo que voy a comer, lo cual es muy distante a no saber de dónde va a venir la comida. Eso es algo que definitivamente tengo que apreciar. Pero de todas formas es estremecedor ver una agenda tan llena porque puede ocurrir que te pierdas lo que pasa en el presente por estar mirando lo que hay en el futuro. Por eso es que estoy tan agradecido de haber aprendido a apreciar, estar, disfrutar y experimentar el ahora y el donde del presente.

Con frecuencia, cuando estoy de viaje pueden surgir conversaciones y la pregunta surge sobre el lugar hacia donde me dirijo después. Mi respuesta consistentemente es: "Eso no importa, porque lo realmente importante es que en este momento estoy justo aquí contigo". La gente aprecia esa respuesta y lo que es más, le envía el mensaje a mi corazón para que absorba la energía del lugar en el que estoy – para estar presente en el presente y estar aquí y ahora en el aquí y ahora.

Tu siguiente asignación entonces, es tomar un minuto – sesenta segundos – para estar donde estás y experimentar el gozo de ese hecho. Aprécialo. Si nada de gozo sale a la superficie, busca en tu memoria y encuentra tu momento más feliz y hazlo aparecer hasta conectarte con él.

Mi momento más feliz me lleva a mi siete años de edad, cuando en un día de invierno después de la escuela en Milwaukee, llegué a mi casa, me quité el abrigo y escuché a mi madre llamarme desde la cocina: "!Chrisy Paul!". Cuando ella me llamaba por mi sobrenombre, era sinónimo de: "Ponte el abrigo y corre a la tienda". Solo que esa vez mi madre continuó diciéndome: "¡Ven aquí, te tengo una sorpresa!" y me fui a la vuelta de la esquina, en el corredor y al entrar a la cocina estaba mi tío Henry – regresando de sus viajes relacionados con su servicio en la Armada para verme.

Para muchos esto puede ser como un punto brillante en un remiendo oscuro. Pero para un niñito con "nostalgia de su padre" – que es lo que consigues cuando tu padrastro constantemente te recuerda que no eres tan valioso como para que el hombre que es tu padre te reclame – significaba todo. Y en mi memoria, como mi tío Henry murió tan rápido, solo un año más tarde, la sorpresa de verlo aparecerse fue el regalo más preciado. Estoy hablando de Henry Gardner, la inspiración de la diversión, con su sonrisa radiante, y su barba de mandarín, y la persona mejor ataviada que yo he conocido. El tío Henry fue el mismo amante del jazz que me introdujo a la música de Miles Davis y quien me hizo saber, con todos los detalles que siempre me mostró, que yo era amado por alguien. ¡Ese era el hombre!

En el momento en que vi de quien se trataba, corrí derecho hacia él y me tomó en sus brazos, me alzó y me tiró por el aire – y ese sentimiento nunca me abandonó. Ese fue el día más feliz de mi vida. No ha habido nada más gozoso para mí que eso y no porque no haya habido otros momentos inmensamente felices acompañados de experiencias hermosas. Pero nada rivaliza con eso. Lo único que si rivalizaría con ese momento es si él volviera a entrar por esta puerta en este instante. Un día que estaba en el aeropuerto vi a un hombre que se parecía tanto a mi tío Henry, era un agente de TSA. Fue algo bien extraño. La chivera, la sonrisa, el estilo – ¡todo! De hecho, en el primer momento que lo vi, corrí y lo abracé. ¡Lo asusté! Me hizo una mirada muy fuerte con la que lo dijo todo: "Tú sabes que no puedes tocar al gobierno".

Mi tío Henry se apareció aquella vez de sorpresa, con ninguna otra razón que decirme que me amaba. ¡Vaya! Ese fue el día más feliz de mi vida. Él conocía mi situación y cuando se trató de salirse de su camino para alegrarme el día, él no lo pospuso como tampoco pospuso el gozo de ese momento.

Esto me lleva a hacer mi última asesoría sobre cómo puedes utilizar esta lección. Posiblemente conozcas a alguien en este momento que podría necesitar y apreciar realmente un poco de felicidad. Puede ser un amigo o un familiar, compañero de trabajo, socio o hasta un rival de hace tiempos, a quien probablemente le encantaría una sorpresa. Solo aparécete. Sigue el ejemplo del tío Henry para alguien de quien entiendes su situación. Anda y escríbelo en tu lista de cosas por hacer – y hazlo realidad.

LECCIÓN # 44
Reclama la pertenencia de tus sueños
Palabra clave: RESPONSABILIDAD

No es coincidencia que he elegido, tanto esta lección como esta asignación, como las últimas para compartir contigo. La búsqueda de la felicidad, más que un derecho o un privilegio, es de hecho, una responsabilidad, es algo que hemos tocado y explorado a lo largo de todas las lecciones. Sin embargo, este es el momento más importante. ¿Estás listo? ¿Ciento por ciento?

¡Cualquier "bueno, de pronto, me imagino, eso creo", no va a funcionar! Si no estás acelerando tus motores espaciales ahora mismo, es la hora del liderazgo – tu liderazgo, tú eres el jefe. Tú eres la persona adecuada. Si no te has convertido todavía en el jefe de tu vida, de pronto deberías preguntarte por qué no, qué tienes que perder. Es verdad que existe un costo cuando decides estar a cargo de tus capacidades ilimitadas, porque la libertad de poseer tu destino tiene un precio – responsabilidad. Mucho antes, en nuestra primera lección vimos que sin un plan, un sueño es solo un sueño. Pero ni un sueño, ni un plan, ni una acción concertada, te empoderará para avanzar sin no hay en ti total sentido de responsabilidad.

B.B. King lo explicó mejor cuando dijo: "Paga el precio por controlar los dados y el costo por ser el jefe".

He aprendido esta lección a lo largo de muchas lecciones y circunstancias cotidianas. Los correos, las cartas y las preguntas que recibo, son todos testimonios de la importancia de apropiarnos de nuestros sueños y aunque he compartido contigo solo una mínima parte de ellos, espero que te hayan recordado de tus posibilidades y potencial ilimitado.

Habiendo dicho lo anterior, tal como lo establecimos muy desde el principio, la forma más poderosa de reclamar la potestad de tus sueños, en primer lugar es contestando las preguntas que te corresponden. Pero lo que realmente produce el bienestar de la seguridad de saber que eres el dueño de tus ilusiones, son las preguntas, las cuales generalmente comienzan con palabras como qué, dónde, por qué, cómo, quién y para qué, y definitivamente, cuándo.

La pregunta ahora va de mí hacia ti: ¿Estás listo para la graduación de estas lecciones para que verdaderamente puedas perseguir tus aspiraciones y comenzar donde estás, como nunca antes?

Si todavía lo estas pensando, por favor vuelve a repasar estas páginas, a tomar apuntes y elegir cuáles recursos son más relevantes en donde estás y los particulares sobre tu búsqueda de la felicidad. Para aquellos de ustedes que ya están listos y convencidos para alcanzar sus sueños y aterrizar en la luna, les recomiendo que lo que resaltaran desde la primera lección, esté incluido en su caja de herramientas. Primero, espero que hayas encontrado o elegido encontrar el botón que enciende el entusiasmo necesario para hacer lo que más amas. Segundo, a medida que avanzas en tu plan para alcanzar tu felicidad, confío en que hayas desenterrado el oro de tu pasado y valores toda tu experiencia como la base de tu preparación para la vida. Tercero, imagino que sabes que el éxito en el mercado surge de martillar sobre el yunque, trabajar duro y de tu voluntad para distinguir las clases de nudos que necesitas hacer durante el camino. Cuarto, aplaudo tu visión amplia para buscar tu estrella más lejana, trayendo contigo el dominio que hayas ganado a medida que te hayas atrevido a entrar en tu zona de empoderamiento. Quinto, yo se que tú has comenzado a entender el ilimitado universo de ayuda que hay disponible para ti cuando quieres conectarte con tu fuerza mayor y recibir la luz de tu genética espiritual. Y finalmente sexto, honro tu decisión óptima de apropiarte de tus sueños en la medida en que te comprometes a ir SIEMPRE EN BUSCA DE TU FELICIDAD.

Ahora que terminaste este curso, es tiempo de ir y aplicar todo lo que has aprendido o lo que continuarás aprendiendo de tus propias lecciones de vida. El objetivo de esta última lección de vida – apropiarte de tus sueños – es demostrar que la responsabilidad de hacerlo es tuya. Solo tú puedes determinar tu disposición para aceptar el bien que este universo puede darte cuando abres tus brazos para recibirlo.

El tema de esta responsabilidad surgió durante un encuentro asombroso que disfruté a medida que doblaba una esquina la noche en que celebraba unas festividades a las cuales me sentí honrado de asistir en Suráfrica, y de pronto vi a nadie menos que al ícono, Sidney Poitier. Si sabes algo sobre su historia, puede parecerte tan fascinante como a mí saber que él creció en una pequeña isla primitiva en las Bahamas sin agua potable ni electricidad, pero aún así hoy es el ser humano más aprendido e iluminado que puedas conocer. Llegó a América a los dieciséis años de edad y tuvo que enseñarse a leer y escribir por sí mismo, viendo al comienzo en indigencia, trabajó como lavaplatos, y fue a dar a una audición para actores solo porque el teatro quedaba cerca de donde él vivía en ese momento. Su primera audición fue tan terrible que el hombre encargado lo sacó del sitio a la fuerza y le dijo que no le hiciera perder el tiempo a otra gente y que simplemente se devolviera a seguir lavando platos. ¡Sidney no podía creer que el hombre conociera hasta cual era su oficio! Entonces allí decidió ir tras de su estrella más lejana y convertirse en actor. Nunca se le había cruzado por la mente pero como alguien le dijo "tú no puedes" – bueno, tú sabes lo que pasó después. De convertirse a uno de los actores más importantes de la historia, pasó a la dirección y producción, a la filantropía mundial y luego a convertirse en uno de los más aclamados, y más vendedores actores de los últimos años.

Cuando hablé con Sir Poitier, conocido así por "Sir with Love" y por haber sido nombrado como caballero de la reina Isabel – sus ojos estaban llenos de brillo y curiosidad por conocer sobre el tema de la genética espiritual. Con el conocimiento laboral de lo que muchos astrofísicos saben y sospechan sobre los orígenes del universo, él me retó a ir más allá de la conexión con nuestros ancestros – para conectar nuestra genética con el comienzo de los tiempos, Si, como algunos creen, todo comenzó con una gran explosión de un grano de arena, - Dios representado en esa forma – ¡cada uno de nosotros tenemos esa misma fuerza dentro de nosotros! "Pero cualquier cosa que hagas, Chris", me dijo con toda seriedad, "haz las preguntas importantes. La hora se acerca y nuestro planeta nos necesita para que hagamos las preguntas importantes".

Con ese consejo tan poderoso que todos necesitamos para tomar responsabilidad acerca dl futuro de nuestro planeta como también de nuestro futuro, te dejo hacer tu tarea y empezar a escribir tu discurso de aceptación para lograr alcanzar tu felicidad. Puedes agradecerle a quienes hayan sido parte de haber hecho eso posible en tu vida que dieras en el blanco.

Y una última posdata que quiero agregar, es que la responsabilidad, como la dicha, es algo que no se puede posponer.

AGRADECIMIENTOS

Gracias. Mi madre siempre me enseñó que las palabras más poderosas del leguaje son "por favor" y "gracias".

Primero, quiero agradecer a los millones de personas alrededor del mundo que acogieron la historia "En búsqueda de la felicidad" y a los diez miles que se sintieron motivados por contactarme y para contarme cómo esta historia los motivó, tocó y cambió. De hecho, fueron todas esas personas vía correos electrónicos, llamadas telefónicas y contacto directo conmigo en los trenes, aviones, y oficina y los aeropuertos – que compartieron su conexión con el libro y se inspiraron para "comenzar donde están". Yo siempre dije que este libro era la historia de los Estados unidos. ¡Fueron las miles de preguntas de ustedes las que hicieron las que le dieron vida a "Comienza donde estás".

Gracias Mim, mi voz, me conoces tan bien que terminas mis ideas. Gracias por tu incansable trabajo y compromiso. Eli, gracias por compartir a tu mamá y Victor, gracias por el amor que le das a Mim – afecta su trabajo, ¿sabes?

Rachel Nagler, mi publicista y consciencia, ya muy pronto vas a ser madre, tú eres indispensable en toda búsqueda. Jean Gates, casi J. Gates, quien nunca dudará de mi otra vez, siempre gracias por todo lo que tú haces a toda costa para realizar tu trabajo como mi agente. Jane Rosenman, te agradecemos por ayudarnos a dar claridad y precisión a nuestras grandes ideas.

Gracias Dawn Davis, nuestro editor, quien escasamente tuvo la posibilidad de recuperar su aliento después de "En búsqueda de la felicidad" para tener un segundo hijo y comenzar a trabajar en "Comienza donde estás". Dawn se mantiene como uno de esos pocos tipos que me dice "no"

¡y me importa! ¡Ah! Mi total gratitud para el grupo completo de Amistad / Harper Collins, especialmente Bryan Christian y Christina Morgan, alias Shaker Heights. Todos han tenido un papel decisivo en el proceso de dar luz al "libro".

Mi agradecimiento para el equipo entero de Gardner Rich LLC, Chirstopher Gardner Inc., y Gardner Rich Asset Management Group por continuar soñando. Y en lo que se refiere a esa persona que ha hecho posible, no solamente este libro sino también lo imposible, todas las metas que yo he asumido, que ejerce la presidencia de mis compañías, Collene Carlson, gracias por tu lealtad, visión, y trabajo duro. Gracias a Tina Sanders, que hace lo imposible posible todos los días, y a Mike Dolan, mi agente personal del FBI. Salvadore Guerrero, hay una lección en el libro que describe de la mejor forma el valor que te doy a ti y a tus esfuerzos. Mike Clayman, gracias por tu continuo entusiasmo e ideas.

Gracias a mis hijos Christopher y Jacintha, y especialmente al miembro más reciente de la familia, mi primera nieta Brooke a la que yo llamo "Osito de miel". Para todos ustedes que leyeron "En búsqueda de la felicidad", recordarán que el fantasma de la Navidad pasada me persiguió por muchos años. Este año pasado marcó un punto de retorno cuando vi a mi nieta dar sus primeros pasos en día de Navidad. Ese fue el regalo más hermoso de todas las navidades. Los fantasmas ya pueden irse.

Y H., gracias por compartir tu alma conmigo.

CIERRE: *¡PARA LLEVAR Y MEDITAR!*

A continuación hay algunos recordatorios tamaño bolsillo de las lecciones de vida que he compartido contigo, junto con sus aplicaciones y algunas claves extras que de pronto se te hayan pasado por alto y de las cuales quiero estar seguro que tengas a la mano con claridad.

Obertura – ENTRA:
- El valor de las lecciones que se dejan en los anaqueles de la biblioteca es perdido. Bájalas, examínalas, usa la sabiduría que puedan darte para que las apliques como sea necesario.

MÓDULO UNO : COMIENZA DONDE ESTÁS
Lecciones universales para perseverar:
- No hay nada que necesites más para comenzar, que los recursos que ya te pertenecen – pidiendo que los reconozcas y los pongas en uso inmediatamente para cualquier meta que tengas.
- Comienza por eliminar las excusas que bloquean tu camino y a reconocer tu red de seguridad o capacidades y tu fondo de confianza de los bienes que son claramente tuyos.
- Aprovecha el regalo de comenzar a ir en busca de tu felicidad desde donde estas en este momento. ¡Aprovecha el presente!

Lección #1: Sin un plan, un sueño es solo un sueño: (El complejo C-5)
- Búsqueda.
- Es mejor ir a la búsqueda, opuesto a ser buscado.
- Planea tu búsqueda con intención y acción: Claro, Conciso, Convincente, Comprometido y Consistente.

Lección #2 - Todos tenemos la facultad de elegir:
- Empoderamiento.
- Busca desprenderte de la limitación de perseguir metas con expectativas bajas.
- Concédete el permiso de llamar "mierda" a cualquier clase de limitantes de tu potencial.
- Asegúrate que donde estás es por elección y no por casualidad.

Lección #3 – La caballería aún no ha llegado:
- Actitud.
- Lo único que puedes controlar es tu propia actitud.
- Reconoce que estás donde estás porque manejaste hasta ahí.

Lección #4 – Comienza con lo que tienes a mano:
- Ingeniosidad.
- Si puedes lograr algo con nada, puedes lograr mucho con poco.
- Con ingeniosidad puedes lograr todo lo que quieras – al alcance de tus manos.

Lección #5 – Los pasos de bebé también cuentan, siempre y cuando sean para avanzar:
- Propósito.

- Independientemente de la forma en que los des, cada paso cuenta en la medida que los des con un propósito.
- Todos somos tan grandes como "granitos" en el universo, pero la situación cambia cuando nos convertimos en "granitos llenos de propósitos significativos".

Lección #6 – No sigas posponiendo:
- Persistencia.
- Elige creer que tus mejores días todavía no han llegado.
- No más dudas, así estés listo o no, decídete a saltar – y recuerda que nadie más puede posponerlo ¡sino tú!

Lección # 7 - ¿Qué haría 'El Campeón'?:
- Inspiración.
- La inspiración es el mismísimo aliento de vida. Puedes inspirarte en las victorias de tus héroes para ver lo que es posible alcanzar.
- Si "El Campeón Mohammad Ali" todavía está luchando, tú también puedes luchar.

Lección # 8 – Proclama "¡Paz y calma!":
- Perspectiva.
- Aprovecha tus habilidades para cambiar tu rumbo o para afrontar tus crisis.
- En la quietud puedes obtener la perspectiva de tu situación utilizando todos tus sentidos.

Lección # 9 – Hasta Lewis y Clark tenían un mapa:
- Buscar y desarrollar.
- No existen ideas locas. J.K. Rowling comenzó con una idea loca siguiendo otros mapas, hasta que ella pudo botarlos y hacer los suyos propios.
- Las dos mejores preguntas para hacer B&D son: "¿Qué haces" y "¿Como lo haces?"

Lección # 10- Encuentra tu botón:
- Pasión.
- ¡No existe plan B para trabajar con pasión! Además el plan B es aburridor.
- Si en este momento de tu vida, no puedes esperar a que salga el sol para hacer tu trabajo, entonces estás haciendo el trabajo que te gusta.

MÓDULO DOS: EL PASADO DORADO Y ESPINOSO

Lecciones personales extraídas del pasado:
- Aquellos que no tienen en cuenta su pasado, están condenados a repetirlo.
- Cuando me pregunto si cambiaría algo de mi pasado, la respuesta es un rotundo ¡No! Eso incluye lo bueno, lo malo y lo feo.
- El presente y el futuro están arraigados en el pasado y por espinoso que éste sea, también es dorado.

Lección # 11 - ¿Quién le teme al gigantesco y horrendo pasado?:
- Libertad.
- La libertad es invaluable y la libertad para recordar las lecciones del pasado también lo es.
- Está bien acercarte a las lecciones del pasado con tranquilidad y prudencia: lo que es realmente importante es que puedas acercarte.

Lección # 12 – En tu biblioteca de recursos, valora todas las experiencias:
- Auto-consciencia.
- La respuesta a lo que sea que buscas saber acerca de ti actualmente, está guardada en tu pasado.
- Nunca es tarde para revisitar tu biblioteca personal de recursos; además ya tienes tu carné de identificación, y ese sitio, una vez abierto ya nunca se cierra.
- En los archivos de tu pasado, valora toda experiencia.

Lección # 13 – Dibuja la línea de tu vida:
- Descubrimiento.
- Aprendemos desde muy jóvenes que el deseo de descubrir nuevas cosas, es el motivo para comenzar

cada día.

- Las tres verdades que te enseña el pasado son: (1) Fuiste hecho para estar aquí en esta vida para aprender, amar y ser amado. (2)Eres el héroe de una historia significativa que es solo tuya y (3) Todo y todos están en tu vida por una razón.

Lección # 14 - ¿De quién eres hijo?

- Identidad.
- Si tu identidad ha sido marcada por un mensaje falso en el pasado, puedes rechazarlo con mentira todas las veces que quieras.
- Eres una criatura del universo, amada y diseñada para estar aquí, una persona de valor y propósito en la vida.

Lección # 15 – Estudia tu propia versión del Génesis:

- Perdón.
- Tenemos paz con nuestro pasado por medio del perdón, cuando primero tomamos la decisión de entenderlo. Cuando elegimos perdonar, no tenemos que olvidar.
- Podemos creer en el potencial ilimitado que teníamos en el jardín del Edén.

Lección # 16 - ¿Quién es quién en tu vecindad?

- Confianza.
- Un elenco original de personajes te enseñaron acerca de la confianza, la cual te da la forma de quien eres hoy serás mañana.
- Cuando eliges en quien confiar y en quien no confiar, puedes reconocer quiénes son las personas importantes que participaron en tu historia.

Lección # 17 - ¿La bicicleta roja o la amarilla?

- Motivación.
- ¿Qué es tu porqué?
- ¿Cuál es tu versión de tu bicicleta roja o amarilla?

Lección # 18 – A veces debes renunciar a la Navidad:

- Independencia.
- Todos tenemos nuestra versión de una navidad arruinada y a veces hay que dejarla ir.
- Podemos lograr independencia con la ayuda de las tres As: (1) La capacidad que te ayuda a hacerte conocer (Autoridad) (2) A ser tu mismo (Autenticidad) (3) A elegir por ti mismo (Autonomía).

Lección # 19 – ¡Sin prueba, no hay testimonio!

- Coraje.
- El coraje consiste en dar el siguiente paso en la oscuridad.
- Decide ser tu propio Moisés y lidera.

MÓDULO TRES: MARTILLANDO SOBRE EL YUNQUE

Lecciones prácticas para triunfar:

- Cuando estamos en la búsqueda de las formas para lograr la felicidad, podemos usar los ejemplos del éxito de otras personas.
- También podemos utilizar la experiencia y lecciones de vida que aprendimos mientras estábamos martillamos sobre el yunque para lograr metas pasadas o presentes.

Lección # 20 – La ley del trabajo arduo no es un secreto:

- Iniciativa.
- ¿Si no es ahora, entonces cuándo?
- ¿Si no eres tú, entonces quién?

Lección # 21- Enfoca tus fuerzas apoyado en el yunque:

- Confianza.
- ¿Sabes cuál es tu yunque? Cultívalo y lidera desde tus fortalezas.
- Si tu no crees en ti, ¿Por qué yo tendría que creerte?

Lección # 22 – Los magos comienzan como herreros:
- Habilidades intransferibles.
- Todos los pasos del conocimiento son transferibles.
- Está bien fracasar porque el conocimiento es transferible. Pero no está bien renunciar (lo cual también, desafortunadamente es transferible).

Lección # 23 - ¿Eres lo suficientemente audaz como para devolverte a lo básico?:
- Resiliencia.
- El mercado rara vez ignora la audacia, aunque tengas que volver a lo básico.
- Existe una correlación entre felicidad y audacia.
- Asegúrate que tu mejor versión de vestido azul esté planchada y lista para usar.

Lección # 24 – La oferta y la demanda no son nada del otro mundo:
- Mercadeo.
- Todos tenemos algo para la venta.
- Vende lo que están comprando y ve al lugar en donde lo están comprando.
- Nunca te sientas intimidado de acercarte a alguien con el poder de vender, siempre y cuando tengas algo interesante para ofrecerle.

Lección # 25 – ¡La verdad se impone!:
- Autenticidad.
- Nada puede desafiar las leyes de la oferta y la demanda como la verdad.
- Cuando inventes algo que es original, asegúrate de darle tu marca y derechos de autor para proteger tu invento. ¡Acuérdate del cubo de Rubik!

Lección # 26 – Primero, aprende a reconocer los nudos y después, conquista a Roma:
- Disciplina y carácter.
- El talento es deslumbrante, pero sin disciplina y carácter, el camino es corto.
- Aprende a distinguir las clases de nudos que existen, luego puedes conquistar Roma.

Lección # 27 - ¿Quién es quién en tu trabajo y en tus círculos de influencia?:
- Networking.
- Hacer amigos antes de necesitarlos.
- Las relaciones de trabajo se construyen con base en la confianza y el reconocimiento del éxito mutuo.
- Bono: A veces la cantidad del jugo que obtienes no justifica exprimir la fruta para obtenerlo.

Lección 28 – Se requiere la misma energía para empacar tanto un elefante como un ratón:
- Enfoque.
- Desarrolla una visión amplia para ti y para todos los que te rodean.
- Cuanto más grande el campo, mayor concentración necesitas para enfocarte en tu mundo.

Lección # 29 – Comparte tu bienestar:
- Comunidad.
- Comparte el bienestar de tu experiencia, tu tiempo, tus bienes y tus servicios.
- Practica la cooperación – todo mundo gana cuando todo mundo gana.
- La comunidad comienza en el hogar, el trabajo, en la vecindad y se extiende globalmente.

MÓDULO CUATRO: TU ZONA DE EMPODERAMIENTO - Lecciones sobre experiencias que nos cambian la vida hasta llevarnos al nivel de volvernos expertos:

- ¿Cuando sabes que has estado martillando el yunque lo suficiente como para sentirte como un experto? Cuando las lecciones de la vida así lo demuestran.
- El camino para convertirte en una persona de fama mundial es universal. No es solo para ti y para mí.

Lección # 30 – Alcanza la estrella más lejana:
- Riesgo.
- Es nuestra naturaleza buscar más allá de lo que realmente podemos.
- El riesgo es eso por lo cual estamos aquí y no bajo el glacial con los dinosaurios.

Lección # 31 – Viendo fantasmas y leyendo señales:

- Reinvención.
- Cuando te reinventes a ti mismo, observa los fantasmas de las oportunidades y lee las señales para que te puedas preparar para los retos.
- Puedes desafiar la maldición gitana e ir al gran juego si dejas que el proceso se vaya dando; prepárate para escribir el final que más te guste de tu historia.

Lección #32 – Las oportunidades, como el pan, son más ricas calientes, pero a veces es mejor alistar la mesa antes de comer:

- Momento oportuno.
- Cuando estás en tu zona de empoderamiento, el momento oportuno es un acto de balance.
- Prepárate para tomar ventaja del momento oportuno y no te olvides de las bases.

Lección # 33 – Con mente abierta pero sin divagar:

- Adaptación /Sobrevivencia del más fuerte.
- Cambiar o ser cambiado.
- Si has perdido tu "mojo", no te regresará si no te abres a nuevas posibilidades, pero mantente fundamentado en quién eres y en lo que crees.

Lección # 34 – Dinero, opciones, problemas:

- Balance.
- En lugar de trabajar duro por el dinero, asegúrate que sea el dinero sea el que trabaje para ti como un medio para conseguir un propósito.
- El dinero no es la caballería por la cual has estado esperando para solucionar tus problemas – es solo un recurso.

Lección # 35 – El dinero es el componente menos significativo del bienestar:

- Valor.
- Termina tu dependencia del dinero como la medida de tu valor y tu creencia en que el esquema de volverte rico rápidamente te llevará al bienestar. No hay narcotraficantes con plan de pensiones de jubilación.
- Reemplaza la palabra "bienestar" por la palabra "recursividad". Utiliza tus recursos.
- Conviértete en tu propio banquero haciendo el avalúo de todos tus bienes en tu hoja de balance personal.

Lección # 36 – Capitalismo consciente: Un asunto personal y global:

- Contribución.
- El primer paso del capitalismo consciente es crear el valor adecuado para ti y para tus accionistas.
- El segundo paso es agregar valor al mundo.

Lección # 37 – Construye un sueño que sea más importante que tú:

- Visión.
- Nunca menosprecies el poder de la visión, aunque estés mirando a través de una ventana muy pequeñita – siempre y cuando estés viendo con los ojos de tu alma.

MÓDULO CINCO: GENÉTICA ESPIRITUAL

Lecciones espirituales para conectarte con tu fuerza mayor:

- Dios, cualquiera que sea el nombre que quieras darle, está en cada ser humano.
- Así como no puedes elegir los rasgos hereditarios de tus padres, opuestamente si puedes elegir cuáles sean los rasgos que caractericen tu genética espiritual.
- Los mejores rasgos de la genética espiritual en la historia de la humanidad, están dentro de nosotros y tenemos acceso a ellos.

Lección # 38 – Elige a lo mejor de tu genética espiritual:

- Iluminación.
- Terence, el dramaturgo romano, nos recuerda, "Soy humano y nada que sea humano es extraño a mí".

- Al evaluar la experiencia humana que es parte de tu genética espiritual, elige la luz y rechaza la oscuridad.
- Conviértete en la lámpara que te alumbre a ti mismo.

Lección # 39 – Rompiendo ciclos generacionales:

- Sanidad.
- La sanidad es una capacidad innata de nuestra alma.
- La sanidad que perdura comienza cuando haces la elección consciente de romper el ciclo – tomando como referencia los pasos positivos que han sido dado antes y fortaleciéndote en tu fuerza superior.

Lección # 40 – Tu herencia divina:

- Abundancia.
- La experiencia de aspectos limitantes es real, pero no dejes que fuerzas destructivas te afecten, aceptando el propósito más grande que es el que Dios y el universo han planeado para ti.
- A veces es bueno esperar el momento oportuno que Dios planeó. Confía en la abundancia que viene en camino.
- Y en cuanto a la abundancia, existe algo que se llama demasiado, si no puedes apreciarla. Con excepción de algunas cosas como ¡la paz, la diversión y el sexo!

Lección # 41 – Dios está en los detalles:

- Reverencia.
- No hay forma correcta o incorrecta de honrar la creación de Dios, siempre y cuando no la ignores.

Lección # 42 – Pasando la antorcha:

- Crecimiento.
- Estamos genética y espiritualmente predispuestos para buscar el crecimiento y la satisfacción para nosotros y para nuestros seres amados.
- La lección más poderosa de crecimiento que puedes aprender, es la próxima.
- El amor y la felicidad son para que los consigas y los vuelvas tuyos. Si yo pude hacerlo, ¿qué te impide lograrlo?

MÓDULO SEIS: LA BUENA Y ANTIGUA MANERA DE VIVIR - Sencillas lecciones para ser feliz:

- La búsqueda que no termine en felicidad, es el epítome de vivir sin sentido.
- La cotidianidad lleva a nuestro corazón a enseñarnos a saborear lo que hemos anhelado por largo tiempo.
- Deja que el día a día te enseñe lecciones que ni siquiera buscabas aprender.

Lección # 43 – No pospongas la dicha:

- Haz algo por ti hoy que hayas estado posponiendo.
- La gratitud puede ser realmente la oportunidad de alcanzar tu felicidad, o puede ser un recuerdo de tus años pasados. ¡No pospongas la oportunidad para sentir gratitud!

Lección # 44 – Reclama la pertenencia de tus sueños:

- Responsabilidad.
- La libertad para ir en búsqueda de la felicidad y para atreverte a soñar y a llevar a cabo tus sueños, viene junto con responsabilidad para luchar. No es un derecho sino una obligación, entonces hazlo.
- Aceptar tu responsabilidad es aceptar que tus sueños realmente pueden cumplirse.

Your Opinion Doesn't Matter!

It's Your Customer's Opinion That Counts

Andrew Ballard

MarketingAtlas Publishing

"Ballard is right on...*your opinion doesn't matter,* unless you want to be your only customer. The steps are easy to follow, and made a mammoth difference in my business!"

—Rod Watson, CEO, Prevention MD

"It makes no difference whether you are a profit or not-for-profit organization, the principles in this book are crucial to succeeding in today's tough market. *Your Opinion Doesn't Matter* is factual and fun...a great read."

—Carl Zapora, CEO, United Way of Snohomish County

"As a small business owner every move and strategy must be effective to succeed. Andrew's system has helped us understand and identify an effective market strategy that we can actually implement. ROI is a 10!"

—Ron Kirkendorfer, CEO, Northline Energy

"Finally, an approach that's easy to understand and implement. This is a great book and a quick read. Every business owner needs to do the Northstar exercise."

—Michael Kostov, Executive Producer, Kostov Productions

"I have firsthand experience with Mr. Ballard's process. Based on my 25 plus years in advertising and promotion, I can say with confidence his system is the most effective I've ever used. Andrew's book does an outstanding job of detailing a step by step approach toward growing any business, regardless of industry."

—Pete Talbott, CEO, The Talbott Group

"Nobody I know has a better handle on how to research, plan and develop marketing strategy than Andrew Ballard. This book is a must read for anyone responsible for marketing their product or service."
—*Travis Snider, President, BETS Consulting*

"With our oversaturated market it is more difficult now than ever to generate a positive return, especially in the medical field. It takes solid customer perception data. That's what this book is all about, how to make marketing decisions based on the customers' point of view."
—*Jerry N. Mixon, M.D., Founder, Longevity Medical Clinic*

"Andrew truly appreciates the importance of connecting with customers and shares this vision in a step-by-step process that if followed has the real potential of enhancing business revenues."
—*Cathy Reines, President & CEO, First Heritage Bank*

"Andrew's advice continues to work extremely well. We have significantly increased our sale and market share. Through exit interviews, we are able to track sales each month that are solely due to strategies detailed in his book."
—*Tim O'Neill, Owner, O'Neill's Wheels*

Bulk discounts are available for education, business premiums
and not-for-profits. For bulk orders or permission please contact:

MarketingAtlas Publishing
914 164th Street SE #400
Mill Creek, WA 98012
Toll free: 1-866-843-2852
Email: Info@MarketingAtlasPublishing.com

Library of Congress Control Number: 2010911754

ISBN 978-0-9790042-0-9
1. Business   2. Marketing

Your Opinion Doesn't Matter: It's Your Customer's Opinion
That Counts
Author: Andrew Ballard – First Edition
Editor: Beverly Theunis

This publication is designed to provide accurate and authoritative
information in regard to the subject matter covered. It is sold with
the understanding the publisher is not engaged in rendering legal or
professional service. If legal or other expert assistance is required,
the services of a competent professional person should be sought.

Printed in the United States of America.

10 9 8 7 6 5 4 3 2 1 0

Dedication

To Sandra: my wife, my best friend, and an amazing collaborator. Her tireless love and encouragement—and her self-effacing wisdom—remind me every day that there is a greater purpose than my own.

Acknowledgments

The system detailed in this book is about developing growth strategies that are based on the voice of your customer. In that spirit, I have practiced what I preach by gathering a test reader group to evaluate and voice their opinions about this book. My test readers were: Pete Talbott, Theresa Poalucci, Travis Snider, Deb Anderson, Cathy Feole, Peter Harvey, Louise Stanton-Masten, Cindy Rattray, Ed Lopit, Anna Simmons, and Greg Noren. I appreciate and value their contributions greatly.

Equally, I want to express my appreciation for the hundreds of clients who have allowed me to partner with them to position and promote their brands.

One such person, (a client and close friend) who has supported my work for many years, is Pete Talbott, Managing General Partner of The Talbott Group. Pete was an early adopter of my system, and he continues to advocate customer research as the ally, not the enemy, of advertising agencies. Pete "gets it."

Rarely does anyone achieve success in a vocation without the guidance of someone who has gone before and paved the path. For me, Don Schultz, Professor Emeritus of Service at Northwestern University, is that person. Renowned in the international marketing community, he is considered the "father of integrated marketing communications". Don has given me great counsel regarding this book, and I am grateful for his support.

Another person I want to thank wholeheartedly is a colleague, a friend, and my editor, Beverly Theunis. Simply put, I could not have done this without her. Beverly burned the midnight oil on many occasions, and helped me get through this labor of love. I thank Beverly for her writing talent, her coaching, and her patience.

Finally, I want to acknowledge the most important person in my life, my wife Sandra. She helped me write this book by doing a considerable amount of research and planning. She is also my business partner and a companion research nerd. She deserves a gold medal just for putting up with me for 20-plus years, and for working on this book with me for the past seven of those years. It has been a long journey, and without her love and encouragement, I probably would have not finished.

Foreword

Don Schultz, Ph.D.,
Professor Emeritus-in-Service,
Integrated Marketing Communications,
Medill School of Journalism, Northwestern University

Doing The Right Things, Right

There's an old saying, "It's more important to do the right things than to do things right". In other words, being precise in what you do is of little value if you are doing the wrong things.

But, quite honestly, to be successful, you have to do both. And, that's what makes this book unique. It's about how to do the right things in sales, marketing and managing your business. And, it's a guidebook on how to do them the right way. That's the winning combination Andrew lays out so well in this text.

This marketing book really is unique. It's a text devoted to, for and about small businesses. Businesses too many authors and experts have overlooked. Yet, small businesses are still the backbone of the U.S. economy. They just haven't been treated that way.

But, in this text, small business people get the attention they deserve, in a book crafted by a communications expert who has specialized in working with and for small businesses most of his career.

Running a small business is a tough job. Too many things to do. Too many alternatives. Too much information on some things, not enough on others. That's particularly true in marketing and marketing communications. There are so many new things, it's easy to get caught up in the excitement of web sites, Facebook, Twitter and all the new gadgets and gizmos. And, even the old traditional media communication forms have changed. They've gone "digital"…digital newspapers, digital radio, digital in-store signage and all the rest. With so many new promotional forms and fashions, you could spend most of your day simply trying to keep up. Not running the store, just watching what is going on outside the store…in the marketplace.

That's why, when Andrew first contacted me about this text, _Your Opinion Doesn't Matter_, I thought, here comes another author with stars in his eyes and promotional concepts running rampant in his head.

But, that's where I was wrong. And, that's why I agreed to write the foreward to this text. It has a message I believe in…strongly. And, it has been written by a self-made entrepreneur who has learned the lessons of the marketplace through experimentation, trial-and-error, but, mostly by observing what customers do and don't do. Because it is the customer that makes up the marketplace. The customer is the key ingredient for the small businessperson and entrepreneur. That's where you succeed or fail, and, let's face it, you can't afford to fail very often if you're operating with your own money. Work for a big company and you can fail dozens of times simply because they have deep pockets. My suspicion is, if you are reading this text, it's because it is "your money" that is on the line, not some faceless investor, or an impersonal banker or maybe even the government.

A Major Difference In Marketing Approaches

If you've ever picked up a marketing text, you've probably noticed the first thing the authors discuss is the product or service they are trying to sell. They urge you to study the product, know it inside out, find the differences between your product and your competitors. Immerse yourself in product knowledge.

That's the old, industrially-based approach to marketing.

Andrew starts with the right focus. The one that really generates success. He starts with the customer. The person you want as a supporter of your business. That's the reason for the title of the book, _Your Opinion Doesn't Matter…It's Your Customer's Opinion That Counts_. And, he's absolutely correct. What you think. How you feel. What you want to accomplish. None of it matters. It's what customers care about that will drive your business…higher up to the next level or down to the bargain basement where few things have any value and those that do, don't keep that value very long.

So, Andrew starts with customers. Because customers are the only ones with money. Your store or shop has no money. Your plant or factory has no money. Your suppliers have no money. Only customers have money. And, your job as a businessperson is to get more of those customers to give you more of their money for longer periods of time. That's really what marketing is or should be about. Building relationships with customers that increase your cash flow and increase their satisfaction with their lives.

Customers have money. Nothing else does.

It's All Process

In this book, Andrew provides you with a process. A way to think and a way to do. It starts with customers, but, then it progresses through eight key steps. Follow those steps, in the order in which Andrew presents them, and you'll be on your way to success. But, that sounds so lock-step doesn't it. Following a formula. A straight and narrow path. Just the reason you didn't pursue the corporate pathway in your career.

But, I can assure you, the process works. For one thing, it gives you a way to think about marketing. A way to evaluate alternatives. Or, as Andrew says "A Northstar" that guides and directs you. That "Northstar" concept is critical to your success. If you don't know where you are going, any roadway will take you there. If you have a clear understanding of what your business is, what you are trying to achieve, what you want to accomplish and know what kinds of customers will help you get there, you've made the biggest decision since you decided to start your own business.

It's all about process and it's all about structure that will help you navigate the rough waters of small business.

It's More About Listening Than Talking

Too many marketing, advertising and promotional books are all about "talking". What you want to say to customers and prospects. Marketing has always been about talking. Telling customers what we think they need to know. Listing the reasons you should do business with us or our company. Shouting from the rooftops. And, likely turning more people off with our shouting than bringing them in with offers and values on things they really want or need.

That's the "old marketing".

The "new marketing", which Andrew advocates, and I endorse, starts with listening. Listening to customers. Asking them questions. Getting their opinion, even if it differs from yours. Finding out what they want or need or would like to have.

And, once you've listened, responding. Filling their wants, needs and desires through the products and services they have told you they'd like to have.

Today's marketplace is based on filling consumer needs. Not selling. Need filling. It has a fancy name if you want to use it... Demand-Generating Marketing. But, it simply means doing what Andrew advocates in this text. First, listening to customers. And then, responding. He calls it "Voice of the Customer" but once you've tried it, you'll call it brilliant.

And, by listening to customers first, you'll find you'll save a heap of money on marketing. Listening helps you become more effective with your marketing programs, not just be more efficient with your spend. And, you'll learn the first law of new marketing...spending less should be the real goal of marketing. Too long, we've envied marketing organizations that have spent tons of money to sell a car or a tube of toothpaste or a box of macaroni. Those are old marketers.

The new marketers are folks like Apple who didn't spend very much to promote the iPhone and, even less to merchandise the iPad. Yet, everyone wanted one and most of them paid full price to get one. That's the real value of marketing. Adding, not subtracting, value from a product or service.

But, enough of my views.

I truly believe Andrew has a strong message for all small business owners.

Most of what you need to develop marketing and promotion into a profit center for your business is in this book and the accompanying work sheets Andrew has developed.

Read the book. Use the worksheets. But, most of all, take the time to listen to customers. It's their opinion that counts, not yours. That's what is really new in marketing today. It's the customer, not the product that really matters. Learn that lesson and you'll be on your way to greater success.

Marketing IQ Test

Evaluate each of the following eight questions objectively. Rate your performance for each on a scale of 0 to 10. Add up your ratings and enter the total score in the bottom box.

Key: 0 = Nonexistent, 10 = Masterful.
A perfect score would be 80.

1 **Northstar:** Do you publish and adhere to a mission statement for your business? ☐

2 **Business Analysis:** Do you review the strengths and weaknesses of your business frequently? ☐

3 **Customer Research:** Do you interview your customers to learn about their opinions? ☐

4 **Competitor Comparison:** Do you study your competitors for their strengths and weaknesses? ☐

5 **Market Niche:** Do you have a profile of your most responsive and profitable market segment? ☐

6 **Market Position:** Do you have a competitive distinction valued by your market niche? ☐

7 **Promotion Alignment:** Do you have a marketing communications plan aligned to your position? ☐

8 **Optimal Results:** Do you have a tracking system to regularly evaluate/enhance marketing tactics? ☐

Total Score ☐

How to Use this Book

Since you are reading this book, most likely you have ambition and responsibility, a self-regulating combination.

Ambition is a state-of-mind or a value that gives you purpose and the drive to set and accomplish your goals. Responsibility is a position you've earned and keeps you accountable for achieving your goals.

This book is intended to help you focus your ambition and responsibility upon the activities of business development (marketing and sales) in ways that can produce optimal results for the growth of your business.

The eight questions in the Marketing IQ Test on the previous page correspond to the eight steps of the system detailed throughout this book. If you skipped doing that test, please go back and do it now.

For any questions that you rate yourself less than four, you should spend extra time studying their corresponding chapters.

Marketing IQ Test Score Classifications:

Score	Classification
71 - 80	Marketing Genius
61 - 70	Marketing Executive
51 - 60	Marketing Director
41 - 50	Marketing Manager
31 - 40	Marketing Coordinator
21 - 30	Marketing Intern
11 - 20	Marketing Student
0 - 10	Marketing Novice

If you scored over 70, put this book down and go teach a class!

I have written this book in simple terms, avoided as much industry jargon and techno-babble as possible, and explained the industry terms used. You don't need to be a "marketing genius" to understand and apply the concepts in this book. And if you have a marketing background, the system will likely focus your activities and improve your results.

Step-by-step, and using real world examples, I demonstrate how to define and promote your *market position,* based on the *voice of your customer.* As you follow along, you will see how this system melds the process of strategic planning with the practice of marketing.

Finally, each of the eight steps includes highlighted tips and illustrations, and concludes with exercise summaries and example worksheets (included in a companion Workbook). These straightforward exercises will help you in applying each step of the system.

Tip: You will get the most out of this book by first reading it all the way through without stopping to do the exercises. Then go back through it again, and use the exercises as a step-by-step guide for applying the system to your business.

"The discipline of writing something down
is the first step toward making it happen."

Lee Iacocca,
Retired President & CEO,
Chrysler Corporation

Documentation is a critical success factor in any strategic process. After completing all the exercises, organize them sequentially, and you'll have a plan convenient to reference as you go about the work of growing your business.

You can also conduct any of these eight exercises individually, if you have a specific need or purpose. But to keep balance in your business, it is best to conduct all eight exercises in sequence.

Introduction

"The more you engage with customers
the clearer things become and the easier it is
to determine what you should be doing."

John Russell,
Former Managing Director, Harley-Davidson Europe

Unless you'd like to write a check for buying back your own inventory, *your opinion doesn't matter.* Understanding and using the "voice of your customer" can accelerate and sustain your growth curve because *it's your customer's opinion that counts.*

But how do you learn and act upon what your customers really think? This book was written to demonstrate how to accomplish this by using our Market Analysis Positioning System™, which we are proud to introduce in these pages (referred to throughout as "MAP System" or "MAPS"). You will be shown how a market analysis (that helps you understand your customer and competitor dynamics) leads to defining and promoting a distinctive market position. The MAP System in this book is research-based and is the foundation for creating and validating effective strategy.

My Personal Background

From a very young age I had a marketing intuition. Whether it was my first lemonade stand or selling door-to-door as a Boy

Scout, I just knew instinctually how to connect with the customer and move product.

Growing up, my hero was Peter Drucker (the undisputed management guru of the 20th Century). My favorite Drucker quote is, "The purpose of business is not to create a product; the purpose of business is to create a customer."

(When I was a teenager in the '70s, most of my friends hung posters of Farrah Fawcett, one of the stars in the TV show, "Charlie's Angels." Me? I had a framed picture of Peter Drucker!)

Perhaps it's because both my parents were in the advertising business. I admit that I'm a bit obsessive, maybe even anal-retentive when it comes to marketing. (My wife is convinced that I was potty trained at gun point.)

Early in my career, when moving up to the national advertising scene, I had a smart boss who gave me some sound advice. He told me that for each client situation I'd have to choose between a few paths. He said, "When you come to a fork in the road, talk to me before making a decision because I'm the million dollar man." That sounded a bit arrogant to me. My facial expression must have tipped him off because he immediately followed with, "No, you don't understand, that's how much I cost the company last year by screwing up."

He was telling me that I could learn from his mistakes. In turn, after 30-plus years of successes and failures, now I can help you avoid many of the conventional marketing pitfalls, and show you how to incorporate a proven approach toward growing your business.

The genesis of the _your opinion doesn't matter_ concept began many years ago when a client shared a story, a story that changed my perspective. I am now a growth strategist, but at that time I was a marketing consultant. The story goes like this.

A shepherd was tending a vast flock of sheep alongside a country road. A brand new Lexus SUV came screeching to a halt in front of the shepherd. A young man saunters out of the vehicle. He was wearing an Armani suit, a Cartier watch and Gucci sunglasses. As he approached the shepherd he said, "If I can guess exactly how many sheep you have, can I have one?" The shepherd looked out over acres and acres of sheep, looked back at the young man and said, "Alright."

So the young man walks back to his SUV and pulls out a razor thin laptop and a mini satellite uplink. He logged in to the GPS system of the NASA website, and pulled down 60 spreadsheets filled with algorithms. A minute later he printed out a 150-page report from his wireless printer. As he was thumbing to the last page, he walked back to the shepherd saying, "You have 1,531 sheep!" Somewhat stunned, the shepherd said, "You are correct, take your prize."

The young man walked out to the center of the field and picked up the biggest animal he could find. As he was stuffing it in the back of his Lexus SUV, the shepherd approached him and asked, "If I can guess your profession, will you pay me back in kind?" The young man said, "Sure, I have nothing to lose." The shepherd said, "You are a consultant." The young man looked dejected and said, "How did you know?" The shepherd replied, "First, you came without being called. Second, you charged me a fee to tell me something I already knew. Third, you don't know anything about my business. And, I would really like to have my dog back!"

I realized at that moment in time, if this is how my clients viewed "consultants", then I needed to reposition myself. And that was the first time I realized, *my opinion doesn't matter.*

Smarts and Supply Aren't Enough

To thrive in today's competitive and volatile marketplace, you should set your own preferences and perceptions aside, and focus on what your customers care about. In a supply and demand driven market economy, the preferences and perceptions of your customers regarding your products, people and services can make or break your business.

Bankruptcy courts have been filled with smart business owners and entrepreneurs who had good ideas and products. According to the Small Business Administration (SBA), only 34 percent of employer firms survive 10 years. My hunch is that the survival rate is much lower for non-employer startups (one-person businesses). My point is that the odds of surviving are stacked against small businesses. The Map System in this book, if properly applied, will help change the odds in your favor. And if you have passed the 10-year milestone, congratulations! However, you wouldn't be reading this book if you were fully satisfied with your rate of growth.

Moral: it takes more than *smarts and supply* to be successful long-term. It is vital that your growth strategies are based on the *demand* side of the marketing equation.

Definition of Marketing

Marketing is somewhat of an abstract term in how it means different things to different people, depending on their professional perspectives. To a brand manager, it means establishing a distinctive identity and maintaining a positive image. A marketing director would likely define marketing as the activities related to generating awareness and leads. A sales manager might contend that marketing is about identifying, qualifying and converting prospects into customers. And they are all correct.

Most business owners, however, don't care how you define marketing. They just want more money coming in than going out, and on a regular basis.

I have had the pleasure of working with hundreds of small business owners and, regarding running their businesses, the number one complaint I hear is "managing cash flow."

Poor or inconsistent cash flow is often the result of ineffective marketing.

Webster's definition of marketing, in part, is "…all business activity involved in transferring goods and services from producer to consumer." If you accept that definition, as I do, then everything you do in your business should be in support of marketing. Because until you sell something to somebody, you won't have cash flow.

Following is a superb definition of marketing.

"Authentic marketing is not the art of selling what you make but knowing what to make. It is the art of identifying and understanding customer needs and creating solutions that deliver satisfaction to the customers, profits to the producers and benefits for the stakeholders."

Philip Kotler,
Professor of International Marketing,
Kellogg School of Management

To Kotler's revealing quote I would like to add my belief that effective marketing is the result of both *science* and *art*, in that order.

Keys to Success

To succeed in today's cluttered and competitive marketplace, you need to do four things effectively.

☞ *Define your niche* by subdividing the larger market into smaller segments, and then target those that are most responsive to your offerings and profitable to your business.

☞ *Shape your position* to be meaningful and memorable. In other words, your market position needs to be distinctive in your industry and valued by your target market.

☞ *Align your promotion* in support of your market position so your target market will clearly understand how you can best solve their problem or satisfy their need.

☞ *Optimize your results* by pre-testing your message and tracking the effects of your promotion so you can make informed adjustments to improve your return on investment.

Those keys to success are the *last* four steps in the MAP System. The *first* four steps lay the foundation for success. The system you are about to learn isn't rocket science, nor does it require excessive time or exceptional marketing know-how on your part. It is a research-based approach that gets results because the structure is in place for your use to analyze the market and to develop growth strategies—based on your customers' opinions.

I have developed hundreds of growth programs—using this system—for small and midsize businesses. It's a proven process that works well in any industry and market.

The key to success is to define and promote a distinctive market position based on the voice of your customer.

Following is a model of the Market Analysis Positioning System™. It is intend to demonstrate the process flow of the eight steps that follow this introduction. While the model may appear complex, the system is not difficult to understand and apply.

MAPS Model

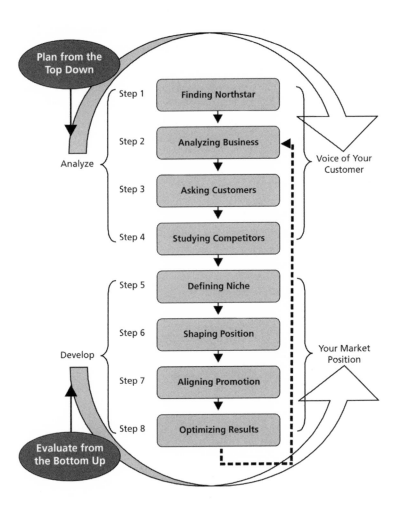

Finding Your Northstar

"You've got to have some Northstar you're aiming for, and
you just believe somehow you'll get there..."

Steve Case,
Cofounder, America Online (AOL)

In preparation for writing this book I surveyed nearly 1,000 small business owners. I found that fewer than 10 percent of them had a mission statement that was documented and published.

Also, among those companies with a published mission statement, I found that most of their employees (internal customers) didn't know what it was.

A mission statement is a company's Northstar, a guiding light to keep your business on course. My favorite Yogi Berra saying is, "If you don't know where you are going, you might wind up someplace else."

The purpose of a mission statement is communicating who you are, what you do, and whom you serve—to both internal and external customers. Your internal customers (employees, stakeholders, suppliers, partners, etc.) are just as important to the success of your enterprise as your external customers. If your own people don't "get it" they won't be able "give it!"

The mission statement is also a good decision-making tool, and should be the litmus test for everything you do. When you have an opportunity to consider, or an important decision to make, run it through your mission statement. If the idea or opportunity under consideration doesn't support your mission, it should be discarded.

> "Singleness of purpose is one of the chief essentials for success in life, no matter what may be one's aim."
>
> *John D. Rockefeller,*
> *Founder of Standard Oil Company*

Your mission statement is the Northstar of your business and should guide your growth strategies. Without a Northstar, it is more difficult to develop an effective market position.

The Good, the Bad and the Ugly

No, this isn't a tribute to spaghetti westerns; rather, here are a few examples from Fortune 500 companies to illustrate the rights and wrongs of mission statements.

The Good

"To organize the world's information and make it universally accessible and useful."

Google's mission statement is short and to the point. This is a mission you might actually remember. The only reason it is good instead of great is that it doesn't identify who they are (by name).

The Bad

"FedEx will produce superior financial returns for shareowners by providing high value-added supply chain, transportation, business and related information services through focused operating companies. Customer requirements will be met in the highest quality manner appropriate to each market segment served. FedEx will strive to develop mutually rewarding relationships with its employees, partners and suppliers. Safety will be the first consideration in all operations. Corporate activities will be conducted to the highest ethical and professional standards."

I use this example as "bad" because, at 75 words, it is unlikely to be remembered by an employee, let alone a customer or a stockholder. Although FedEx refers to this as a "mission" on their website, it reads more like the opening of a keynote address at an Annual Meeting.

The Ugly

"Apple designs Macs, the best personal computers in the world, along with OS X, iLife, iWork, and professional software. Apple leads the digital music revolution with its iPods and iTunes online store. Apple reinvented the mobile phone with its revolutionary iPhone and App Store, and has recently introduced its magical iPad which is defining the future of mobile media and computing devices."

The above statement is displayed on the Investor Relations' FAQ page of Apple's website. To me, it reads like copy for a TV commercial written by someone "under the influence."

Okay, so I'm a David slinging at a Goliath. But I'm not the only one poking fun at Apple for their mission statement. The Blogosphere is full of comments and jabs.

And I'm not impugning the integrity of these highly successful companies. These examples are just to show that even megabrands do make mistakes when it comes to crafting a mission statement. (Of course, that isn't a license for you to do it!)

Mission Statement Exercise

Writing an effective mission statement, this first step in the MAP System, involves a simple three-step process: 1) answer three questions, 2) select key information, and 3) write the statement. This will only take about an hour, and should involve other key people (employees and stakeholders if you have them).

Step 1: Answer Three Questions

Write words and phrases that answer each of the following three questions: 1) who you are, 2) what you do, and 3) whom you serve.

Your written answers don't need to read well or even be justifiable at this point.

The only objective of this first step is sketching descriptive information. The fine-tuning process will come later.

Who you are: Define who you are by writing your company name and its business category or industry. The reason your company name must be included in your statement is that you will publish your mission in most of your marketing communications. Toward that end, don't lead off with: "Our mission is…" Rather, start off with your company name. If your company name doesn't describe what business you're in, indicate your industry also. For example: US Bank's name identifies their industry, Wells Fargo's does not. If your company is not as well known as Wells Fargo, you should add the industry in your mission statement to clarify your product category.

What you do: After you've described who you are, write what you do in factual terms. It's important to bear in mind that prospective customers view experts and specialists offering niche products or services as more appealing than generalists. Example: US Bank specializes in SBA lending.

Whom you serve: The third question addresses your target market. Write down the customer group(s) you are (or will be) marketing to. Example: SBA lending for small businesses expanding or making capital improvements.

Step 2: Select Key Information

Go back over your answers to all three questions in Step 1 and select the key information by marking (underline or circle) the words and phrases in each answer that you feel should be included in your mission statement. Then put all the selected key words and phrases together in one paragraph.

This paragraph might not make sense…it doesn't have to at this point in the exercise. The only objective of this second step is to identify, select and consolidate the most important information. Be sure to have your customer's hat on while deciding what words or phrases to select.

Tip: Doing this exercise on a flip chart or whiteboard will facilitate group participation. Allowing everyone involved to watch the progression of work is highly beneficial.

Step 3: Write the Statement

After you've put your key information together, you're ready to write a concise statement in one short paragraph. Begin drafting your statement by arranging the key information in logical order. Then create a coherent flow with appropriate punctuation and grammar. You (and your team if you have one) will rewrite your draft statement a few times until its final form is satisfying.

In "finding your Northstar" (crafting your mission statement), it doesn't matter what order the information is presented, as long as it answers all three (who, what and whom) questions. When you get close to a final draft, be sure to read it out loud. A statement that sounds good aloud will read better.

Tip: If you rewrite your statement more than six times, you might be getting too picky. Laboring excessively over a word or phrase probably won't amount to making a difference in the customer's mind.

Some years ago, I was facilitating a board through this exercise when a heated discussion ensued between two directors over a single word. They might have been too close to the trees to see the forest, or had a bit too much caffeine during the retreat. In any case, they wasted time and didn't add value to the process or final outcome. My advice is that you don't let your ego or a personal agenda get in the way. After all is said and done, *it's your customer's opinion that counts.*

Two Rules

I have two ironclad rules for any mission statement: 1) it should be 25 words or less, and 2) it must communicate a customer benefit.

The reason for the "25 words" rule is two-fold. First, it will force you to focus on the key points that are most relevant to your customer and, secondly, a short statement is far more apt to be read and remembered—nobody is likely to read or remember a mission "dissertation".

> "If a person can tell me the idea in 25 words or less, it's going to make a pretty good movie."
>
> _Steven Spielberg,_
> _Academy Award-Winning_
> _Film Director and Producer_

I hope the reason behind the inclusion of a customer benefit is obvious. After all, this entire system is focused on a demand orientation. Your mission statement must be easy to understand and relevant to your customers' wants, needs, and desires.

Following are a few examples of mission statements that meet all the criteria of a well-constructed mission statement through 1) explaining who they are, 2) stating what they do, and 3) whom they service, and including a customer benefit—all in 25 words or less.

"The Anheuser Busch mission is to be the world's beer company, enrich and entertain a global audience and deliver superior returns to our shareholders."

"Graybar is the vital link in the supply chain, adding value with efficient and cost-effective service and solutions for our customers and our suppliers."

"As a full-service agency, Marketing Solutions develops and implements research-based growth strategies that help small businesses accelerate their sales and share."

Completing the simple three-step exercise above will make it much easier to find your Northstar. Once you find it, continually use it to stay on course.

Tip: It is a good idea to run your final draft past a few key customers. If you are a startup, show it to a few associates and vendors. Remember, unless you're going to buy back all your own inventory, *your opinion doesn't matter*. It's very important to understand the customer's point-of-view.

Step 1 Exercise Summary:

In a group setting, develop your mission statement by following this three-step process.

1   Answer the questions of who you are, what you do, and whom you serve.

2   Select the key words and phrases important to communicate, and put them all together in one paragraph.

3   Using your key words, write and rewrite a mission statement (not more than 25 words and with a customer benefit) until you are satisfied with a final version.

Mission Statement

Write a short descriptive paragraph for each of the first three categories below. Circle the best key words or phrases that define the mission you want to convey and use them in your draft.

☞ **Who We Are** (company name, industry or product category, values):

_____

_____

☞ **What We Do** (products/services, the purpose of business):

_____

_____

☞ **Whom We Serve** (the individuals or customer groups to be targeted):

_____

_____

☞ **Statement Draft** (List your circled words/phases in a logical order, then write your draft):

_____

_____

_____

_____

_____

_____

_____

Analyzing Your Business

"Think as you work, for in the final analysis, your worth
to your company comes not only in solving problems,
but also in anticipating them."

Harold Wallace Ross,
Creator of the New Yorker Magazine

Anticipating opportunities and challenges is a very important part of developing effective growth strategies. It involves analyzing your *internal business situation* and *external market environment.* This process is referred to as a Situation Analysis or SWOT Analysis (*Strengths, Weaknesses, Opportunities* and *Threats*).

The purpose of conducting a SWOT analysis is to determine the internal and external conditions that may have an impact on your business.

Strengths and weaknesses are internal (company) conditions within your control. Opportunities and threats are external (market) conditions outside of your control. The objective is to take advantage of your strengths and opportunities and deal with your weaknesses and threats.

Assessing these *company* and *market* conditions will help you anticipate scenarios and plan the most appropriate actions. Steven Covey, author of *The 7 Habits of Highly Effective People* preaches, "Sharpen the saw," as his seventh habit. If you don't take stock of your weak points, you won't know what needs sharpening.

> "You don't hear things that are bad
> about your company unless you ask. It
> is easy to hear good tidings, but you
> have to scratch to get the bad news."
>
> *Thomas J. Watson, Jr.,*
> *Founder of IBM*

If you have staff, you absolutely must involve them in your SWOT analysis. *Their opinion counts* because they are customers—your "internal" customers. When it comes to gathering "head out of the sand" information about your company's current situation and market environment, front line employees can give you the straight dope...if they don't fear reprisal. (I have facilitated many SWOT exercises with only top level executives participating; those reports read more like an autobiography...amusing but not always accurate.) Give your people a safe place to participate with "no fault honesty."

Internal Conditions

You'll begin your SWOT analysis by identifying internal company conditions, which are either strengths or weaknesses, based on your current situation, that is, where you are today—not where you want to be tomorrow.

It is possible for any condition to show up on both your strengths and weaknesses lists. For example, "sales" may be on the strengths list (because they are increasing) while also showing up on the weaknesses list (because your sales force lacks accountability and their activities are fragmented).

From a strengths standpoint, you might think, "We're OK because sales are increasing." However, that identified weakness shows that you should also be concerned about sales you're losing because of inadequate organization, tools or support.

Strengths and Weaknesses Primers

Because you are developing marketing and growth strategies, look at (but don't limit yourself to) the traditional marketing mix as primers, also known as the 4-Ps of marketing: *product, price, place* and *promotion.*

☞ **Product:** the goods and services offered by your business. In terms of innovation, quality and competitive advantage, what are the strengths and weaknesses of your products and services? Among your portfolio, which are the profitability contributors or detractors?

☞ **Price:** the cost, fees and pricing strategy you incorporate to transact business. How do your prices stack up against the competition? Do they support your market position? Remember that price without consideration of value delivered doesn't paint the whole picture.

☞ **Placement:** the location, distribution and delivery system of the goods and services you offer. Does your distribution strategy create a competitive advantage, or disadvantage? Is there anything about your location, logistics or delivery system that can be leveraged or should be improved upon?

☞ **Promotion:** the communication actions taken to develop awareness and interest, such as advertising, public relations, sales promotion, and personal selling. Are you doing anything that distinguishes your brand? Are you lacking a positive return on promotion investment?

Your marketing mix is the best place to start your business analysis and generate a conversation around your strengths and weaknesses.

Other primers include your company's infrastructure, such as *facility, finance, people,* and *technology.* Look at everything that either helps or hinders your ability to market and sell your products and services.

☞ **Facility:** the plant, physical location or store front of your business. Is your current facility sufficient to advance your enterprise or is it holding you back? Consider both functionality and aesthetics (especially if customers come on site).

☞ **Finance:** the available capital, cash flow situation, and financial management practices of your business. Do you have an adequate reserve? Are you leveraging your assets? Is the budget aligned in support of your marketing objectives?

☞ **People:** all of the people employed and contracted by your company. Do you have good organizational alignment, or are there areas that can be improved. Having the right people in the right places, or not, can be a game changer.

☞ **Technology:** the information and communications technology, as well as the equipment owned or leased by your company. What are the costs/benefits of upgrading your technology? Are you pacing with, ahead of, or falling behind your industry or competitors?

External Conditions

You may question the rationale for taking time to catalogue external conditions that you cannot control, such as political, social, and economic events. But the fact is, although you may not be able to control external conditions, you can and should respond to them.

Unlike the internal analysis, which concentrates on present day circumstances, an external analysis should consider both current and forecasted conditions—but not for more than a few years out.

With the economy, for instance, there are advance indicators, e.g., gross domestic product, that forewarn of a slowing or accelerating economy several months before small businesses and consumers experience its impact. Other leading indicators include building permits, T-bill rates, and the money supply. Keep track of the leading indicators that have the greatest impact on your industry.

By noting such advance indicators, you can make strategic decisions that will help you weather economic storms—such as holding more capital in reserve as opposed to making investments that may take a long time before bearing fruit.

Before the down economy of 2001 came to a crest, I recommended to one of my clients that they hold off on investing in a new product line they were eager to launch. Having the extra cash reserve enabled them to take market share from key competitors who couldn't afford to promote themselves during the economic downturn. Consequently, my client's "share of voice" increased significantly and an increase in "share of market" soon followed.

> Tip: It is usually easier to take market share from competitors during a down economy than a boom cycle—if you maintained the necessary reserves to continue your promotion while your competitors are pulling back.

Opportunities and Threats Primers

In terms of external opportunities and threats—market conditions beyond your control—there are four primer categories you should assess: *customer, consumer, competitor* and *industry*.

☞ **Customer:** how the buying behaviors and satisfaction levels of your customers are affecting your business. It's important to know if your customers are buying more or less based on past behaviors. Keeping your finger on the pulse of your existing customers is fundamental to retaining them.

☞ **Consumer:** how consumers in general (not your customers) are buying products or services in your industry. Are there any trends emerging that may either help or hurt your business? Are there any shifts in demand? Are any new wants and needs surfacing?

☞ **Competitor:** how the extent to which competitor actions or situations could impact your business. Knowing what your key competitors are doing, in terms of their marketing mixes (product, price, place and promotion), will help you seize opportunities and mitigate threats.

☞ **Industry:** how any industry trends or changes could impact your marketing and sales efforts. Is there anything on the horizon within your industry that you need to be mindful of as you plan your growth strategies?

Tip: Don't confuse strategy and opportunity. The distinction between the two is that a strategy is controllable and an opportunity is not. For example, to target communications toward an emerging market segment is a strategy. The opportunity would be stated, "There is an emerging market segment that may value our product."

In addition to making an assessment of customer, consumer, competitor and industry conditions, conducting a PEST analysis is an effective way of exposing potential opportunities and threats. The PEST acronym stands for *Political, Economic, Social* and *Technology.*

☞ **Political:** this includes administrative, legislative, judicial and regulatory conditions (including taxation) that have the potential of helping or hurting your business. This is an especially important area to keep your eye on if you play in a heavily regulated space.

☞ **Economic:** the local, regional and national (even global depending on your market) economies and how they impact your industry. Do you know which economic indicators are most important to your business? Some industries actually benefit from a down economy...where are you positioned?

☞ **Social:** any social or cultural trends that may have an impact on your product category. Currently, a relatively new condition added to the social list of external conditions to watch is terrorism. Look at how the 9/11 attacks significantly increased American Flag sales, and at the same time, devastated the airline industry. What are the social conditions that may present opportunities or threats to your industry or business?

☞ **Technology:** innovation and technological advances may be constructive or destructive to the way you operate. This is more of an issue now than ever before. Look how the advent of micro processing put the kibosh on typewriter sales, and how that same technology spawned the personal computer industry.

A tale of two companies: Smith Corona was one of the market share leaders in the typewriter industry for decades, but they didn't account for advances in technology in their business plans. They sued for bankruptcy protection in 1995. By then IBM, another manufacturer of typewriters, had introduced the IBM PC (in 1981), the PCs and their clones were representing 91 percent market share in the personal computer category, and the company was number seven on the Fortune 500 list.

These are merely thought starters for using the MAP System and not intended to limit your thinking. By objectively assessing which internal and external conditions affect your business, you'll be well prepared to begin developing your four SWOT category lists.

SWOT Analysis Exercise

Using a flip chart, white board, or computer screen (projected so everyone involved in the exercise can see the work), begin the process of building a list in each of the four SWOT categories. The exercise involves a three-step process: 1) list SWOT conditions, 2) prioritize SWOT lists, and 3) determine SWOT actions.

Step 1: List SWOT Conditions

Begin your SWOT exercise by listing your most important company strengths. These should be major company strengths, not lesser strengths. During this first step you are not trying to prioritize, the order doesn't make a difference at this stage of the exercise.

After listing your strengths, list your weaknesses using the same process. After you finish your internal (*Strengths* and *Weaknesses*) lists, move on to your external (*Opportunities* and *Threats*) lists.

Tip: Limit yourself to 10 items in each of the four SWOT categories. This will force you to focus on the most important (or major) conditions. This is a maximum not a minimum. If you can't come up with 10 conditions on any or all four lists, that's OK.

Step 2: Prioritize SWOT Lists

When it comes to the to-do list, there is always more work than there is time. I liken small business owners to fire hydrants—we're either putting out fires or watching out for the big dog. No matter how good you are at multi-tasking, prioritization will help you to focus on the SWOT conditions most important to your business.

Start by prioritizing the items on each of your four lists. A simple way to prioritize a list in a group setting is to use sticky dots…those little adhesive dots you can buy at any office supply store. You can even number the dots.

After everyone has had a chance to vote, tally the dots on each of your four SWOT lists.

Next, on all your prioritized lists determine if each condition is actionable or not. Ask yourself, "Can I take action to capitalize on a strength or opportunity, or deal with a weakness or threat?" Notate all of the "actionable" conditions.

Once you have finished prioritizing the conditions in each of the four SWOT categories, and have determined which of them are actionable, you'll be ready to further condense your lists and then assign actions to your top priorities.

Step 3: Determine SWOT Actions

Begin by examining the actionable conditions on both your strengths and opportunities lists. Decide which of these would have the most significant effect on your business, and list the top two or three in an *actionable assets* priority list.

Go through the same process with your weaknesses and threats lists to determine your top two or three *actionable liabilities*.

It doesn't matter whether your top two or three assets are strengths, opportunities or a combination thereof. The same holds true when prioritizing liabilities. The point is to list the most important conditions you should capitalize on or deal with.

Large companies, with more resources at their disposal, may want expansive asset and liability priority lists. Small companies and individuals should keep their SWOT action lists short. It is far better to do a few things well than many things mediocre.

After you've completed the SWOT actions lists (one for your assets and one for your liabilities), document what action should be taken under each item listed. That will complete the exercise.

Assets (Strengths and Opportunities)

1. List the top priority and actionable strength or opportunity

   Action: Enter the action you will take to capitalize on the asset

2. List the second priority and actionable strength or opportunity

   Action: Enter the action you will take to capitalize on the asset

Liabilities (Weaknesses and Threats)

1. List the top priority and actionable weakness or threat

   Action: Enter the action you will take to mitigate the liability

2. List the second priority and actionable weakness or threat

   Action: Enter the action you will take to mitigate the liability

Put your SWOT analysis results aside for now. You will use them in Step 6.

Step 2 Exercise Summary:

In a group setting, catalogue the internal and external conditions that may have the greatest impact on your business by following this three-step process:

1   Create four lists of up to ten strength, weakness, opportunity, and threat conditions.

2   Prioritize the items in each list and determine where to focus your attention.

3   Recap the top actionable priorities under asset and liability lists, and the actions you'll take for each.

SWOT Analysis

List the top 10 major internal conditions (Strengths and Weaknesses) and external conditions (Opportunities and Threats) that can have the greatest impact on your business.

Internal   External

P	*Strengths*	A	P	*Opportunities*	A

Assets

P	*Weaknesses*	A	P	*Threats*	A

Liabilities

Identify the most significant internal and external conditions related to your marketing success. Prioritize them in the P column, and if actionable, check mark them in the A column.

Asking Your Customers

"We slip from our obligation to know what consumers are thinking...into believing they are like us; and from there we slide further into believing we can think for them and understand their actions."

William McComb,
CEO, Liz Claiborne, Inc.

This step is literally the foundation of my assertion that *your opinion doesn't matter*, and of MAPS. At its core is the fact that most small businesses make strategic decisions without asking customers for their opinions. Knowing what your customers care about, and what they don't care about, should be the driver of every major decision you make.

Voice of the Customer

Collecting the "Voice of the Customer" (VOC) is a popular research technique that involves interviewing customers to better understand their preferences, perceptions and experiences. This is a proven process that facilitates improvement of product development, marketing communications, and customer services. It is also a powerful approach to defining your market position, and distinguishing yourself from competitors.

There are many benefits of asking your customers for their opinions. Acting on VOC data can improve the results of promotion and customer acquisition activities, increase customer retention, and generate more referrals. Also, knowing how your customers experience your products, people and services can enable quality and process improvements. Process improvements usually produce happier customers and higher profits.

The big brands have been doing this type of research for decades. Some auto manufactures hire agencies to deliver new models to car reviewers, typically reporters and feature writers. They do this not only to gain press coverage, but also to collect voice of the customer data.

A friend of mine is the publisher of a newspaper, and she has been reviewing new cars for many years. She told me that reviewers have access to what is being written by other reviewers, and that many of the write-ups point to the same problems, such as soft brakes or road noise. She noticed that when she reviews the same car model a year later, she finds that these problems have been fixed. The manufacturers pay attention to what reviewers write about and make product improvements accordingly.

(My publisher friend also told me that her neighbors think she's a drug runner because she's had a different new car parked in her driveway each week for the past 17 years.)

The bottom line is that, when effectively incorporated, VOC data can accelerate the growth of your business.

Understanding the preferences and perceptions of your customers (or target market if you are a startup) is critical for your business to succeed and grow. Remember, unless you intend on buying back all of your own inventory, *your opinion doesn't matter*. In the practice of marketing and growing your business, *it's your customer's opinion that counts*.

A fundamental principle of marketing is that, "The customer is always right." You may already know the two rules of customer service:

☞ **Rule #1,** the customer is always right;
☞ **Rule #2,** when the customer is wrong, refer back to rule #1.

After all, proving your customers wrong won't make you right, it will only make you broke. Even when customers are wrong, their beliefs (perceptions) still drive their attitudes and behavior.

In many cases, customers have misperceptions about companies and product offerings. Customer misperceptions are more common in the early stages of the life cycle for a product or service, however, the chance of customer perceptions not lining up with your business reality can happen at any stage. It's an axiom of marketing psychology that, "People do not react to reality, they react to their perceptions of reality." This trait of human nature is why it is so important to understand how your customers perceive your product and service offerings.

Marketing research has tiers of complexity. A study, and the data collected, is only as valid and reliable as the methodology used and how it was executed. That said, the purpose of this book is to avoid the complex and present a simple "how to" approach.

VOC Exercise

A basic VOC study involves a four-step process: 1) choose collection method, 2) select your sample, 3) develop a questionnaire, and 4) analyze the data.

Step 1: Choose Collection Method

This first step involves deciding how to go about collecting voice of your customer information. There are many methods, including point-of-sale, telephone, online (email and website surveys), mail and packaging (response card).

Many researchers use quantitative (large sample) methods, such as opinion polls and satisfaction surveys, which are effective at aggregating large amounts of data with statistical accuracy. The method I'm suggesting is qualitative (small sample) through *in-depth interviews* and *focus groups*. I prefer these approaches because they allow for a conversation with customers, and the ability to probe for underlying motives and values.

Since you will be collecting the voice of *your* customer, you have access to the population you want to study; therefore, recruiting VOC participants should not be difficult.

If you produce or deliver a product, or are in a service sector, you have direct contact with your customers and can invite them to participate in an interview or focus group. If you're in retail, and don't have customer contact information, you can recruit participants at the point-of-sale (via clerk or cash register).

In-Depth Interviews

In-Depth Interviews (IDI) are one-on-one interviews, either in person or on the phone, that are designed to dig deeper than traditional surveys, and to uncover underlying motives and values that drive an individual's decisions and behaviors.

Most often, we use IDIs to collect VOC data because it is easier to schedule individual interviews than scheduling several people for a focus group. That is especially true when your customers are all over the country. In-depth interviews also allow collection of more details about a participant's desires, opinions, and experiences concerning the company or product being evaluated. Such details not only help grow your business, they can also uncover flaws in planned products, and demand levels for them. Here's an example.

Many years ago we conducted an IDI project for a human resources company planning to launch a new product. After 25 interviews it was clear that it would have failed to gain any traction in the marketplace. At the end of our debriefing session, and as he was signing our check, the CEO said, "This is the best money I've spent in some time." I responded, "You have a healthy attitude." He replied, "You just saved me $2,000,000." Our motto is "test before you invest", and IDIs are a great way to do just that.

An in-depth interview normally takes 30 minutes or more, but we have found that a good deal of VOC information can be collected in a 15-minute interview using a well-structured questionnaire. As long as the study objective is specific, you can ask (and probe) 8 to 10 topics, and reduce the risk of participant "burn out".

Focus Groups

A focus group, also referred to as a Focus Interest Group (FIG), is typically used for gathering consumer reaction to a new product concept, weigh product and service attributes, and test advertising elements (messages and images). We've even used FIGs for optimizing websites to increase click-through and conversion rates. Focus groups are a great method for collecting voice of your customer data and delving into customer experiences and attitudes. They are also effective for brainstorming (solving product or promotion problems) and painstorming (solving customer frustrations).

Focus groups involve pre-qualifying a small group of individuals for collecting their feedback on specific topics. Consumer FIGs, sessions of two hours, are best on weekday evenings and late Saturday mornings, and food and beverages should always be served. Business FIGs are limited to 90-minutes on a weekday with lunch served.

Tip: For both consumer and business FIGs, avoid Monday and Friday as attendance won't be high. Proximity is another critical success factor for filling a FIG since most people won't travel far to attend.

Registering participants is easy compared to enticing them into actually showing up. Usually incentives are necessary, but even with cash incentives no show rates can be as high as 30 percent.

Products and services can be used for focus group incentives. As an example, Microsoft incentivizes with software typically valued at several hundred dollars.

The value of the incentive depends on the market you are targeting. For instance, a series of FIGs with high school seniors that we did for a community college took only $20 and free pizza. Nearly everyone showed and would have hung out with us all day if we wanted. On the flip side, a FIG we conducted recently with a group of business banking customers was incentivized with $150 and free lunch, but barely bought us 90 minutes with only 70 percent attendance.

We usually conduct focus groups in sets of three for every project, market segment, or market location. But if the budget does not permit three, one is infinitely better than none at all. Our smaller clients glean great insights from a single focus group.

It is important that facilitators keep a focus group on track. It is the facilitator's job to also mitigate any dysfunctional group dynamics arising from conversation monopolizing, or from asserting judgment on others' opinions. It is OK for participants to disagree, but not be disagreeable. You've heard the saying, "One bad apple can spoil the bunch." It's true of both fruit and focus groups.

Where should you hold your focus group(s)? Anonymity is so important to collecting candid and unbiased data that your place of business is not an option.

If you want to avoid the cost of a focus group facility, a hotel meeting room can be an ideal FIG venue. Some hotels will reduce the room fee or eliminate it if a modest banquet is ordered.

Tip: Ask the hotel to set up your space "boardroom" style, so that all participants can see each other. Sit the facilitator at one end of the table with no chair at the other end. Also, make sure every participant signs to acknowledge receiving their incentive.

Whether to do in-depth interviews or focus groups, or a combination of both, depends on your VOC objectives and your customer base.

Focus groups are best if you want group interaction, people feeding off each other's comments, and the use of visual aids. In-depth interviews are a better choice if you have an upper income customer base, customers who are not centrally located, or a need for more detailed or intimate information.

Step 2: Select Your Sample

A sample is a small representative group of the overall population being studied. A small subset of your entire customer base is queried to gain insights into your customer base beliefs.

Random samples are queried for most kinds of consumer studies and opinion polls. But in collecting voice of your customer data for making strategic decisions on how to best position and promote your product or brand, I suggest you query a sample of your best customers. Understanding the values and attitudes of your most responsive and profitable customers will give you the most lucrative insights. If you include opinions from your less desirable customers in optimizing your marketing mix, you risk attracting less profitable customers.

However, you can learn even more compelling information from customers you have lost.

> "Your most unhappy customers are your greatest source of learning."
>
> *Bill Gates,*
> *Chairman, Microsoft*

Lost customers can help you pinpoint the problems and weaknesses that lead to customer attrition. While collecting opinions from them is more challenging, their information is generally more actionable. You will hear "no" more often when asking them to participate in IDIs (usually FIGs are not a good approach), but I promise you this: your extra effort will be worth it.

Include only customers lost in the past year since recollections from more than a year ago are unlikely to be accurate or relevant to your current business situation.

In-depth interviews and focus groups are qualitative studies, which are small in sample size and not held to the same statistical standards as large sample quantitative studies.

Sample sizes are variable and depend on the size of your customer base. For studies using IDIs, a sample can range between 10 and 50 participants; we usually aim for 25 whenever possible. However, for a new insurance company (with few customers) I once conducted IDIs using only 10 participants, which resulted in a couple dominant themes that were very directional and proved one of their primary business assumptions wrong. This small sample of VOC data made a huge difference in the company's direction.

For conducting focus groups, between 8 and 12 participants is ideal. Keep in mind that, based on the strength of the incentive offered, you likely will need to over-recruit participants to achieve this sample size (remember you'll have no shows).

Another important principle of sampling is segmenting. It is important for the sample to be drawn from customers of a single market segment, product or service. For example, the consumer and business customers of a bank would not be mixed in the same sample.

In research speak we call this a "homogeneous segment" meaning that they are all the same. If you have two different segments you want to study, they will require separate VOC samples.

When screening to recruit qualified participants, exclude anyone working in the industry being evaluated or in the advertising and marketing business.

Regardless of the size or number of your customer base, your market segments or product lines, *your opinion doesn't matter.* Go with a small sampling of customer opinions rather than no data at all. A small sample can serve you well if you ask the right people: those you want to replicate!

Tip: To collect candid and unbiased VOC data, participant anonymity is crucial. It's OK if you and company stakeholders (the study sponsors) know who participated in your sample. However, never attribute specific comments to individuals by name. In fact, it is best to have an outside expert facilitate collection and reporting.

Step 3: Develop a Questionnaire

Asking the right people (your sample) addresses only half the voice of your customer equation; asking the right questions is the other half. The design of your questionnaire will have a big impact on the usefulness of the information you collect.

A questionnaire for determining the most valued selling features or product attributes, and why, would be quite different from one that delves into customer service experiences, or one meant for a painstorming exercise. So, begin designing your questionnaire by deciding your objective—what you want to accomplish and how you will use the information.

In planning traditional studies, researchers develop a "problem statement" for bringing an objective into focus. Be clear and specific on the objective and how you will act on your VOC data.

Once you have your VOC objective documented, use it as a guide for creating an appropriate questionnaire. Designed to serve more as a guide, it should be less structured than a questionnaire for a traditional survey. With a survey you ask a question, document the response and move on to the next question. But the VOC process for in-depth interviews and focus groups involves a back and forth conversation on each topic. So after the initial response to a question, you dig deeper by probing.

Probe with questions such as: Will you give me an example? Can you elaborate on that point? How did that make you feel? What changes or improvements would you recommend?

Questions for researching the voice of your customer are open-ended, requiring an explanation versus a yes or no response. The goal is to get the individual or group talking, not deciding. An effective series of open-ended questions involves the *"keep, stop, start"* sequence.

☞ **Keep:** Questions that elicit what about your customer's experience is most appreciated or valued, what they love about your product, service or doing business with your company. In other words, what they would like you to *keep doing.*

☞ **Stop:** Questions that let you learn what about your customer's experience is frustrating for them, what they would like to see changed or improved, what they don't like and could cause them to switch to another provider. In other words, what they would like you to *stop doing*.

☞ **Start:** Questions that help you understand what your customers are missing, or what you don't provide that they want and could send them to a competitor for that product, service or specific feature. In other words, what they would like you to *start doing*.

Another useful question we usually ask is, "What is the single most important deciding factor when choosing a brand (provider, product, or service)?" And we always follow up that question with "why?" In VOC research, "why" is just as important as "what".

Other practical questions include, "Who do you consider the greatest competitor" and "What media do you use most often" (favorite radio station, TV program, newspaper or magazine, websites, social media, for example). If our client advertises, we also ask their customers how they initially found our client to determine which advertising channels are most effective.

These are the kind of common and useful questions you might use, but the basis of your questionnaire should be from your industry and information that you can act upon for improving the experience of your customers. In developing your questionnaire (in the form of a guide), focus on your VOC objective and keep the number of questions to a manageable number. If you are having trouble limiting your list of questions, your objective may not be specific enough. Don't try to solve all of your problems, or guide several marketing initiatives, with one study. There should be only one objective per study.

Setting the stage before you begin questioning participants is very important to having a productive FIG or IDI. Make sure participants understand the study objective, why they have been selected, and how long the session will last. For a focus group, you would also give guidelines on constructive group interaction.

Before conducting the study, always test your questionnaire with a few customers to make sure of clarity in concepts and proper sequencing of questions. Using simple and common language works best, and sequencing your questions properly will ensure that no question will bias responses to questions that follow.

Step 4: Analyze the Data

After you've acquired your VOC data (asked the right people the right questions), you can tabulate, analyze and act on the information you've collected. The first step of tabulating (organizing) is entering the responses into a spreadsheet, using one column for each question. Each row represents the response of each participant.

ID#	Q-1	Q-2	Q-3	Q-4	Q-5	Q-6
R1						
R2						
R3						
R4						
R5						

Key: R = Respondent, Q = Question

After all the responses have been entered, go through them one at a time for each question and group similar responses into categories. Not every response will fit into a category, but natural patterns and themes will emerge from this process. (Armed with the most dominate themes that surface for each question, you will be clear what actions will produce the greatest impact, from the customer's perspective.)

Next, prioritize the categories based on the number of responses in each.

If you also collected VOC from lost customers, be sure to compare those results with your current customers, especially wherever frustrations, weaknesses and suggested improvements are apparent.

> Tip: To collect unbiased and actionable VOC data, and to maintain the anonymity of participants, it is always best to work with a professional facilitator or interviewer. Collecting, analyzing and reporting on voice of your customer data require specific skills. Working with a pro will deliver the best results.

Put your VOC results aside, as you did with your SWOT results. We'll come back to them in Steps 6 and 7.

Step 3 Exercise Summary:

Develop and document your objectives for VOC research and follow this four-step process:

1   Determine the best VOC collection method, indepth interviews or focus groups.

2   Recruit participants among your best customers and lost customers within a specific target market/product segment.

3   Design questions that are open-ended, and in a guide form to discover what your customer would keep, stop and start.

4   Tabulate all of the responses to organize your VOC information into logical categories, and then prioritize.

Voice of Your Customer

Based on your research objectives and customer base, determine which voice of your customer (VOC) collection method is most appropriate: In-Depth Interviews (IDI) or Focus Groups (FIG).

☞ **Select Your Sample:**
Because you want to replicate your best customers, profile and select the most appropriate customers and segments to participate in your IDI or FIG.

Profile current customers: those you want to replicate, by product or customer segment

_____

Profile lost customers: those you have lost in the past 12 months (to understand why)

_____

☞ **Develop a Questionnaire:**
To understand customer (and lost customer) experiences, preferences and perceptions, develop a questionnaire or guide to interview individuals or groups.
 - Keep: questions that determine what about their experience they value most
 - Stop: questions that determine what they would change or improve (frustrations)
 - Start: questions to determine what they would add to what you already offer

Other useful information to collect includes: most important deciding factors, greatest competitors and their favorite media. Frame your questions:

_____

_____

☞ **Analyze the Data:**
Organize the responses from your IDI or FIG by grouping similar responses to each question into categories as a means of surfacing dominant themes you can take action on.
 - Enter responses into a spreadsheet: questions by column and respondents by row
 - Review each column of responses and group common responses for tabulation

Enter key findings:

_____

_____

Document your key findings for future action on addressing customer experiences, preferences and perceptions. Set aside info on their most important values (keeps) for your work on Step 6.

Studying Your Competitors

"Nothing focuses the mind better than the constant sight of
a competitor who wants to wipe you off the map."

Wayne Calloway,
Former CEO, PepsiCo

As important as collecting the voice of your customer is to the ultimate goal of growing your business, you also need information on your top competitors. Without knowing what they are doing (how they are positioning and promoting themselves) it would be nearly impossible to define a market position that is distinctive in your industry.

If I asked you, "Which of your competitors should you study?" and you try to answer that question before analyzing your VOC data, then you haven't fully bought into the MAPS premise. Remember, *it's your customer's opinion that counts.*

Tip: Always collect the voice of your customer before gathering competitive intelligence so you'll know which competitors to study.

In our client discovery process at the beginning of a new project, one of the questions we ask is, "Who are your top competitors?"

Sometimes the client is not certain, but even if they believe they know, we will be asking this question of their customers also, because *it's your customer's opinion that counts.*

When conducting interviews and focus groups, we always ask the participants, "If our client weren't in business, who would you likely patronize?" or some version of that question most appropriate to the industry.

It never ceases to amaze me how seldom our clients' list of top competitors aligns to their customers' list. But, finding these misalignments have also amazed my clients into realizing it's their *customer's opinion that counts.*

Some companies, especially not-for-profit organizations, don't want to come across as "competitive," which is understandable given the mission and values of some charitable organizations. However, most companies compete in a zero-sum economy. By that I mean one company's gain or loss is being balanced by the gains or losses of others competing for the same market. If you gain five percent market share it will likely come from your competitors, or vice versa. We all operate in a competitive marketplace. It doesn't matter whether you are a for-profit or non-profit business, you need to be competitively astute and adapt when necessary.

> "A competitive world offers two
> possibilities. You can lose. Or, if
> you want to win, you can change."
>
> *Lester Thurow,*
> *U.S. Economist and Bestselling Author*

Competitor Study Exercise

Conducting a competitor study involves a four-step process: 1) choose collection method, 2) identify top competitors, 3) collect appropriate information, and 4) organize the information.

Step 1: Choose Collection Method

There are several ways to collect competitor information including reviewing websites, blogs, social media, advertisements, collateral materials, and press coverage.

One of the tricks of the competitive intelligence trade is to set up a Google Alert on key competitors to monitor all of the new content (about their company) that hits the web. This is an effective technique for keeping track of news and press releases from your competitors.

But the *best* way to study (and experience) your top competitors is to "secret shop" them. This tactic involves a secret shopper posing as an interested prospect. Especially if you are in retail, physical (in-store) shops are best for monitoring your competitors.

Be sure to have secret shops conducted by someone other than yourself, if there is any chance you could be recognized. Another reason for having your shops conducted by outsiders is to have them leave a return phone number or email to see if the competitors shopped follow up with the prospect (secret shopper). It may be surprising, but in shops we've conducted (and we've done thousands), many small businesses do not follow up on prospect inquires. Some don't even ask for contact information.

If physical shops are not practical for your business or service industry, conduct phone shops. Start by putting together a plausible scenario for your secret shopper, followed by a short list of questions you want asked.

A secret shop scenario (that informs the shopper about their pretend situation and inquiry) helps ensure they won't get caught through stumbling or contradicting themselves when shopping the competitors.

In addition to asking the secret shop questions, have your shopper note observations such as the respondents' phone smile, product knowledge, how many rings before the phone call was answered, automated voice system or a live reception, whether they qualify the shopper, or ask for contact information.

Your shop scenario and guide will be based on your industry. Keep it short and don't allow anything in the scenario or questions be a tip off to competitors that they are being shopped. Another reason for using an outsider is that you don't want your business to be identified by a competitor's caller ID.

Step 2: Identify Top Competitors

From the voice of your customer data, review the responses to the "who is the greatest competitor" question. Compare your customers' lists to your list, and make an informed decision on which competitors to study.

It's possible your VOC data won't produce a definitive list of competitors. In that case, it would be up to you to select the most appropriate competitors to study. Questions to ask: Who is the competitor I am hearing about or losing business to most often? Who is closest to my location (if proximity is relevant)? Who is targeting my market segment? Who is the most aggressive at promoting their business? Who has the most market share?

Depending how cluttered or competitive your marketplace, you might study only the top three to five competitors. You don't need to study all of the competitors in your space, just those posing the biggest threats. If you have a regional or national footprint, you may need to study many competitors.

For the purposes of this exercise, focus on direct competitors.

Step 3: Collect Appropriate Information

After you have identified your top competitors, you'll want to study different aspects of their business and marketing. The most appropriate information to collect should be based on your industry and what its customers expect, the problems they are trying to solve, and needs they are trying to satisfy.

In the form of a study guide, list the information you want to collect on competitors, which may include (but not limited to):

☞   Target market focus
☞   Product or service focus
☞   Pricing and related policies

☞   Positioning strategy
☞   Promotional tactics
☞   Customer service policies
☞   Service area (footprint)
☞   Guarantees

Some information is more difficult to collect. For example, not all of your competitors may be clear on their positioning strategy. In our competitor studies we generally use this question in trying to extract that information: "We are deciding between your company and brand X (which is our client), why should we choose you over them?" In forcing your competitors to compare themselves to your business, this question also reveals what they are saying about you.

Best questions to ask are those that will help you understand your competitors' strengths and weaknesses relative to your business or product.

Step 4: Organize the Information

Rather than relying on your memory, document every competitor's answer to every shop question asked.

Incredibly, there are some business owners out there who don't document their information from their secret shops. I can't tell you how many times prospective clients have told me, "Yes, we did competitor research, I know what my competitors are doing." When I ask to see their documentation, the typical response is, "It's all up here," as they proudly tap their index finger to the side of their forehead. I then ask them, "What is your greatest advantage relative to your number one competitor's positioning strategy?" After a moment of silence I either get thrown out the door or become their new best friend. Again, don't rely on your memory!

Put all of the information collected into a spreadsheet so you can compare all your competitors. We developed a spreadsheet that compares our clients side by side with their competitors. In your spreadsheet, also, enter responses about your company (as if you were shopping yourself).

Characteristics	Your Company	Competitor 1	Competitor 2	Competitor 3
Target Market				
Product Focus				
Special Features				
Market Position				
Customer Service				

Key: Characteristics = the questions from your secret shop guide

This approach allows you to easily see everyone's strengths and weaknesses, and it will be very useful when shaping your position. Set this spreadsheet aside for Step 6.

Step 4 Exercise Summary:

Study your top competitors to understand their relative strengths and weaknesses by following this four-step process:

1   Choose the best secret shop method for your industry—physical (on-site) or phone shops.

2   Based on your experience and VOC data, identify the top competitors to shop (usually three or five).

3   Develop an industry appropriate shopper scenario and questionnaire to collect competitor information.

4   Enter the information collected into a spreadsheet and answer the same shop questions on your own business.

Competitor Study

In addition to reviewing online information (website, blogs, social media), determine which secret shop collection method is most appropriate: physical (in-store) shops or phone shops.

☞ **Identify Top Competitors:**
Based on how your customers answered the "greatest competitor" question in your VOC study, and on your list of top competitors, identify the top three to five competitors you want to shop.

1 _____   Location/Phone: _____

2 _____   Location/Phone: _____

3 _____   Location/Phone: _____

4 _____   Location/Phone: _____

5 _____   Location/Phone: _____

☞ **Collect Appropriate Information:**
Based on your industry and what is important to your target market, develop a secret shopper scenario (pretend prospect situation) and questionnaire based these thought starters:

– Target market focus
– Product or service focus
– Pricing and related policies
– Positioning strategy

– Promotional tactics
– Customer service policies
– Service area (footprint)
– Guarantee

Develop plausible shopper scenario:

_____

_____

_____

_____

☞ **Organize the Information:**
Enter all of your competitor responses to the shop questionnaire into a spreadsheet. Each row on the spreadsheet represents a response; and each column represents a competitor.

After you've set up a spreadsheet and all of the shop information has been entered (for reviewing in a side-by-side comparison of all competitors) put this information aside for Step 6.

Defining Your Niche

"We don't start out with the assumption
that our company is for everybody."

William McGowan,
Chairman, MCI (former phone company)

One of the most common mistakes that I see, especially among small businesses, is the attempt of appealing to a mass market, or one that is far too broad for their available resources. Some marketers assume that their product or service is for everyone; this mindset will land them in the category of businesses that fail. So, a critical success factor of asset allocation is to know where to aim your marketing resources.

The mistake of going after too broad a market is made because the function of targeting (narrowing your sights) seems counter-intuitive. You would think that the larger net you cast, the more fish you'd catch. While that may work for fishing, it usually has the opposite effect for marketing, especially when marketing with very limited resources. After using MAPS, though, you'll know where to cast your net.

In fishing for customers with a limited marketing budget, you need to throw your net in a pond, not an ocean. By attempting to expand your market reach beyond your budget reach you would, in effect, fragment your budget and reduce the impact of your marketing resources.

Put another way, imagine if you took an eye dropper, and put a drop of ink into a five gallon bucket filled with water, swirl the water around, and what do you see? Nothing at all, the single drop of ink had no visible impact in the bucket of water. Now, take the same amount of ink and drop it into a one ounce shot glass filled with water, it turns the water dark. Big impact!

That same dilution principle applies to the marketplace. Fragmenting your budget over a large market won't get you noticed; however, if you concentrate that same budget in a smaller market, or a specific niche of the large market, you'll create a bigger impact and get noticed. That is why defining your niche (or specific market segment) is so important.

Your market niche is both defined by the segment you choose to target and based on the specific needs of the market you are trying to satisfy. What you specialize in, in terms of product and service features, also defines your niche market. Another way of putting it, you not only define your niche, your niche defines you.

This step focuses on helping you define your best market niche, but it is also vitally important that you optimize your products and services based on the wants, needs and desires of your market. Your product portfolio and attributes need to line up with the preferences of the market niche you target.

Another advantage of targeting a market niche is that it is usually more profitable. The more specialized your business (product or service), the greater your perceived value. Being known as a specialist or expert is a strong market position. The way to become recognized as an expert is to know more and more about less and less.

There is no question that marketing has evolved from a mass market to a niche market practice. Intuitive technology, self-customization, and on-demand offerings have literally brought us to a place where one-to-one marketing can be cost-effective.

Since most markets are now highly fragmented, the marketers who develop niche strategies, and offer tailored products and services, are the most successful. It is more important now than ever before to become proactive in defining and targeting your best market niche.

In fact, I suggest that you go beyond "defining" and "qualifying" your market, and go the extra step of "quantifying" its revenue potential. If you determine which market segment(s) to target prior to forecasting their sales potential, you could aim your resources at the wrong segment, especially if you aim merely at the "biggest market". Biggest isn't always best.

The rule of 80/20 is very much at play in virtually every market, meaning that a small percentage of a market generates a disproportionately large share of the business.

Tip: If you find that 20 percent of your market is generating 80 percent of your business, you should allocate your marketing resources accordingly, that is, 80 percent of your marketing budget, or more, should be trained on that 20 percent segment.

Niche Definition Exercise

Accurately defining and focusing on the best market niche involves a three-step process: 1) segment the market, 2) forecast sales potential, and 3) choose the target.

Step 1: Segment the Market

Segmenting is the process of subdividing a market universe of people who consume within a specific product category (such as automobile buyers) into smaller market segments, or affinity groups. These affinity groups are characterized and held together by having similar circumstances, values, and buying behaviors (such as SUV buyers). Another way of defining market segmentation is by the division of the market "pie" into segment "pieces."

Ford does not market their SUVs to everyone with a driver's license, only to those who fall into a defined market segment of consumers who value the features and utility an SUV provides. To effectively segment a market universe you need to know particular information about its consumers.

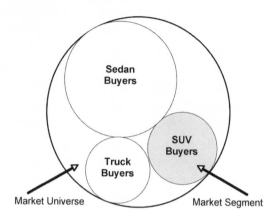

Consumer Markets

If your business sells to consumers (B2C), there are four criteria you can use to segment your consumer market universe: *geographic, demographic, psychographic,* and *behavior.*

☞ **Geographic** variables include region (from country to zip code), population, density, climate, and topography.

☞ **Demographic** variables include gender, age, ethnicity, religion, education, occupation, income, and family unit.

☞ **Psychographic** variables include personality traits, lifestyle, political persuasion, interests, activities, and beliefs.

☞ **Behavior** variables include benefits sought, usage rate, brand loyalty, occasions of use, and readiness to buy.

All of the variables in these four segmentation criteria can be surfaced in the voice of your customer study (from Step 3). Thus, your in-depth interviews or focus groups can be extremely valuable for filling informational gaps. (Awareness of these variables in advance of your customer research preparation is a prime example of why I suggested earlier that you read this book entirely before doing all the exercises.)

You may have basic geographic and demographic data already in your customer database; if not, do your best to begin capturing it, i.e., age, gender, income, zip code, etc. The more information you possess on your existing customers, the more effective you will be at segmenting your market and targeting your offerings.

The voice of your customer can also inform you of their most prevalent psychographic and behavior affinities. These two criteria can be predictors of consumption through value questions on what customers care most and least about, and what they'd like to see changed, improved or added. If you are not tracking purchasing patterns, include questions in your VOC study to help determine what they buy, how much and how often. This information can be very useful to the process of segmenting your market and targeting a niche.

Tip: Keep your segmenting process (data collection and analysis) as simple as possible. Don't create a headache for yourself; focus only on the information (variables) that are most relevant to your industry and marketing activities.

Business Markets

If your business sells to other businesses (B2B), the same segmenting process applies, but involves somewhat different criteria than what is used in segmenting consumer markets; they are: *geographic, corpographic, decision-maker* and *behavior.*

☞ **Geographic** variables include region (from country to zip code), headquarters, branch locations, and distribution.

☞ **Corpographic** variables include industry, size by revenue and employees, markets served, and years in business.

☞ **Decision-maker** variables include point-of-contact, influencers of buying decisions, and position titles.

☞ **Behavior** variables include benefits sought, usage rate, brand loyalty, and purchasing criteria and procedures.

Based on the segmentation variables most appropriate to your business, profile and document the characteristics that define each segment.

Step 2: Forecast Sales Potential

Forecasting the value (sales and revenue potential) of a market segment is easier to do for some industries than others. If your business is within a well-established industry, where there is a good deal of data from trade associations or other sources, forecasting could be simply a matter of crunching the numbers. But if yours is in a boutique or emerging industry, it will take more digging to uncover this information.

Forecasting segments provides important information that guides the targeting process. When forecasting market segments and trends, do your best in researching the available information, and make an educated guess. An "educated" guess (based on objective data) is far better than blindly picking a segment with no analysis.

You've probably heard the term WAG (wild-ass guess). Well, with some data informing your forecast, you can advance your WAG to SWAG (scientific wild-ass guess). (Hey, I don't make this stuff up, it's gospel to the trade.)

> "The only purpose of economic forecast-
> ing is to make astrology look respectable."
>
> *John Kenneth Galbraith,*
> *Economist and Best Selling Author*

Tip: If you have been in business for three or more years, review your own historical sales data. Otherwise, do research through Internet, trade associations, chambers of commerce, Small Business Administration, and other appropriate sources. Manufacturers and vendors can also be great sources of information because they have sales figures, and if you are a customer or prospect of theirs, they'll be motivated to help.

From whatever information is available for the industry, gather all you can of what's pertinent for quantifying the size and sales potential of your core market segments. Do your best to collect the size and sales information of each segment so you can estimate each segment's value on an annual revenue basis, and then compare. This information not only informs your targeting process, it will also be very useful when developing your sales forecast. You do sales forecasting...*right*?

Step 3: Choose the Target

Look at your market universe and, based on the rule of 80/20, target the core segment(s) with the greatest market potential.

In determining the best segment, remember that bigger is not always better, especially if a segment is contracting or waning in size. Also bear in mind that some segments are more profitable than others. A good example is how Volvo (niche marketer) likely makes more profit per unit than Toyota (mass marketer) through targeting a small segment based on safety consciousness. With less competition to contend with in this niche, Volvo put itself into a strong position for capturing a greater market share of their target segment. Granted, Volvo sells less than 4 percent of what Toyota sells in terms of units, however, Volvo owns the "middle-class safety conscious" market segment.

Conventional wisdom suggests that the more consumers targeted, the more customers acquired. But remember the ink drop analogy. If you spread your marketing efforts too thin, sales will likely decline instead of grow. A more effective strategy is to focus on maintaining a "consistent market presence" in the most profitable segment(s).

Tip: Your marketing budget will determine how many segments you can target effectively. A tight budget dictates tight targeting.

Evaluate each segment using four targeting criteria: *response sensitivity*, *profitability*, *stability* and *accessibility*.

☞ **Response Sensitivity** is a determination of how responsive (willing and capable) a consumer is to purchase your product. When I was 18 years old I was quite "willing" to buy beer, but not legally "capable," so I was not "responsive" to Budweiser's selling proposition. A consumer who is highly motivated or interested in the benefits of your product or service would be characterized as response sensitive, if they have the capacity to buy.

☞ **Profitability** is another important segmenting criterion. Some consumers are more profitable to target than others because they purchase more product, or products with a higher profit margin. I have observed a phenomenon that I've labeled the "profit paradox." *The customers you spend the most amount of time with are likely the least profitable.* Most of us have experienced customers who are a "pain in the bum." My agency excluded…all of our clients are perfect! My point is that some customers, based on their purchasing behavior or service requirements, are less profitable than others. You want to target the most profitable niche.

☞ **Stability** of a market segment needs to be determined because you want to invest in building brand recognition and loyalty within a segment that is stable or expanding, not contracting. From a previous example, at the same time the personal computer market was expanding, sales for electronic typewriters were contracting. So, no matter how powerful your marketing program might be, you would hardly turn a profit selling typewriters in a digital era.

☞ **Accessibility** is also an important consideration as you determine which segment(s) to concentrate on. In other words, some consumer or business segments are easier to reach than others. If you cannot reach an appealing market segment, you should not waste your resources trying to attract that segment.

We had a client that was targeting CFOs in Fortune 500 companies. All of their attempts to connect with (and market to) these executives failed because they were very difficult to access. Based on our research, we determined that targeting the controller (a management level below the CFO) was more effective because they were far more accessible, and they pushed the product offer up to the CFO level for approval. Just by targeting a different "decision-maker" segment our client started to increase sales.

When targeting, you want to think about more than the segments themselves; you'll also need to consider your company's strengths and weakness, and those of your key competitors. Questions to ask are "What strengths do we have that are appealing to the various segments we can target?" and "What strengths do our competitors leverage, and who do they target?" Going after the same market segment (or niche) that your key competitors are targeting might not be the best strategy. So another question to ask might be, "Is there an underserved niche we can target or a gap in the competitive landscape we can fill?"

After you have gathered the information needed to segment your market universe, and forecasted each segment's revenue potential, compare the segments to define and prioritize the best niche(s) to target. The reason you go through this process? You guessed it: because _your opinion doesn't matter._

Step 5 Exercise Summary:

After you have established your marketing budget, determine the best market niche to target by following this three-step process:

1 Divide your market universe into segments (affinity groups) having common situations and values based on industry appropriate variables (segmenting criteria).

2 With your historical and industry data, forecast the size and sales potential (profitability) of each segment.

3 Based on response sensitivity, profitability (sales potential), stability, and accessibility, prioritize the best market niche(s) to target.

Market Segmentation

Divide your market *universe* into *segments*, based on similar affinity characteristics and circumstances, for determining the best market niche(s) to target.

☞ **Segment the Market:**

Based on whether you sell to a consumer or business market, use the segmenting variables below to profile your primary market segments. The table below illustrates a B2C example.

Business Selling to Consumers (B2C)
- Geographic
- Demographic
- Psychographic
- Behavior

Business Selling to Businesses (2B)
- Geographic
- Corpographic
- Decision-maker
- Behavior

Variable	Segment A	Segment B	Segment C	R	P	S	A	Total
Geographic								
Demographic								
Psychographic								
Behavior								

Key: R = Response Sensitivity, P = Profitability, S = Stability, A = Accessibility

☞ **Forecast Sales Potential:**

Estimate the sales potential of your best segments, and determine which are the most profitable, by using your own sales records and available information from the sources below.
- Internet research
- Trade information
- Manufacturers
- Vendors

Calculation example: **Segment size**   **x**   **Avg Purchases per yr**   =   **Sales Potential**
                          1,000 $500 $500,000

☞ **Choose the Target:**

After profiling your primary market segments, rank each on a score of 1 through 5 on the four targeting criteria (see Table Key above). Then total the scores to choose the best segment(s).

Ranking Key: 1 = Very Low, 2 = Low, 3 = Moderate, 4 = High, 5 = Very High

Shaping Your Position

> "To get into the consumer's mind, you have to sacrifice.
> You have to reduce the essence of your brand to a single
> thought or attribute. An attribute that nobody else
> already owns in your category."
>
> *Laura Ries*
> *President, Ries & Ries, Bestselling Author*

There are literally thousands of books on branding, and most are aimed at large business audiences. They are also more conceptual than concrete. That is because branding is not an exact science. If you ask 10 marketing experts for their definitions of branding, you'd likely get as many different answers. Not because any of them would be wrong, but because branding is a nebulous pseudoscience.

Unlike math, where one plus one always equals two, the process of branding is not a precise calculation. But the process does have some essential elements, and the MAP System breaks this process down to the prime building blocks of shaping an effective market position...one designed to grow your business.

Branding and Positioning

What is the difference between branding and positioning, and why do I focus predominantly on positioning?

"Brand is the 'f' word of marketing. People
swear by it, no one quite understands its
significance and everybody would like to
think they do it more often than they do"

Mark Di Soma,
Audacity Group

What is a brand? It identifies a company, product, service,
person, event or issue. It is whatever you want to be recognized
in your marketplace. The function of branding is to establish an
identity that sets your brand apart from other brands in your industry or category. Most people associate only a name and logo
with a brand, but these are merely two physical elements of a brand
(and the branding process).

From another perspective, a brand is created in the minds of
consumers based on their experience with it. Think about Starbucks. I believe their brand isn't about just coffee, it's also about
coffeehouses, communities and connections...it's about a social
experience. I see everything they do as in support of this perspective of the brand—from their product to their locations and retail
atmosphere. But mostly, their brand is about their people.

"It has always seemed to me that your
brand is formed primarily, not by what
your company says about itself,
but what the company does."

Jeff Bezos,
CEO, Amazon.com

Branding is what you do to be "known," whereas positioning is
what you do to be "known for something." Positioning is the value
you create and deliver based on what is important to your target
market. Your position also distinguishes your brand, in terms of

where you fit in your category, relative to competitors. It involves communicating a *unique* competency or attribute—known to be *valued* by the target market—as a means of competitively distinguishing a *proposition* from others in the same category. In other words, you *brand for identification*, you *position for differentiation*. And because brand identification requires effective differentiation, my focus is put largely on developing a meaningful and memorable market position for my clients.

What to Distinguish

So your question should be, "What should I distinguish in order to shape my position?" Here are a few thought starters using the 4-Ps of marketing: *product*, *price*, *place* and *promotion*.

Product

Many companies distinguish themselves on their product, service, and even packaging. Of the four, I believe a product (or service) distinction is the strongest, in terms of positioning.

With over 60 percent market share Heinz is the 800-pound gorilla in the catsup category. To remain in that position and sustain consumer loyalty, they developed a packaging innovation to further distinguish their brand.

I'm sure that Heinz (like most big brands) conducts market analyses similar to what I've outlined in this book. From my personal experience with the product packaging there were three primary frustrations: 1) it's hard to get the product out of the bottle, 2) can't get the last bit of catsup out of the bottle, and 3) when kids knock the glass bottle off the table it can break.

Heinz came up with the bottle we now all know and love, the upside-down, squeezable, plastic bottle. They even made the bottle thin enough to fit in a refrigerator door shelf. Eureka!

Here is another packaging example from a small business. A family friend of ours who owns a used car lot, O'Neill's Wheels, asked me for some marketing advice. His lot is situated on "auto row" with several competitors all on the same drag in very close proximity.

When I went out to meet with him, I noticed that all of the car lots, including his, looked identical. They all had the same red, white and blue bunting, ribbons and flags.

In a bold move the Irish owner took my advice to change the colors of everything on his lot to Irish green, including a very big building. He even switched all of the red, white and blue streamers to green. His lot now stands out among all of the other lots. I mean, it looks like a beacon shining through the fog. Five years later, his "new customer exit interviews" still reveal the color of the lot as the number one reason customers stopped by. It grabbed their attention. People in the community still talk about the Irish guy with the green car lot. Wouldn't you like your community talking about you?

Price

In general, small businesses don't overprice their products and services, they under price. They think they need to have a low price to compete.

The most frequent complaint I hear (especially from retailers) is, "I can't compete with the big box stores on price or stock." It's true, they can't. This is why *price* is my least favorite positioning strategy, except for premium brands. Keep in mind, however, price is what you pay, value is what you receive. There are many other ways to deliver value than by lowering price. Coffee is a commodity, yet Starbucks doesn't position its brand on price, in fact, their coffee is among the most expensive. The value they offer includes a comfortable atmosphere where you can hang out to meet friends and business associates, and have a good latte prepared by really friendly people.

You don't need to be a big brand in order to take a page out of the big brands' playbook and apply it to your small business. In the Seattle area, McLendon Hardware is a family owned business with multiple locations and 400 employees. They continue to grow in spite of going head to head with two Fortune 500 companies, Home Depot and Lowe's. Even during a down economy, McLendon Hardware never loses sight of growing its business.

They do it by delivering on their brand promise, "Where People Make the Difference." While that tagline is by no means unique, the customer experience they consistently deliver is competitively superior. They pride themselves on hiring people who have experience in the field, with unbeatable product knowledge. And they go the extra mile on service by walking their customers to the product and listening to understand their projects so they can give advice. They continue to thrive because of their people, not their prices.

Place

Place refers to location, delivery and distribution. Some companies use a distribution strategy to distinguish their brands, most recently in online and mobile e-commerce. After online banking became the norm, Bank of America was one of the first to distinguish itself by launching its mobile banking service...so customers could do banking over their cell phones.

Dell changed the way consumers shop for computers, online instead of at a retail outlet. Dell computers are completely customizable and delivered to your front door. Similarly, some locally owned grocery outlets offer home delivery, a service highly valued by a burgeoning senior market segment.

One of my favorite distribution quotes goes back to 1923, when Coca Cola CEO Robert Woodruff said, "Put Coke within arm's reach of desire." In a small agency's effort to place their service "within arm's reach of desire," WorkSource Snohomish County expanded their market coverage by developing a strategic alliance with the County's library system. Before the alliance they didn't have the resources to expand beyond three offices, but today they have 14 additional locations serving their County of 2,090 square miles. Again, you don't have to be big to be innovative.

Promotion

In many product categories there is very little difference among competitors. This is especially true in categories that are perceived as commodities (sometimes called parity categories), where price is the primary difference between seemingly identical products or services. This is when promotional tactics can separate players in a market space cluttered with clones. Some examples:

United Parcel Service (UPS): "What can 'Brown' do for you?" In 2002 they launched the most aggressive ad campaign in their 95-year history. Its only recognizable distinction was the color brown. Did it work? No, if you measure their financial performance against their biggest competitor. When they launched the campaign, their revenue share ratio was 1.56 above FedEx. In 2010, eight years later, that ratio had dropped to 1.28. They lost ground...by nearly 18 percent.

GEICO: (what a *green Gecko lizard* can do). In 2000, the GEICO Gecko was introduced. Before then, not many people knew about GEICO other than Warren Buffet (who has been a shareholder since 1951). By 2010, GEICO was considered the fastest growing personal auto insurance company in the U.S., while State Farm, the category leader in 2000, had dropped from 15th to 34th on the Fortune 500 list (2000-2010),

So why did the "Gecko" outperform "Brown"? The answer is that GEICO has a single message being consistently driven home, "*15 minutes can save you 15% or more on your car insurance.*" What single message comes to mind from UPS's advertising? If you are scratching your head, you're not alone.

Al Ries and Laura Ries, co-authors of *The 22 Immutable Laws of Branding*, refer to this as the "Law of Singularity" which suggests that you consistently communicate a single idea, attribute or concept. Of course, GEICO's $800 million dollar annual advertising budget may have something to do with their success, too.

Unique Value Proposition

Now that you have some ideas of what other companies have done to distinguish themselves, let's explore how you can go about doing the same: by shaping your position.

You start by determining your Unique Value Proposition (UVP), which is the foundation of an effective market position.

There are three non-negotiable components in a unique value proposition:

☞ It must distinguish your brand as competitively unique;

☞ The distinction must be valued by your target market;

☞ You must position your brand as being the *first*, *best* or *only* in your product category, and within your geographic footprint.

UVP Exercise

Developing your UVP involves a three-step process: 1) select core competencies, 2) determine competitor vulnerabilities, and 3) identify customer values.

Step 1: Select Core Competencies

Your core competenes are qualities or features (within your marketing mix) that really stand out as significant strengths. Hopefully, these strengths surfaced during your SWOT Analysis (from Step 2). If not, the analysis exposed a competency gap that needs to be addressed before you can develop an effective unique value proposition.

In that case, you would go back and review your voice of your customer data for values and preferences that you could leverage from a positioning perspective, and then focus on adding or enhancing features that best align with your customers' wants, needs and desires.

Step 2: Determine Competitor Vulnerabilities

After you've listed your core competencies, review the information collected from the secret shops (Step 4) you conducted on your key competitors. Compare your core competencies to the strengths and weaknesses of your competitors. The purpose of this comparison is to determine which among your core competencies line up against your competitors' vulnerabilities, weaknesses or gaps in the competitive landscape.

> "Concentrate your strengths against your
> competitor's relative weaknesses."
>
> *Bruce Henderson,*
> *CEO, Boston Consulting Group*

You are looking for anything you do (or something about your offer) that is unique or better than what your key competitors do or offer. This will reduce your *core competencies* list down to a shorter list of *competitively unique competencies.*

If none of your core competencies show up as being competitively unique or superior, you'll need to address that gap as well. In that case, compare your customer values (from your VOC data) to your competitors' weaknesses and look for a customer desire that is not being satisfied by your competitors, one that you can fulfill.

Step 3: Identify Customer Values

The last step involves comparing your unique competencies with your customer values. Review the VOC data from your in-depth interviews or focus groups (Step 3). Create a list of what your customers said they value most, and their most important decision factors when choosing between brands.

Your goal in this final step is to identify the single thing you do, better or different than your key competitors, which aligns best with what your customers value most.

This single quality, feature or attribute will be the foundation of your UVP, and will shape your market position. Your UVP will take the form of a short sentence that communicates what is unique about your offering (relative to competitors' weaknesses), what is of value (that customers care most about), and your proposition (that is first, best or only). Once you are clear on what your UVP is, it should drive all of your marketing and growth strategy decisions.

Create Tagline and Key Messages

From your UVP, develop a catchy tagline that you'll use in all of your promotion to communicate why your target audience should choose your brand over others. Then craft key messages in support of your tagline to give more clarity to your market position, so your audience really understands how they will benefit greater as your customer or client.

After you have come up with a few potential taglines based on your UVP, that are short (three to five words) and catchy (memorable and meaningful), run them past some of your best customers, because *it's your customer's opinion that counts.* Let them chose their favorite taglines, and allow suggestions. As importantly, ask them "why" they chose what they did.

(Recall that in Step 3 [Asking Your Customers] we addressed how the "why" is as important as the "what.")

Tip: Your customers' response to "why" they like a particular tagline will guide you in creating key messages. When asking "why" probe for the emotion behind the rational answer.

Producing a tagline and key messages involves a creative process. If you have the budget, contracting with a professional will likely produce the best results.

Positioning Example

I can confidently say that, like nearly all big brands, GEICO does customer and competitor research, and from the position they created, I surmise that these two things surfaced: 1) their customers' purchasing behavior is driven primarily by price, and 2) there is a reluctance to switch carriers because the process is perceived as being a hassle or taking too long.

GEICO likely used that information to position itself. First they distinguished their brand using a cute little Gecko with an adorable accent. Then they positioned their brand with the tagline *"15 minutes can save you 15% or more on your car insurance."* A long tagline, granted, but it directly addresses the primary desire and concern of its industry's consumers. Since Berkshire Hathaway bought GEICO in 1996, GEICO's market share has grown by 324 percent (and the Gecko is still in play).

Subcategory

It can be difficult to come up with a competitively unique competency that will be valued by your customers and will position your brand as being the first, best or only in your product category. This challenge is especially true if you are in a competitively cluttered category. If you can't distinguish your brand in your category, an effective positioning technique is to create a subcategory that you can own.

Our agency came to this very crossroad with a client in the banking category. A small community bank, they were competing with national brands. We were not able to distinguish our client in the banking category, but we were successful in creating a subcategory where the bank could be the best. We positioned them as the "#1 Local SBA Lender" which they were in the County they served. People (in both consumer and business markets) want to work with "#1". We had to add the word "local" to the tagline because there was a national bank that had more SBA loans than our client.

Because this local community bank executed their promotion so well, by communicating the same message to the same market niche consistently over time, two things happened: 1) their SBA loan portfolio grew significantly, and 2) after a couple of years, they exceeded the national bank in SBA loans within their County.

Whether you position yourself in your category or create a subcategory, if you competitively distinguish your brand based on customer values, you can accelerate the growth of your business. We've used this exact system for hundreds of small businesses, and it works remarkably well when you implement it correctly by aligning your promotion and optimizing your results: the next two steps.

Step 6 Exercise Summary:

After you have collected and organized your SWOT, VOC and competitor information, Develop your UVP by following this three-step process:

1   Create a list of all your core competencies (major strengths) by reviewing your SWOT asset priorities.

2   Determine which of your core competencies are unique by comparing them against your competitors' relative weaknesses and gaps.

3   Evaluate your competitively unique competencies alongside your customer values to identify the most important attribute to establish your UVP and tagline.

Unique Value Proposition

Developing a unique value proposition is the process of distinguishing your brand from competitors in a way that is valued by your target market.

☞ **Select Core Competencies:**
Review the results of your SWOT analysis, specifically your strengths list, and select a list of core competencies that may distinguish your brand from your key competitors. List your core competencies:

_____

_____

☞ **Determine Competitor Vulnerabilities:**
Review the secret shop results of your key competitors and compare your core competencies to their relative weaknesses. Determine which of your core competencies are unique or superior. List your unique competencies:

_____

_____

☞ **Identify Customer Values:**
Review the voice of your customer data, specifically responses related to what your customers most value, as well as their most important deciding factors when choosing between brands. List customer values:

_____

_____

Use the information above to populate a competitor comparison table. Based on your strengths and competitor shops choose the most appropriate characteristics to compare. Example below.

Characteristics	Your Company	Competitor 1	Competitor 2	Competitor 3
Target Market				
Product Focus				
Special Features				
Market Position				
Customer Service				
Guarantee				

Aligning Your Promotion

"How well we communicate is determined not by how well
we say things, but by how well we are understood."

Andrew Grove,
Former President, CEO and Chairman, Intel

To be successful in promoting your company, product or service
(your brand), "you only need to do four things right":

☞ Deliver the right message;
☞ To the right market;
☞ Through the right channel;
☞ At the right time.

Obviously, doing these four things "right" is easier said than
done! This tale illustrates the point.

A Minneapolis couple decided to go to Florida during a particularly icy winter. They planned on staying at the same hotel
where they spent their honeymoon 20 years earlier.

Because of hectic schedules, it was difficult to coordinate their
travel. So, the husband flew to Florida on Thursday, with his wife to
fly down the following day.

The husband checked into the hotel. There was a computer in
his room, so he decided to send an email to his wife. However, he

accidentally left out one letter in her email address, and without realizing his error, sent the email.

Meanwhile, somewhere in Houston, a widow had just returned home from her husband's funeral. He was a minister who had passed away following a heart attack.

The widow decided to check her email expecting messages from relatives and friends. After reading the first message, she screamed and fainted. The widow's son rushed into the room, found his mother on the floor, and saw the computer screen which read:

To: My Loving Wife
Subject: I've Arrived

I know you're surprised to hear from me. They have computers here now and you are allowed to send emails to your loved ones. I've just arrived and have been checked in. I've seen that everything has been prepared for your arrival tomorrow.

Looking forward to seeing you then!!!! Hope your journey is as uneventful as mine was.

P.S. Sure is freaking hot down here!!!!

This was the right message sent through the right channel at the right time, but to the wrong market. The brutal reality is that in order to generate the best return on investment, even three out of four won't cut it. But by following the MAP System you can do all four things "right".

We tackled _market_ in Step 5 (Defining Your Niche), hence targeting the right market. Step 6 demonstrated how to shape your position, which is the guidance system for developing a _message_ that resonates with your target market. Because that is so essential to growing your business, we'll delve a little deeper into how to develop the "right message" later in this step.

First, we'll address the third and fourth things you need to "do right," *channel* and *timing*, beginning with the types of promotion to get you thinking about your channel options.

Promotion

There are many ways to promote your brand and offer. Most fall into one of four primary categories: *advertising, publicity, sales promotion*, and *personal selling*. This is not intended as an in-depth itemization of how to tactically promote your brand; rather, an overview that highlights your channel options.

Advertising

Traditional advertising includes any paid form of communications, e.g., television, radio, print (newspapers and magazines), and out-of-home media (billboards, bus boards, and any other advertising that is experienced outside of the home).

Direct marketing and e-marketing are also forms of advertising. Direct marketing, because it targets individuals, is more selective than advertising to a mass market. The most common types of direct marketing are direct mail and telemarketing, and they are usually associated with a specific offer or incentive to purchase.

E-marketing includes all forms of online communications, such as website and email marketing. E-marketing tactics also include Search Engine Optimization (SEO) and Search Engine Marketing (SEM). The purpose of SEO is to improve your position on search engine indexes, such as Google, Bing and Yahoo. The purpose of SEM is to drive traffic to your site through paid key words, e.g., through Google AdWords. This form of advertising has become increasingly popular because it can be relatively inexpensive (controllable), very targetable, and easy to measure.

Another popular form of advertising is sponsorship of an event, team or organization. Some marketing professionals categorize sponsorship with publicity. I categorize it as advertising because there is a cost. Trade shows, exhibits and fairs also fall into the advertising category for the same reason.

Publicity

While advertising refers to paid media, publicity refers to earned media. I call it "earned" instead of "free" because publicity is not free—it costs time and talent to do it right. The most commonly recognized form of publicity is public relations (PR), also referred to as media relations. To be successful in PR, establishing relationships with the appropriate media outlet staff is important. That, and your story must be newsworthy and suitably targeted. Other forms of publicity include events, such as press events, an open house, and grand openings. Most events are supported with advertising.

I also classify social media, online networking, and blogging as forms of publicity because typically the only cost is time and talent. To say that social media is a burgeoning type of promotion would be an understatement. Marketers are learning how to integrate social media and blogging tactics with their other forms of promotion; however, social media should not be used for sales promotion per se. As a business tool it is designed to stimulate conversations between marketers and consumers. If you try to overtly sell through social media, that tactic may backfire.

Sales Promotion

This type of promotion is designed to "pull" consumers in the door and "push" product out the door. Popular forms, especially in retail, include point-of-sale displays such as end-caps (end of aisle displays), shelf-talkers, bottle-neckers, and point-of-sale signage. Sales promotion tactics include, but are not limited to, price incentives, coupons, samples, rebates, gifts with purchase, and some forms of loyalty programs.

Personal Selling

Selling involves a person or sales force actively selling products or services to individuals with the intent of converting prospects into customers. Personal selling is often conducted in tandem with other types of promotion. Selling is a person-to-person (but not always face-to-face) promotion tactic common in retail and business-tobusiness sectors, and designed to "close a sale."

Your promotional mix (combination of promotional channels) should be based on your marketing objectives, target market, budget, and competitors' promotions.

Tip: Select your channels for promotion before developing your key messages. The channel(s) you select will determine your copy density. For example: A billboard would only have a few words communicating a single key point; a print ad can be much more detailed in copy.

Channel Selection

There are a multitude of options when it comes to selecting channels (modes of communication) for delivering your message. The most common mistake I see small businesses make is basing their buying decision on price. My first question to a new client is, "Why did you choose that channel?" The response I most often hear is, "I got a great deal." I follow with, "How's that working out for you?" That's when I usually get a blank stare. Who cares how cheap the channel is if it doesn't work?

I was in advertising sales in the '80s, and no offense to my ad sales brethren, but their job is to sell their inventory. Just because an ad rep offers you a "great deal" doesn't mean it's in your best interest to buy.

You'd likely pay a million dollars a month in advertising gladly if it generated two million in return. And I bet you wouldn't pay $50 a month if you only received $25 in return. Your key considerations should be *budget, efficiency,* and *VOC data.* Not price.

Budget

Before evaluating your options, set your promotion budget. The amount you have available to spend will determine which and how many communications channels are most appropriate. For a small budget, you'll likely need to concentrate on the single most cost effective channel, rather than a mix of channels if you have a larger budget.

It is best to set up and allocate your budget based on the timing of your promotion (covered later in this step).

A question I often hear is, "How much should I spend on advertising (promotion)?" Or, "What percentage of sales should I be spending?" The answer is normally somewhere in the range of 1 to 15 percent of sales. That is a wide range, and where your specific budget falls within or outside that range will be based on standards in your industry, the level of competition in your space, your level of brand recognition, and how aggressive you want to be.

If you have strong brand recognition with little competition, your budget could be relatively low. If you are in a very competitive market, with relatively low brand recognition, your budget should be as aggressive as possible.

Using either present or forecasted sales, here are two ways of calculating your promotion budget as a percentage of sales:

☞ Base your percentage on gross revenue if you have low COGS (Cost Of Goods Sold), e.g., a high margin service business.

☞ Base your percentage on gross profit (gross revenue minus COGS) if you have high COGS, e.g., a manufacturer requiring raw materials.

Efficiency

Remember the dilution principle covered in Step 5 (Defining Your Niche)? This is where it meets *reach* and *frequency*. Spreading your promotion budget incorrectly between the two will not produce an efficient buy or positive return on your investment.

Your determination of which channels to select will be objectively based on which ones are reaching the right market as *frequently* as possible within your budget, resulting in the best cost *efficiency*.

☞ **Reach** refers to how broadly you can deliver your message; how widely you can extend your reach to a greater percentage of your target market depends on the size of your budget.

☞ **Frequency** refers to the number of times each person you reach experiences your message, and it is most often the more important of the two measures, especially for smaller budgets.

To get your audience's attention, and instill recall of your brand and offering, their frequent exposure to your message is paramount. That's why increased frequency is usually a better bet than extended reach. In other words, reaching a smaller audience more frequently will generate more sales than targeting a larger audience less frequently. This is the case because, as a society, we are way oversaturated with promotional messages.

Being effective in promotion also requires that you communicate the same message to the same audience consistently over time. I often remind my clients that, just about the time they start getting sick and tired of their promotion, that's the time it will start working in the marketplace.

☞ **Efficiency** is what you get if you properly balance reach and frequency. You will make your channel selections based on each channel's efficiency in reaching your target market, as frequently as possible, for the budget available. That is a far better measuring stick than price. When working with ad sales reps, the key is to make apples-to-apples comparisons by using the same time period and budget. Ask them for the cost-per-thousand (CPM) of the schedule being proposed, and require these four criteria: 1) include only your target audience, not the total audience reached by the channel, 2) base the CPM on gross impressions (reach multiplied by frequency), 3) include only the promotion schedule period, and 4) include the total cost of production.

Channel	Ad Budget	Gross Imp	Production	CPM
WABC	$10,000	250,000	$5,000	$60
The Post	$10,000	200,000	$0	$50

In the example above the ad budget is the same (as it should be when comparing channels). WABC delivers 25 percent more gross impressions for the budget, however, when the production charge is factored into the calculation, the CPM is 20 percent higher (or less efficient). Your goal is to negotiate the lowest CPM as possible.

It is important to note that no media measuring system fully accounts for the production values of the various media. A TV spot may have more appeal because it consists of audio, visual and motion, but that production value comes at a cost. A radio spot only has audio, but can be produced at no cost, so there are trade-offs. A print ad allows far more copy detail than a bus board but that doesn't mean print is better than a bus board. TV is more dynamic than print but that doesn't mean TV is better than print. Each format has its advantages and disadvantages. You'll need to weigh your options based on your objectives, target market, and budget.

Tip: Different channel formats use different efficiency measures, e.g., broadcast uses cost-per-point (CPP) instead of cost-per-thousand (CPM); but, if you incorporate the four efficiency criteria stated earlier, CPM can be used as an apples-to-apples comparison across all channel formats.

VOC Data

If you actively promote your brand, asking your customers about their channel usage is important. Based on your channel selection, query your customers about their choices in that channel. For example, if you decide the channel of radio provides the most efficient coverage, then ask your customers for their favorite radio station. This information will guide your selection process.

If your budget allows, you may want to consult an objective expert to help you land on the optimal selection of channels. Even if you cannot afford expert consultation, your ad rep wants you to succeed and will provide you with useful research. Just keep in mind that an ad rep's job is to sell you the channel's inventory. If you consult several ad reps and make CPM comparisons, you'll be able to make an informed selection.

Timing Your Promotion

The last (and easiest) of the four things you need to "do right" is to align the timing of your promotion to coincide with the purchasing patterns of your target market. For example, Hallmark knows that the bulk of their sales will occur based on holidays, so for Valentine's Day their timing is obvious.

But if your sales are spread out fairly evenly throughout the year, timing will require more thinking. In that case, the things to consider are *sales cycles*, *scheduling*, and *competitor promotion*.

Sales Cycles

Even if your sales are spread out, most likely there are sales periods of peaks and valleys (busier and slower times). For busy periods (peaks) you *follow the season*, for slower periods (valleys) you *fill in the gaps*.

☞ **Follow the season** is the "make hay while the sun shines" approach. You allocate your promotional budget to hit the street just before the market peaks, so you can be top-of-mind when consumers start to think about purchasing in your product category. This involves both micro and macro cycles. A weekend is an example of a micro cycle. There are more new cars purchased on weekends, consequently you see more car dealer advertising at the end of almost every week. A period lasting for a season is an example of a macro cycle. In early spring, homeowners begin thinking about products in the lawn and garden category.

☞ **Fill in the gaps** is the opposite of the "follow the season" approach. You schedule your promotion for slower sales periods, typically in micro cycles. Think about the last time you saw or used a coupon for a popular restaurant. The offer was most likely limited to certain days and times, such as Sunday through Thursday from 4:00 p.m. to 6:00 p.m., but not Friday and Saturday evenings, particularly between 6:00 p.m. and 8:00 p.m., when popular restaurants are at capacity.

Based on your sales cycles and capacity, consider which approach, *follow the season* or *fill in the gaps*, would generate the greatest return on investment.

Scheduling

There are four standard methods of scheduling promotion: *continuity, concentration, flighting* and *pulsing.*

☞ **Continuity** means spreading your promotional budget evenly throughout the year, that is, you are promoting nonstop. GEICO, for example, is constantly advertising through a mix of channels. Because this is a very costly method, it is not used by many small businesses.

☞ **Concentration** involves allocating an entire promotion budget to one or a few promotional periods, most often associated with a sales promotion. Nordstrom, a high-end department store, concentrates on their Half Yearly Sale, but they do not do much advertising otherwise.

☞ **Flighting** is the choice of most small businesses because it stretches the budget while creating the illusion of non-stop advertising. You advertise on and off throughout the year (two weeks on, two weeks off, or one week every month, for example). Wal-Mart appears to use "flighting" to promote their brand and product offerings. They are not constantly advertising like GEICO, but they seem to be. For flighting to be effective, consistency in schedule is important.

We run ads in every issue of a monthly business journal for a client of ours on a limited budget, who is in the office technology category. This is a smart flighting consistency for them because a monthly business journal has a much longer shelf life than the business section of a daily newspaper, and far less expensive than advertising every week. And because they are in every monthly issue they have a consistent presence.

☞ **Pulsing** is an approach used mostly by big brands. It combines the methods of *continuity* (at a lower spending level) and *flighting* (to deliver a stronger burst, usually timed seasonally or to a sales promotion). Budweiser advertises fairly consistently throughout the year, but less frequently than GEICO. And there are certain times of the year when Budweiser really ratchets up their spending level, in addition to their continuity schedule, for major sporting events, such as the NFL Super Bowl and Olympics.

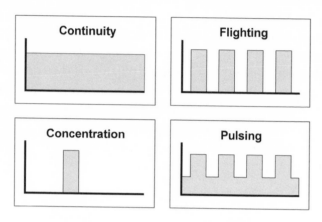

Key: Vertical axis = Dollars, Horizontal axis = Time

Competitor Promotion

The promotion timing of your key competitors also needs to be factored into your timing decision. Based on your competitor study from Step 4, you will know what and when your key competitors are promoting. You might choose to align your promotion timing with the competition (because of your industry's sales cycles), or at different times (to stand out in the crowd).

Sometimes purposely advertising at different times than your competitors can pay off. If I were in a retail product category, where all of my competitors were advertising a Memorial Day Sale, I'd advertise ahead of them, promoting a Pre-Memorial Day Sale, to get a jump on the competition. Just as you want your market position to stand out, you want the same for your promotion.

In consideration of your promotion budget, choose the timing and scheduling based on your sales cycles, capacity and competitor promotion.

Key Messages Exercise

After you have selected the best promotion channels and timing, you'll be ready to begin crafting messages that support your tagline (based on your unique value proposition), and that grab the attention of your audience. This will require creativity, and it is important that your creativity be guided by research-based strategy.

> "Creative without strategy is called art.
> Creative with strategy is called advertising."
>
> *Jef I. Richards*
> *Advertising Department Chairman*
> *University of Texas*

Developing key messages and effective promotional copy involves a three-step process: 1) define communications objective, 2) set the hook, and 3) create simple messages.

Step 1: Define Communications Objective

Before developing your audience and channel-appropriate messages (copy), it is important to be clear on what your communications objective is. What are you attempting to accomplish, what action or presence are you trying to generate in your market?

If you are trying to get your audience to take action, then your message will be different than if you merely wanted to generate brand awareness. Because most small businesses don't have huge promotion budgets, it's even more critical for their dollars to deliver a return on investment. That's why I usually recommend incorporating a "call-to-action" in the copy.

Tip: This is another way your ad rep can help. Ad reps know their media and how to use them most effectively. If you don't have experience writing promotional copy, ask your rep for guidance. Remember, they want you to be successful so they can keep you as a client. Most reps provide great service.

Step 2: Set the Hook

In all cases of promotion, your message needs to cut through the clutter. Depending on which report you read, the average person is bombarded with between 1,500 and 3,000 brand messages every day. Your target audience is oversaturated.

The most effective way of cutting through the clutter is to use a *hook* to grab your audience's attention. Your hook can take the form of a compelling headline, graphic or photo, anything that will stop your audience in their tracks and cause them to take notice. The only purpose of a hook is to grab your audience's attention, nothing more, nothing less. So don't get too clever or verbose. You can find ideas for headlines and hooks that resonate with your target audience by reviewing the voice of your customer data.

Step 3: Create Simple Messages

After you have an attention-getting hook, you'll add some detail that elevates your audience from awareness to interest (even desire). The best way to keep from losing your audience (after getting their attention) is to keep your message simple, concise, and focused on benefits.

Most messages are either too complex or drawn out. Your message might seem clear to you, but remember, good communication is determined by how well you are understood. Since you eat, sleep and breathe your brand, it's easy for you to assume that what is clear to you will be understood by your audience also. Be sure and test your messages for concept clarity before using them. Generally, in copy-writing, less is more and simple is better.

In addition to crafting your messages with clarity, you need to address potential barriers that may keep your audience from taking action. This is particularly important if you don't have strong brand recognition. Your audience will likely have three top-of-mind questions that your message should answer:

☞   What's In It For Me (WIIFM)?

☞   Why should I trust you?

☞   Why should I buy now?

Emotion vs. Logic

Keep in mind that the primary purpose of most promotion (specifically advertising) is to make an emotional connection with the target audience. For that reason you don't want your messages to include everything and the kitchen sink. Rather, limit what they say to the relevant and emotionally compelling.

Consumers often justify their purchases (after the fact) with logic, but it was an emotion that closed the deal. This phenomenon is called *post-hoc rationalization*. The human brain works this way, making decisions based on unconscious emotions, without our conscious awareness.

Neale Martin, Ph.D., in his book *Habit*, explains that we grossly underestimate how much behavior is under the sway of our unconscious mind, that it controls 95 percent of our behavior. Here's a personal example that illustrates Dr. Martin's theory.

When I bought my last car, it was purely an emotional decision. It was a completely loaded, sporty red Acura TL... fastest car I've ever owned. Nothing could be more emotional to a red-blooded male, but rationalizing the purchase to my wife, I attempted to use logic, of course.

On my way home from the dealership, I called my wife on the hands free blue tooth phone to share the exciting news. "Oh honey," I said, "I just bought a brand new car. It's a pretty red Acura. It gets

30 mpg on the freeway." Continuing to justify my tail off, I go on, "And you'll love the navigation system. You'll never get lost again! Come outside, I'm pulling in the drive way right now."

As I set the parking break, I noticed Sandra was already standing in the doorway. I waved enthusiastically, and then made the mistake of racing the engine. Busted! She gave me "the look," the kind of look a husband deserves after 20 years of bliss. She rolled her eyes, turned around and walked back inside.

So much for logic! I'm sure by now it's clear that my issues go far beyond being potty trained at gunpoint.

Step 7 Exercise Summary:

After you've determined who to target and what market position will resonate best, develop effective key messages by following this three-step process:

1   Determine your promotion objectives and budget.
2   Develop an attention-getting hook to cut through the clutter and cause your target audience to take notice.
3   Based on the channel(s) you select, create simple key messages (copy) that elevates your audience from awareness to interest by addressing values and concerns.

Key Messages

After you have selected the best promotion channels begin crafting messages, that support your Unique Value Proposition (UVP) and tagline, to grab your audience's attention.

☞ **Define Communications Objective:**
It is important to be clear on what your communications objective is, and what you are attempting to accomplish, in terms of the action or presence that you want to generate.

Write your communications objective:

_____

_____

☞ **Set the Hook:**
To grab your audience's attention, your hook should be a compelling headline, graphic or photo—anything that will stop your audience in their tracks and cause them to take notice.

Based on your VOC data write hook ideas:

_____

_____

☞ **Create Simple Messages:**
To keep from losing your audience it is important to keep your message simple, concise, and focused on benefits. Begin by addressing the three questions that most customers have:

What's in it for me (WIIFM)?

_____

Why should I trust you?

_____

Why should I buy now?

_____

Based on your UVP, your VOC data, and answers to the three questions above, craft three to five simple and concise key messages, and test them with a few customers.

Optimizing Your Results

"If you don't pre-test and post-track your marketing stimulus,
you'll never know how to fully optimize your results."

Andrew Ballard,
President, Marketing Solutions, Inc.

You're on the home stretch. Based on your market analysis, you
have developed sound positioning and promotion strategies to grow
your business. Now it's time to implement, but you still have a few
to-dos before you go-to-market.

Because MAPS is research-based, your growth strategies should
generate appreciable results, but that's not to say your results will be
optimal. There is always room for improvement.

Optimizing your results requires that, before launching your
promotion, you pre-test everything that your customers and prospective customers may experience. It also requires that you post-
track everything you have launched so you can make informed adjustments to improve your return on investment.

Pre-Test Exercise

We always share our "test before you invest" mantra with our clients. Pre-testing will not only optimize your results, it will save you
money too. We pre-test promotion especially if it is integrated with
a campaign (advertising, publicity and sales promotion).

The purpose of pre-testing is to make sure your promotion will meet your objectives and create the desired results. It involves a three-step process: 1) develop the concept, 2) recruit test group, and 3) optimize your promotion.

Step 1: Develop the Concept

After you have selected your promotion channels and developed your key messages (hook and copy), produce a mockup (or dummy ad) to present to your test group. You may need to work with a professional to create a mockup. The purpose is to not spend much, if any, money on production before you get customer feedback. Often the media that you buy will provide no-cost or low-cost mockups for your promotion.

Concepts for such media as print, website, out-of-home, and most sales promotion materials are simple to mockup and present because they can be printed from a computer. Audio and visual media are a bit more complex, but you can still get your concept across to a test group without going to the expense of a "full production."

If you selected radio as a promotion channel, the station you are buying will produce what is called a "spec spot" to play for your test group at no cost. If you plan on using TV, you have two options: 1) create a storyboard in print or PowerPoint, or 2) do a low budget video production.

The key point is that you want to give your test group a clear understanding of the promotion, using messages and images to simulate the actual promotion, so they can provide meaningful feedback.

Step 2: Recruit Test Group

You don't need a big budget to assemble a test group (also referred to as a focus group or consumer jury) for acquiring feedback on your promotion.

Tip: It is always best to recruit your test group from people who are consumers of what you sell.

You can present a mockup of concepts, images, headlines and key copy points to a test group for ascertaining what kind of reception you'll get from your promotion. You can also use a test group for brainstorming ideas and prioritizing product features. We have used focus groups for feedback during development of websites, sale promotion materials, and new product names. They have reviewed and critiqued advertisement elements for us, even evaluated press releases prior to distribution.

A very inexpensive way to conduct a test group is by developing a *customer advisory council* from your existing customer base. We've had great success recruiting these councils for our clients because test groups are fun, and customers usually feel honored to be asked for their opinions because they know *it's your customer's opinion that counts.*

For one of our health care clients we recruited 15 patients to serve a one-year term and meet quarterly for a 90-minute lunch. This is not a huge commitment. Participants enjoy free lunches and a chance to network among people who have something in common with each other.

Each quarter they are presented with many different mockups, from website and brochures to radio spec spots and newspaper ads. They choose headlines, prioritize features, and brainstorm promotional ideas…and they absolutely love it. Typically we get between 10 and 12 people to show up, and it only costs our client 12 box lunches. We even conduct these group meetings in the hospital so there is no facility cost.

Tip: Recruit a new group of customers every year to serve on your council to keep from burning anyone out, and to ensure a continuously fresh perspective. Also be sure that your council represents your best customers, the ones you want to duplicate.

I can't count how many times it has been pointed out in a test group that a mockup (message) is confusing. Most messages are made too complex, as I mentioned earlier (in Step 7). Marketers often wrongly assume the target audience will understand their message, or they omit minor details they assume will be understood.

My favorite illustration of this point is a story called, "Sometimes it does take a rocket scientist."

Scientists at NASA needed to simulate collisions with airborne fowl to test the strength of windshields. So they built a cannon specifically to launch dead chickens at the windshields of their space shuttles.

British engineers heard about it and were eager to test the windshields on their new high-speed trains. Arrangements were made and the cannon was shipped. When the cannon was first fired, the British engineers stood in shock as they watched the chicken shoot out of the barrel, crash through the shatter-proof windshield, smash the control console to bits, break the engineer's backrest in two, and embed itself in the back of the cabin like an arrow shot from a bow.

Horrified, they sent NASA the disastrous results and specifications of their experiment. They begged the U.S. scientists for suggestions. NASA responded with a one-line memo: "Thaw the Chicken."

Sometimes truth is stranger than fiction. Anyway you get the point. Don't assume your messages are clearly understood by your audience, no matter how smart you think they are. By using a test group, you can "thaw the chicken" before you go-to-market.

Step 3: Optimize Your Promotion

After running your promotion concepts, hooks, images and copy past your customer advisory council, optimize your promotion by making the appropriate changes based on their feedback. Often a small change can make a big difference.

Another method of optimizing promotion, without using a test group, is an A/B Test. Most often used by direct marketers and Internet advertisers, an A/B test is conducted by distributing concept

A (the control concept) to half the audience, and concept B (the test concept) to the other half. Then the results are tracked.

Decades ago, this technique was pioneered by direct mail experts. They would split their mailing list in half and send out two different versions of the same piece to determine the optimal combination of hooks, messages and images.

We've used this technique for many clients. After the results of an A/B test are tabulated, we take the winner (as the new A concept) and test another element (by developing a new B concept). We continue the process until we have optimized each element of the promotion (hook/headline, photos, graphics, copy and color).

This A/B testing process has become a standard for optimizing website page click-through and conversion rates. Google's Website Optimizer is a free tool that automatically splits your website traffic, sending half to page A, and half to page B. Then you analyze which page delivered the best results.

There are three primary benefits of A/B testing: 1) it measures actual behavior, 2) it generates revenue because you are distributing actual promotion, so A/B testing rarely ends up being an expense, and 3) you can use the results to optimize all of your promotion, not just the mail piece or webpage used in the A/B test.

As an example: when one copy point or feature beats out another in a direct mail A/B test, you could use that knowledge to strengthen a product sheet. When one photo beats out another on a webpage A/B test, you could use the best photo in your newspaper advertising.

Tip: It is important in A/B testing to change only one variable per test to isolate the element that made the difference. In other words, you would never test two different headlines and two different images in the same test.

Tracking Your Results

John Wanamaker, a 19th century entrepreneur, said, "I know that half of my advertising is wasted, I just don't know which half." Tracking your marketing activity may sound like an obvious practice, yet few small businesses develop and consistently use a solid tracking system.

> "However beautiful the strategy, you
> should occasionally look at the results."
>
> *Winston Churchill,*
> *British Prime Minister*

At the least, your tracking system should be designed to capture how every prospect and customer found you (which channel brought them to you). Ideally, your tracking system would also capture as much contact information as feasible. However, while that is doable in some industries it is not in others.

For example, if you sell business to business (B2B) it is not difficult to collect and enter information about a prospect into a customer relationship management (CRM) database. But if you are in retail, capturing contact information can be more difficult. Can you imagine if Starbucks tried to capture contact information at their drive-through windows? They'd go out of business.

Ways of collecting customer and prospect information include comment cards, a sweepstakes, or an incentive. When I bought my BlackBerry I was happy to fill out a comment card because of a $100 rebate.

The critical two steps in tracking are: 1) source where your leads are coming from, and 2) enter that information into a database. If you do not have a CRM system, I recommend setting up a simple spreadsheet to enter and tabulate the results based on sales. Your system needs to be easy to use for your staff or it will be difficult to maintain. If you have staff, make sure to include them when developing a user-friendly tracking system.

Review your results at regular intervals, no less than monthly. Based on your tracking information, continually re-optimize your promotional mix by canceling the underperforming channels and reallocating those freed up resources to channels that are more cost effective. This process will improve the overall performance of your promotion portfolio.

The key to success is to ask every prospect and every first-time customer how they found you. Help your team collect this source information by providing them with a list of all channels you are using for your promotion.

Tip: A common answer to the "how did you find us" question is a family member, friend or associate. When you hear that response, ask who gave the referral, so you can thank them.

"WOW!" Factor

The reason my phone rings is that companies want to optimize the results of their marketing activities, and most who call assume a new customer acquisition strategy is their best bet. But after conducting our client discovery process, we often recommend other ways for them to optimize their results that are more effective and less expensive.

One way that some businesses often overlook involves increasing the lifetime-market-value of their existing customers. While the most common tactics for doing this include re-selling, side-selling, or up-selling, the method I am about to illustrate has nothing to do with sales and everything to do with service. It's called the "WOW!" factor.

There is a saying in the car business that the sales department sells the first car, and the service department sells the second. This holds true in every industry. It doesn't matter how stellar your sales team or systems are, if a customer has a poor experience with a product or service after the sale, you probably won't get a second chance to earn their business, let alone a referral. Every business should deliver exceptional service after the sale.

Here is the takeaway. Merely meeting customer expectations does not generate a "viral buzz". After all, customers just expect their expectations will be met. Many studies have shown that when a brand has met a customer's expectation, that customer's rating of their experience is "neutral." Most customers who identify themselves as "satisfied" are in fact "neutral," not necessarily "loyal," and they rarely become "advocates."

If you want your customers to sing your praises, you have to do far better than meet their expectations. You literally need to "WOW" them. Think back to a time when you had a customer experience that actually made you say, "WOW!"

In the spring of 2003, my wife and I were talking with three landscape companies about a major project. But before we could select a contractor, doctors diagnosed a brain tumor (the size of a baseball) and I underwent immediate surgery. Needless to say, we had to make many changes, and canceling our landscape project was a no brainer (pardon the pun).

A few months into my recovery, my wife said to me, "WOW!" And then, "I can't believe what just happened!" The owner of Edmonds Landscaping, one of the three contractors, had called just to ask how I was doing. Not once did he mention landscaping, or our landscaping project. He was more concerned about our family. He was not a client or a friend, and the only way he knew us was through our prospective landscape project.

Seven years later we are still talking about that "WOW!" experience. Through my writing and speaking, I have shared that "WOW" story with hundreds of thousands of people.

Your company's "WOW!" factor will need to be big. Minor distinctions don't create advocates. The example I shared has more to do with company culture than a process or promotion. The most effective "WOW!" factors are served one customer at a time.

So bring your team together for a talk about what your company could do to "WOW!" your customers. If you're able to make your customers feel the way that landscaping company made me and my wife feel, you may not need to rely on a customer acquisition strategy ever again.

To truly optimize your results, pre-test and post-track your promotion, and "WOW!" your customers.

Step 8 Exercise Summary:

Pre-test all your advertising, publicity and sales promotion to optimize results by following this three-step process:

1 Develop your promotion concept, hooks, and key messages to present as mockups to a test group.

2 Recruit a customer advisory council from your best customers to acquire feedback on your promotion.

3 Optimize your promotion (messages) based on test group feedback, and optimize your channel (media) based on results.

Pre-Test Promotion

The purpose of pre-testing is to make sure your promotion concepts meet your objectives and create the desired results while reducing costs and increasing your return on investment.

☞ **Develop the Concept:**
Work with your media outlet (channel sales rep) to produce mockups (dummy ads or story boards) to present to your test group for feedback.

Determine what mockups you'll create:

_____

_____

☞ **Recruit Test Group:**
Your test group (focus group or consumer jury) can be recruited at no cost from existing customers who are invited to serve a one-year term on your Customer Advisory Council.

Develop your advisory council invitation list:

_____

_____

☞ **Optimize Your Promotion:**
Select the best promotion concepts based on your customer advisory council's feedback, and conduct A/B tests to further optimize your promotion (messages and images).

Determine your best concepts:

_____

Create the *Control* "A" concept:

_____

Make the change for the *Test* "B" concept:

_____

Based on your customer advisory council's feedback and the results of your A/B testing, optimize your promotion (messages and images) before launching your promotion.

Summary

"Reduce your plan to writing. The moment you complete this, you will have definitely given concrete form to the intangible desire."

Napoleon Hill,
Bestselling Author of Think and Grow Rich

As with any system, program or plan, documentation is crucial. Using the MAP System is no different than other programs in that regard. Writing down your plan and consistently reviewing it is essential to staying on track. Organize the results of the eight exercises sequentially into a document or folder, and you'll have a MAPS road guide to reference and to help you stay on course.

When meeting with prospective clients for the first time, one of my discovery questions is, "Do you have a marketing plan?" A few of them say, "Yes we do." Then I ask to see it and most of them reply, "It's filed away." Some aren't even sure where it is. I ask you, how does a "filed away" plan drive activity and accountability? Obviously, it doesn't (but somebody got to check off *marketing plan* as "completed" on their to-do list).

It accounts for why (and I can't tell you how many times) I've heard the complaint, "My marketing plan isn't working." Some of those plans were well prepared, so in those cases, the culprit was usually an absence of performance management and accountability. This perfectly illustrates the difference between "activity" (completing the plan) and "accomplishment" (implementing and tracking the actions detailed in the plan). Business owners and managers should keep their plans on their desks—not in file cabinets—and refer to them during management meetings.

We've all heard the adage, "Plan the work and then work the plan." The reason we keep hearing it is because it's true!

The MAPS Summary

☞ **Step 1:** *Finding Your Northstar* is the trailhead of this journey. Don't skip this step as busy work, for it is the guidance system of the entire process. Every time you (or your team) grapple with an issue, idea or opportunity, run it through your mission statement, as the filter, and the answer will be clear.

☞ **Step 2:** *Analyzing Your Business* involves conducting a market oriented SWOT Analysis. This will surface assets and liabilities that you'll want to leverage and mitigate. Shoring up and strengthening your operations are essential to growth, and will benefit every aspect of your business.

☞ **Step 3:** *Asking Your Customers*, as a means of collecting voice of the customer data, is the foundation of the MAP system. Having a better understanding of your best customers' preferences, perceptions, and experiences will lead you to making better business and marketing decisions.

☞ **Step 4:** *Studying Your Competitors* is just as important because you cannot position your brand in a vacuum. Understanding the competitive landscape, and your key competitors' strengths and weaknesses, is necessary for developing a "distinctive" market position.

☞ **Step 5:** *Defining Your Niche* is the process of subdividing the market universe into segments, by profiling demographic (or corpographic if B2B) characteristics. The purpose is to concentrate your resources on a smaller, more responsive, and more profitable niche to create a bigger impact.

☞ **Step 6:** *Shaping Your Position*, based on your competencies, customer values, and competitor vulnerabilities, is what will distinguish your brand from key competitors in a manner that will be valued by your market niche. Your resulting unique value proposition will drive your promotion.

☞ **Step 7:** *Aligning Your Promotion* to your market position will ensure that the messaging and imaging are both meaningful and memorable. Aligning your well-positioned message to the right market, through the right channel, at the right time, will generate the best results.

☞ **Step 8:** *Optimizing Your Results*, based on pre-testing your promotion before you launch, and post-tracking the performance of each channel after you launch, will ultimately lead to more effective promotion, improvements in your return on investment, and the growth of your business.

Renewing Your MAPS

Since your business operates in a marketplace that is not static but dynamic and volatile, the MAP System is not a do-it-once-and-you're-done process. The market environment of constantly changing customers, competitors, government, technology and economy means your market analysis has a relatively short shelf life. For this reason, you will need to renew your data sets periodically.

I suggest that you conduct a SWOT analysis once a year, tied to your annual planning process. (You *do* have an annual planning process for your business, right?) Also, staying abreast of what your key competitors are doing requires frequent monitoring. How often you need to renew the voice of your customer information is determined by your industry. Generally, customer research data rarely has a shelf life of more two years. However, if you are in an emerging or constantly changing industry, you will need to renew your information more frequently.

Undersell and Over Deliver

It's one thing to promise something, it's altogether another thing to deliver. The MAP System works remarkably well as a process to position a business (brand) for growth by accelerating sales. But after you position and promote your brand, it becomes a promise to customers, and you need to deliver on that promise.

> "While it may be true that the best advertising is word-of-mouth, never lose sight of the fact it also can be the worst advertising."
>
> *Jef I. Richards,*
> *Advertising Department Chairman*
> *University of Texas*

Delivering on your brand promise involves more than an attractive logo, catchy tagline and great promotion; it has more to do with the experience you create for your customers than anything else. When your customers talk about you, do they share their "WOW!" experiences or their "WORST!" experiences? With the rampant adoption of blogging and social media, one click can potentially make or break your business.

To assure your business "makes it" your brand promise should be promoted from the inside out. That means, the positioning and promotion process actually begins with your internal customers: staff and stakeholders. Remember this, if your internal customers don't fully understand and buy in to your brand promise, if they don't "get it," your external customers won't "experience it".

It's easier to define and promote a strong market position than it is to deliver on the customer expectations that are created by that position. My closing counsel is to undersell and over deliver—exceed on customer expectations.

If you go through and document all eight steps of this system—define and promote a market position based on the voice of your customers, and exceed their expectations—you will not only grow your business, you can became a leader in your industry.

Most important of all, always keep in mind that "**Your Opinion Doesn't Matter!** *It's Your Customer's Opinion That Counts.*"

Special Offer to Help You Use MAPS Faster and Easier

Workbook

Because a new process is always easier to understand with visual aids, guidelines and tools, I am pleased to offer you a Workbook that includes worksheets for all of the "Step Exercises" described in the preceding pages.

Go to: YourOpinionDoesntMatter.com
Enter promo code: YODM for a 50% Savings
And Free Resources

Introduction:

According to the Small Business Administration only 34 percent of employer firms survive 10 years. Source: sba.gov/advo/stats/sbfaq.pdf 9/10/2010 (accessed 10/28/2010), page 15.

Webster's definition (2) of marketing. Source: Webster's New World College Dictionary (Fourth Edition © 2001), page 16.

Step 1:

Google's mission statement. Source: Google's company overview webpage - google.com/corporate (accessed 10/28/10), page 22.

FedEx mission statement Source: FedEx investor relations webpage - ir.fedex.com/documentdisplay.cfm?DocumentID=125 (accessed 10/28/2010), page 22.

Apple's mission statement. Source: Apples, investor relations FAQ webpage - phx.corporate-ir.net/phoenix.zhtml?c=107357&p=irol-faq#corpinfo2 (accessed 10/28/2010), page 23.

US bank specializes in SBA loans. This comment is based on US Bank's specialty division. Source: US Bank SBA Division - usbank.com/cgi_w/cfm/small_business/sub_global/sba_loans_cu.cfm (accessed on 10/28/2010), page 24. The author acknowledges many other banks specialize in SBA lending, and that this is not necessarily a brand distinction.

Step 2:

9/11 attacks significantly increased American Flag sales. In the week after the [9/11] attacks, one of the nation's largest producers of American flags, Annin & Co. of Roseland, N.J., produced more than 50,000 flags – about 10 times the normal amount. Source: Staff writer at St. Petersburg Times, published September 8, 2002, page 37.

9/11 attaches devastated the airline industry. In testimony to Congress, Delta Airlines Chairman and CEO Leo Mullin estimated that the Sept. 11, 2001 attacks could cost the airline industry $18 billion to $33 billion in 2001. Source:

Hearing before the Committee on Transportation and Infrastructure, House of Representatives 107th Congress, first session on September 19, 2001, page 37.

The advent of micro processing put the kibosh on typewriter sales. The increasing dominance of personal computers and other electronic communication techniques have largely replaced typewriters in the United States. Source: en.wikipedia.org/wiki/Typewriter (accessed 10/28/2010), page 37.

Tale of two companies (Smith Corona and IBM). On July 5, 1995, the Smith Corona Corporation filed for bankruptcy protection in Delaware. Source: fundinguniverse.com/company-histories/Smith-Corona-Corp-Company-History.html. IBM introduced their 5150 on August 12, 1981. Source: en.wikipedia.org/wiki/IBM_Personal_Computer. IBM/clone PC market share in 1995 was 91%. Source: Ars Technica, December 14, 2005, By Jeremy Reimer - arstechnica.com/old/content/2005/12/total-share.ars/. IBM Fortune 500 listing in 1995 as #7. Source: Money/CNN.com (all URLs accessed on 10/28/2010), page 38.

Step 3:

Microsoft typically incentivizes with software. Source: My personal experience with a colleague who participated in a focus group to evaluate Microsoft Project in 1997, page 49.

Step 4:

Google Alert, a free tool from Google. Source: google.com/alerts (accessed on 10/28/2010), page 61.

Step 5:

Volvo sells less than 4 percent of what Toyota sells in terms of units. Source: Wall Street Journal/Market Data, September 2010 - online.wsj.com/mdc/public/page/2_3022-autosales.html (accessed on 10/28/2010), page 74.

Step 6:

With over 60 percent market share Heinz is the 800-pound gorilla in the catsup category. Source: Heinz 2004 Annual Report - wikinvest.com/stock/

H.J._Heinz_Company_(HNZ)#_note-2 (accessed on 10/28/2010), page 81.

Two Fortune 500 companies, Home Depot and Lowe's. Source: 2010 Fortune 500 list, ranked 29th and 42nd respectively - Money/CNN.com (accessed on 10/28/2010), page 82.

Bank of America was one of the first to distinguish itself by launching its mobile banking service. Source: Mobile Banking Catching On in US, Slowly. May 31, 2007 article in PCWorld - Bank of America Corp. in March launched mobile banking for 21 million online banking customers, allowing customers to use their cell phones and smart phones to check account balances, pay bills and transfer funds - pcworld.com/article/132456/mobile_banking_catching_on_in_us_slowly.html (accessed on 10/28/2010), page 83.

Dell changed the way consumers shop for computers, online instead of at a retail outlet. Dell started selling computers on Dell.com in 1996. Source: content.dell.com/us/en/corp/d/corp-comm/our-story-facts-about-dell.aspx (accessed on 10/28/2010), page 83.

UPS "What can 'Brown' do for you?" UPS unveils 'What can brown do for you?' ad campaign. Source: Business First, February 7, 2002 - bizjournals.com/louisville/stories/2002/02/04/daily35.html. Revenue share ratio over FedEx dropped from 1.56 in 2002 to 1.28 in 2010. Source: Fortune 500 list comparing revenues for both companies in 2002 and 2010 - Money/CNN.com (all URLs accessed on 10/28/2010), page 84.

GEICO was considered the fastest growing personal auto insurance company in the U.S., while State Farm, the category leader in 2000, had dropped from 15th to 34th on the Fortune 500 List (2000-2010). Source: GEICO Tops Ward's 50 Again, By Jeanny Hopper July 27, 2010 - autoquotenow.com/auto-insurance-news/headlines/geico-tops-wards-50-again-2-2729.php, and Fortune 500 list comparison of State Farm in 2000 and 2010 - Money/CNN.com (all URLs accessed on 10/28/2010), page 84.

GEICO's market share grew by 324 percent. Since Berkshire acquired control of Geico in 1996, its market share has increased from 2.5 percent to 8.1 percent - ecreditdaily.com/2010/03/geico-credit-cards-buffetts-painful-confession (accessed on 10/28/2010), page 88.

Step 7:

Hallmark knows that the bulk of their sales will occur based on holidays, so for Valentine's Day their timing is obvious. Source: Brandweek, January 26, 2004. One TV spot broke last week and the full schedule launches this week. Tag: "Hallmark Gold Crown - allbusiness.com/marketing-advertising/branding-brand-development/4688994-1.html (accessed on 10/28/2010), page 101.

GEICO, for example, is constantly advertising. Source: The Best Ad on Television, by Seth Stevenson, July 25, 2005. GEICO's "wall-to-wall" advertising - slate.com/id/2123285 (accessed 10/28/2010), page 102.

Nordstrom Half Yearly Sale. Source: Seattle PI Readers Blog by Tarah Perini, October 29, 2008. Plus, it only happens twice a year so make sure to stock up now! - blog.seattlepi.com/urbanfashionnetwork/archives/152845.asp (accessed on 10/29/2010), page 102.

They are not constantly advertising like GEICO, but they seem to be. Source: Gail Lavielle, a Wal-Mart spokeswoman, said the company wants to "have the very best resources [$578 million per year] to make sure we have consistent messaging, May 3, 2006 - msnbc.msn.com/id/12618548 (accessed on 10/28/2010), page 103.

Budweiser really ratchets up their spending level, during major sporting events. Source: Reuters, April 29, 2009. Anheuser-Busch historically has been the biggest U.S. corporate sponsor in the sports world and is still eager to promote itself through sports - forum.skyscraperpage.com/showthread.php?t=168512 (accessed on 10/28/2010), page 103.

Step 8:

Sometimes it does take a rocket scientist. Source: Absolute InBox, October 28, 2006 - absolutelyinbox.com (accessed on 10/28/2010), page 114.